L'ANNEAU
DE CASSANDRA

Danielle Steel

L'ANNEAU DE CASSANDRA

FRANCE LOISIRS
123, boulevard de Grenelle, Paris

Titre original : *The Ring*
Traduit par Valérie Dayre

Édition du Club France Loisirs, Paris
réalisée avec l'autorisation des Presses de la Cité.

ISBN 2-7242-9242-1

À Bill,
qui disait
que j'en étais capable.
Avec mon amour.
D.S.

LIVRE PREMIER

CASSANDRA

1

PAISIBLEMENT assise sur la berge du lac du parc de Charlottenburg, Cassandra von Gotthard regardait se rider en cercles concentriques l'onde troublée par le caillou qu'elle venait de lancer. Elle tenait entre ses longs doigts minces une autre petite pierre, qu'elle soupesa un moment avant de la jeter dans les flots, machinalement. C'était une journée chaude et ensoleillée de fin d'été. Les longs cheveux blond vénitien de Cassandra tombaient mollement sur ses épaules, retenus sur le côté par un peigne en ivoire dont la perfection et la grâce ne faisaient que souligner la beauté de son visage. Ses immenses yeux en amande, du même bleu intense que les fleurs du parterre derrière elle, laissaient paraître des promesses de rire en même temps que de tendres murmures. C'étaient des yeux qui caressaient, taquinaient puis se faisaient pensifs, comme perdus dans un songe lointain, un songe aussi distant de l'instant présent que la ville grouillante l'était du château vénérable qui se dressait sur l'autre berge du lac.

À la voir ainsi, on aurait dit Cassandra sortie d'une autre époque, d'un tableau ou d'un rêve. Ses doigts délicats tâtonnaient doucement dans l'herbe à la recherche d'un autre petit caillou à lancer. Tout près, les canards barbotaient. Deux bambins se mirent à frapper joyeusement dans leurs mains ;

Cassandra les observa longuement avant qu'ils ne s'éloignent en riant.

— À quoi pensais-tu ?

La voix, toute proche, la tira de sa rêverie. Elle tourna la tête, souriante.

— À rien.

Son sourire s'élargit et elle tendit vers l'homme une main où étincelait une chevalière incrustée de diamants. Il ne remarqua pas la bague ; il n'avait cure des bijoux qu'elle portait. Cassandra seule l'intriguait, qui à ses yeux recelait le mystère de la vie et de la beauté. Elle demeurait pour lui une question dont il ne connaîtrait jamais la réponse, un présent qu'il ne posséderait jamais tout à fait.

Ils avaient lié connaissance l'hiver précédent, lors d'une fête qui célébrait la parution de son deuxième livre, *Der Kuß*[1]. Par la crudité de son style, Dolff Sterne avait choqué toute l'Allemagne, mais cet ouvrage lui avait néanmoins valu encore plus de louanges que le premier. Grâce à une intrigue à la fois sensible et érotique, le roman avait placé son auteur au pinacle de la littérature allemande contemporaine. Controversé, moderne, c'était un écrivain à la fois scandaleux et terriblement talentueux. À trente-trois ans, Sterne avait atteint les sommets. Puis il avait rencontré son idéal.

Ce soir-là, la beauté de la jeune femme lui avait coupé le souffle. Certes il avait déjà entendu parler d'elle ; à Berlin tout le monde savait qui elle était. Elle semblait intouchable, inabordable, et incroyablement fragile. Dolff avait presque éprouvé de la souffrance en la découvrant dans son fourreau doré, sa chevelure chatoyante mise en valeur par une petite toque dorée, son manteau de zibeline jeté sur un bras. Ni l'or ni la fourrure ne l'avaient bouleversé, mais sa présence, son étrangeté, son silence parmi la foule bruyante, ses yeux enfin.

1. *Le Baiser.* (N.d.T.)

Lorsqu'elle s'était tournée pour lui sourire, l'espace d'un instant il avait cru que son cœur s'arrêtait de battre.

— Félicitations.

— À quel propos ?

Il l'avait dévisagée, fasciné, incapable de parler, se faisant l'effet d'un gamin, avant de se rendre compte qu'elle aussi était nerveuse. Elle n'était pas telle qu'il s'y était attendu. Son élégance ne la rendait pas distante. Les regards insistants et la foule bruyante avaient dû l'effrayer car elle avait vite pris congé, disparaissant telle Cendrillon alors qu'il accueillait d'autres invités. Il avait eu envie de courir après elle, de la retrouver, de la revoir ne serait-ce qu'un instant afin de s'abîmer dans son regard bleu lavande.

Deux semaines plus tard, ils s'étaient de nouveau rencontrés. Ici, dans le parc de Charlottenburg. Il l'avait vue contempler le château et sourire aux clowneries des canards.

— Venez-vous souvent ici ?

Ils étaient restés côte à côte un moment, silencieux. Il était brun, grand et d'une beauté terriblement ténébreuse comparée à celle, délicate, de Cassandra. Ses yeux d'onyx lumineux se perdaient dans ceux de la jeune femme. Elle acquiesça puis lui offrit un sourire mystérieusement enfantin.

— J'avais l'habitude de venir ici quand j'étais petite.

— Vous êtes berlinoise ?

Question sans doute stupide mais il ne savait que dire. Elle se prit à rire, sans méchanceté.

— Oui. Et vous ?

— Je viens de Munich.

Le silence à nouveau. Il se demandait quel âge elle avait. Vingt-deux ? Vingt-quatre ans ? Et soudain il entendit un éclat de rire cristallin alors qu'elle regardait trois enfants qui gambadaient après leur chien, échappaient à leur gouvernante et s'aventuraient dans l'eau jusqu'aux genoux, le bouledogue refusant de regagner le rivage.

— Un jour j'ai fait comme eux, et ma nurse ne m'a plus amenée ici durant un mois.

Il lui sourit, imaginant la scène. Elle paraissait encore assez jeune pour aller patauger dans le lac, quand bien même bijoux et fourrures rendaient invraisemblable qu'elle eût été assez libre un jour pour courir dans l'eau après un chien. Néanmoins il la voyait presque, accompagnée d'une gouvernante en uniforme amidonné qui lui enjoignait de revenir sur la berge. À quand la scène remontait-elle ? 1920 ? 1915 ? À des années-lumière en tout cas de ce qu'il vivait à la même époque. Il s'efforçait alors de mener de front ses études et son travail, aidant ses parents à la boulangerie chaque matin avant l'école puis durant de longues heures l'après-midi. Oui, une vie à des années-lumière de celle de cette créature dorée.

Après cette deuxième rencontre, il avait hanté le parc de Charlottenburg, se convainquant qu'il avait besoin d'air et d'exercice après avoir écrit tout le jour, sans être dupe, toutefois, de son manège. Il cherchait ce visage, ces yeux, la chevelure d'or roux... Enfin il l'avait retrouvée, de nouveau au bord du lac. Elle avait paru heureuse de le revoir.

Et ce devint un rendez-vous tacite. Il sortait se promener après avoir écrit ; si l'heure le voulait bien, elle était là.

Ils devinrent les gardiens spirituels du château, les parents adoptifs des enfants qui jouaient près de la pièce d'eau. Ils jouissaient presque jalousement du décor tandis qu'ils se racontaient leurs enfances respectives et se confiaient leurs rêves. Au grand désarroi de son père, Cassandra aurait aimé suivre une carrière théâtrale, rêve intime qu'elle n'avait plus espoir de réaliser même si elle se disait parfois que, plus tard, elle écrirait une pièce.

Elle était toujours fascinée lorsque Dolff parlait de ses livres, de ses débuts, de ce qu'il avait ressenti quand son premier roman avait rencontré le succès. La célébrité qu'il connaissait lui restait curieusement irréelle, et peut-être en serait-il toujours ainsi. Voilà cinq ans que son premier roman était paru, sept ans qu'il avait quitté Munich pour Berlin, trois ans qu'il avait acheté sa Bugatti, et deux ans qu'il possédait sa belle maison ancienne à Charlottenburg... et tout cela demeurait également irréel.

Ce sentiment entretenait sa jeunesse et faisait danser dans ses yeux une perpétuelle lueur de joie étonnée. Dolff Sterne n'était pas encore blasé, ni de la vie ni de l'écriture, encore moins de Cassandra.

Elle adorait l'écouter. Qu'il raconte ses intrigues, et elle sentait l'histoire et les personnages prendre vie — comme elle se sentait redevenir vivante auprès de lui. Au fil des semaines, Dolff vit s'estomper la crainte dans son regard et poindre à la place gaieté et spontanéité.

— Savez-vous à quel point j'ai de l'affection pour vous, Cassandra ?

Il avait parlé d'un ton badin alors qu'ils marchaient un jour au bord du lac, goûtant la brise printanière.

— Allez-vous écrire un livre sur moi ?

— Je le devrais ?

Elle abaissa un moment ses yeux lavande, le fixa de nouveau.

— Surtout pas. Il n'y aurait rien à raconter. Ni victoire, ni succès, ni accomplissement. Rien du tout.

Leurs regards restèrent rivés l'un à l'autre, la lavande et l'onyx se disant des mots qui ne pouvaient encore être prononcés.

— C'est ce que vous pensez ?

— C'est la vérité. Je suis née et un jour je mourrai. Entretemps, j'aurai porté de très jolies robes, participé à un millier de dîners mondains, écouté bon nombre d'opéras fort bien chantés... et voilà tout.

À vingt-neuf ans, elle s'exprimait comme ceux qui ont cessé d'espérer une vie différente.

— Et votre pièce de théâtre ?

Elle haussa les épaules. Tous deux connaissaient la réponse. Elle était prisonnière dans une cage dorée.

— Donc mon seul espoir d'atteindre à la renommée et à la gloire repose sur vous, reprit-elle en riant. Mettez-moi dans un roman, faites de ma personne un être d'exception.

Cela, il l'avait déjà fait, mais il n'osa le lui avouer. Pas encore. Il préféra continuer à jouer le jeu.

— Fort bien. En ce cas, tenons au moins compte de vos goûts. Qu'aimeriez-vous être ? Qu'est-ce qui vous semble extraordinaire ? Une espionne ? Une femme chirurgien ? La maîtresse d'un homme très célèbre ?

— Quelle horreur ! s'exclama-t-elle en riant. Et quel ennui, Dolff, vraiment. Non, réfléchissons...

Ils s'étaient assis dans l'herbe ; elle avait ôté son chapeau de paille et libéré sa chevelure d'or.

— Une actrice, je crois... Vous feriez de moi la coqueluche de la scène londonienne... et puis...

Elle pencha la tête de côté, et passa dans ses cheveux ses doigts effilés où les bagues étincelaient sous l'éclat du soleil.

— Et puis... je pourrais aller en Amérique et y devenir une étoile.

— En Amérique ? Où exactement ?

— À New York.

— Y êtes-vous déjà allée ?

— Avec mon père, pour mes dix-huit ans. C'était fabuleux. Nous étions...

Elle se tut, plutôt que de lui raconter qu'ils avaient été les hôtes des Astor à New York, puis du président à Washington ; la confidence lui paraissait déplacée. Elle ne voulait pas impressionner Dolff, mais être son amie ; elle avait trop d'affection pour lui pour se livrer à ce genre de jeu. Et quelle que fût la renommée qu'il avait acquise, le fait est qu'il n'appartiendrait jamais au même monde qu'elle. Tous deux le savaient et évitaient d'en parler.

— Vous étiez... ?

Il la regardait, son beau visage fin tout près du sien.

— Nous étions amoureux de New York. Moi, tout au moins.

Poussant un soupir, elle posa un regard mélancolique sur leur lac.

— Est-ce que New York ressemble à Berlin ?

— Pas du tout. C'est une ville merveilleusement neuve et résolument moderne, très excitante.

— Et Berlin est tellement sinistre, n'est-ce pas ?

Parfois, il ne pouvait s'empêcher de la taquiner. Pour lui, Berlin méritait encore tous les qualificatifs dont elle parait New York.

— Vous vous moquez de moi.

Le reproche qui perçait dans la voix de Cassandra était démenti par ses yeux. Elle aimait être avec lui ; elle adorait le rituel de leurs promenades de l'après-midi. De plus en plus, désormais, elle fuyait ses obligations quotidiennes pour venir le retrouver dans le parc.

Son regard était doux quand il lui répondit :

— Je vous taquine, Cassandra. Cela vous froisse ?

— Non. J'ai le sentiment de vous connaître mieux que personne, ajouta-t-elle après un silence.

Pour déroutant que ce fût, il éprouvait la même chose. Cependant elle demeurait son rêve, son illusion, qui toujours lui échappait, hormis ici, au parc.

— Vous comprenez ce que je veux dire ?

Ne sachant trop que répondre, il hocha la tête. Il craignait encore de l'effrayer et que cessent leurs promenades.

— Oui, je comprends.

Bien mieux qu'elle ne l'imaginait. Pris d'une soudaine folie, il s'empara de sa longue et frêle main.

— Aimeriez-vous venir prendre le thé chez moi ?

— Maintenant ?

À cette offre, le cœur de Cassandra avait étrangement palpité. Elle en brûlait d'envie mais elle n'était pas certaine... Elle ne pensait pas...

— Oui, maintenant. Avez-vous un autre impératif ?

— Non...

Elle aurait pu faire valoir un rendez-vous, lui dire qu'on l'attendait ailleurs pour le thé... Elle n'en fit rien.

— Cela me plairait, dit-elle.

Ils s'éloignèrent ensemble en riant et bavardant, secrètement nerveux à l'idée de quitter cet éden pour la première fois, mais pressés par une force irrésistible, comme si toutes ces promenades dans le parc n'avaient eu que ce seul but.

La lourde porte en bois sculpté s'ouvrit lentement et ils pénétrèrent dans un vaste hall. Au-dessus d'un secrétaire Biedermeier était suspendu un immense et magnifique tableau. Leurs pas résonnèrent sur les dalles de marbre quand elle le suivit à l'intérieur.

— C'est donc ici que vit le célèbre auteur.

Dolff eut un sourire nerveux en posant son chapeau sur le bureau.

— La maison est autrement plus célèbre ! Elle appartenait à un baron au XVIIe siècle et a toujours abrité des personnages bien plus illustres que moi.

Il promena autour de lui un regard fier qu'il reporta, rayonnant, sur la jeune femme ; celle-ci levait les yeux vers le plafond sculpté rococo.

— C'est superbe, Dolff.

— Venez que je vous montre le reste, lui proposa-t-il en lui tendant la main.

L'ensemble de la demeure tenait les promesses de l'entrée, avec ses hauts plafonds magnifiquement sculptés, ses parquets en marqueterie, ses lustres en cristal et ses hautes fenêtres élégantes donnant sur un jardin tout en fleurs. Un grand salon et un autre plus petit faisant office de fumoir occupaient la majeure partie du rez-de-chaussée. Il y avait aussi une vaste salle à manger, la cuisine, ainsi qu'un débarras où étaient entreposés une bicyclette et trois paires de skis. Ornées d'élégants balcons, les deux immenses chambres qui occupaient l'étage donnaient sur le château et son parc. Dans la plus grande, un étroit escalier en colimaçon se devinait dans un angle.

— Qu'y a-t-il là-haut ? s'enquit Cassandra, intriguée.

La maison était un pur joyau et Dolff pouvait en être fier. Il lui sourit, heureux de l'admiration sincère qu'il lisait dans ses yeux.

— Ma tour d'ivoire. C'est là que je travaille.

— Je pensais que vous travailliez en bas, dans le fumoir.

— Oh non, je me contente d'y recevoir des amis. Le salon m'intimide encore un peu. Mon bureau est là-haut.

— Je peux le voir ?

— Bien sûr, si vous pouvez vous frayer un chemin au milieu des papiers.

En vérité il ne régnait aucun désordre dans la petite pièce aux belles proportions, dotée d'une vue panoramique sur les alentours. À l'exception de la place occupée par la cheminée, les murs étaient couverts de livres. C'était un lieu où l'on avait envie de vivre, et Cassandra se laissa tomber dans un fauteuil de cuir rouge avec un soupir de contentement.

— Quel endroit merveilleux, vraiment !

Son regard rêveur était tourné vers le château.

— Je crois que c'est la raison qui m'a poussé à acheter la maison. Ma tour d'ivoire et la vue.

— Comme je vous comprends, mais le reste est également plein de charme.

Une jambe repliée sous elle, elle sourit à Dolff et celui-ci lui trouva une expression paisible qu'il ne lui avait encore jamais vue.

— Vous savez, Dolff... J'ai l'impression d'être enfin chez moi. À croire que j'ai attendu toute ma vie de venir ici.

— Peut-être la maison vous a-t-elle attendue toutes ces années... tout comme moi, répondit-il dans un doux murmure.

Ses propres paroles le troublèrent ; il n'avait pas eu l'intention d'être si franc. Mais elle ne manifesta aucune colère.

— Je regrette, je ne voulais pas dire ça.

— Ce n'est pas grave, Dolff.

Quand elle tendit la main vers lui, les diamants de sa chevalière étincelèrent au soleil. Doucement Dolff lui prit la main et l'attira lentement dans ses bras. Le temps semblait s'être arrêté et ils s'embrassèrent sous l'azur printanier, serrés l'un contre l'autre. Cassandra mettait dans ses baisers une ardeur qui ne faisait qu'attiser la flamme de Dolff, et un long moment s'écoula avant qu'il ne reprenne ses esprits pour l'éloigner de lui.

— Cassandra...

Ses yeux trahissaient à la fois plaisir et tourment. Lui tournant le dos, la jeune femme regarda le parc.

— Non, souffla-t-elle. Ne me dis pas que tu es désolé. Je ne veux pas l'entendre... Je ne peux pas...

Elle lui fit face, les yeux brillant d'une souffrance proche de celle qu'il éprouvait.

— Je te désire depuis si longtemps.

— Mais...

Il s'en voulait d'être si hésitant et pourtant il devait le lui dire, au moins pour elle. D'un geste, elle lui intima silence.

— Je sais. Cassandra von Gotthard ne doit pas dire ces choses-là, n'est-ce pas ? Tu as raison. Mais j'en avais tellement envie. Je ne m'en rends compte que maintenant. Cela ne m'était jamais arrivé. Toute ma vie, j'ai vécu selon les convenances. Et sais-tu ce que je possède, Dolff ? Rien. Sais-tu qui je suis ? Personne. Je suis vide, poursuivit-elle, les yeux pleins de larmes. Je te cherchais pour combler mon âme. (Une nouvelle fois elle se détourna.) Je suis désolée.

S'approchant d'elle, il lui enlaça la taille.

— Non, ne te rabaisse pas ainsi. Tu es tout pour moi. Tous ces derniers mois, je n'ai aspiré qu'à mieux te connaître, être avec toi, te donner un peu de moi, partager quelque chose de toi. Je ne veux surtout pas te blesser, Cassandra. Je ne veux pas t'attirer dans mon monde au risque de te rendre la vie impossible dans le tien. Je n'en ai pas le droit. Je n'ai pas le droit de te retenir dans un lieu où tu ne pourrais être heureuse.

— Où donc ? Ici ?

Elle posa sur lui un regard incrédule.

— Crois-tu que je pourrais être malheureuse ici avec toi ? Ne serait-ce qu'une heure ?

— Justement. Pour combien de temps, Cassandra ? Une heure ? Deux ? Un après-midi ?

Il n'était que souffrance face à elle.

— Arrête. Un seul instant comme celui-là dans ma vie serait suffisant.

Ses jolies lèvres tremblaient. Elle abaissa la tête.

— Je t'aime, Dolff... Je t'aime... Je...

Il lui ferma la bouche d'un baiser puis, lentement, ils redescendirent l'escalier étroit. Mais ils n'allèrent pas plus loin que la chambre. Dolff l'amena jusqu'au lit, lui ôta sa fine robe de soie grise et ses dessous de satin beige, pour mettre à nu l'exquis velours de sa chair. Des heures durant ils s'étreignirent, leurs lèvres, leurs mains, leurs corps, leurs cœurs se fondant pour ne faire qu'un.

Quatre mois s'étaient écoulés depuis ce jour et leur liaison les avait changés tous deux. Les yeux de Cassandra étincelaient ; taquine et joueuse avec son amant, elle s'asseyait en tailleur dans son grand lit pour lui raconter avec humour ce qu'elle avait fait la veille. Quant à Dolff, son travail avait pris une nouvelle dimension, une nouvelle profondeur, et il était habité par une force qu'il n'avait jamais ressentie jusqu'ici. Ce qu'ils partageaient, ils étaient certains qu'ils étaient les premiers à le vivre. Ils mêlaient le meilleur de leurs deux univers : lui son désir farouche de réussir, elle ses fragiles tentatives pour se libérer de ses chaînes dorées.

Il leur arrivait encore d'aller marcher dans le parc, mais de moins en moins, et lorsqu'ils se trouvaient ensemble hors de chez lui il la sentait souvent triste. Il y avait trop de gens, trop d'enfants et de nurses. Elle n'aspirait qu'à être seule avec lui, dans leur intimité secrète, sans que rien ne vînt lui rappeler un monde extérieur qu'ils ne partageaient pas.

— Veux-tu rentrer ?

Depuis un moment, il l'observait sans souffler mot. Elle était gracieusement allongée sur l'herbe, sa robe de voile mauve couvrant ses jambes, avec dans les cheveux l'or qu'y faisait naître le soleil. Son chapeau de soie, mauve lui aussi, était abandonné sur l'herbe ; elle portait des bas de la même teinte ivoire que ses escarpins. Un rang de grosses perles lui ceignait le cou. Derrière elle, sur l'herbe, gisaient ses gants en chevreau ainsi que son sac à main mauve, au fermoir en ivoire, assorti à sa robe.

— Oui, je veux rentrer.

Avec un sourire heureux, elle se leva prestement.

— Que regardais-tu ? questionna-t-elle.

L'intensité de son regard l'avait frappée.

— Toi.

— Pourquoi ?

— Tu es si incroyablement belle... Si je devais te décrire dans un roman, les mots me manqueraient.

— Écris donc que je suis affreuse, idiote et grosse.

Ils se mirent à rire.

— Cela te plairait ?

— Énormément, dit-elle d'un ton taquin.

— Au moins, cela aurait l'avantage que personne ne te reconnaîtrait dans ce personnage.

— Vas-tu vraiment écrire sur moi ?

Dolff resta pensif un moment tandis qu'ils regagnaient la maison qu'ils aimaient tous deux.

— Un jour, oui, répondit-il enfin. Mais pas maintenant.

— Pourquoi ?

— Je suis encore trop sous ton charme pour écrire quoi que ce soit de sensé. À dire vrai, précisa-t-il en lui souriant, je risque fort de ne plus jamais rien écrire de sensé.

Leurs après-midi ensemble étaient sacrés et ils hésitaient parfois sur la façon de les passer : soit au lit soit confortablement installés dans la tour d'ivoire à parler du travail de Dolff. Cassandra était la femme qu'il avait toujours attendue. Avec Dolff, elle avait trouvé celui dont elle avait toujours eu désespérément besoin. Quelqu'un qui comprenne les méandres de son âme, ses aspirations, ses désirs, ses hésitations, sa rébellion enfin contre la rigidité de son monde. Ensemble ils étaient parvenus à accepter la situation car ils savaient que, pour l'heure, ils n'avaient pas d'autre choix.

— Veux-tu du thé, ma chérie ?

Elle jeta son chapeau et ses gants sur le secrétaire de l'entrée puis fouilla son sac à la recherche d'un peigne. C'était un peigne ravissant, en onyx et ivoire, un objet de luxe comme tout ce qu'elle possédait. Le remettant dans son sac, elle se tourna vers Dolff, radieuse.

— Arrête de me sourire, mon bel amour... Tu parlais de thé ?

— Hmmm... ? Oui, Enfin, non. N'en parlons plus. Montons, déclara-t-il en lui prenant fermement la main.

— Tu as l'intention de me faire lire un nouveau chapitre ? insinua-t-elle d'une voix mutine.

— Bien sûr. J'ai d'ailleurs un roman en projet dont je souhaite te parler, longuement...

Une heure plus tard, il dormait paisiblement à ses côtés et elle le contemplait, des larmes plein les yeux. Elle se glissa sans faire de bruit hors du lit. Elle détestait le quitter mais il était près de six heures. Elle referma doucement la porte de la salle de bains en marbre blanc. Dix minutes plus tard, elle en sortit habillée et coiffée, une expression de désir et de tristesse sur le visage. Elle resta un moment près du lit et, comme s'il avait senti sa présence, Dolff ouvrit les yeux.

— Tu t'en vas ?

Elle hocha la tête. Ils se regardèrent d'un air malheureux.

— Je t'aime.

— Je t'aime aussi, dit-il en lui ouvrant les bras. À demain, mon amour.

Elle sourit, l'embrassa une dernière fois et lui lança un ultime baiser du seuil de la chambre avant de s'élancer dans l'escalier.

2

LE TRAJET de Charlottenburg à Grunewald, situé un peu à l'écart du centre-ville, prit moins d'une demi-heure à Cassandra. Elle pouvait le parcourir en quinze minutes à condition de garder le pied au plancher de son petit coupé Ford bleu marine ; cela faisait longtemps qu'elle empruntait l'itinéraire le plus court. Son cœur s'emballa quelque peu lorsqu'elle jeta un œil à sa montre.

Aujourd'hui, elle rentrait plus tard que d'habitude mais elle aurait tout de même le temps de se changer. Pourtant sa nervosité la contrariait ; n'était-ce pas absurde, de se sentir comme une gamine de quinze ans qui a dépassé la permission de minuit ?

Les rues étroites et sinueuses de Grunewald apparurent bientôt, et sur sa droite le miroir lisse du lac. On n'entendait que les oiseaux. Les vastes demeures qui bordaient la route se dressaient derrière leurs murs de brique et leur portail métallique, dissimulées par les arbres, enveloppées dans leur silence guindé. À cette heure, dans les chambres à coucher, les femmes de chambre aidaient leur maîtresse à se vêtir. Mais elle avait encore le temps.

Elle gara son véhicule devant le portail, se hâta d'introduire sa clef dans la lourde serrure, ouvrit en grand les deux battants puis remonta dans sa voiture. Plus tard elle enverrait quelqu'un fermer les portes. Les graviers crissèrent bruyamment sous les roues tandis qu'elle approchait de la maison. Inspirée de l'architecture française, la demeure s'étirait interminablement de part et d'autre de l'entrée principale et comportait trois étages en pierre gris clair, dont le dernier, bas de plafond, se nichait sous un élégant toit pentu et abritait les chambres des domestiques. Le second étage était quasiment tout éclairé. Les appartements de Cassandra étaient situés au premier, avec les chambres destinées aux invités, et deux coquettes bibliothèques, l'une donnant sur les jardins, l'autre sur le lac. Si à cet étage-là ne brillait qu'une seule fenêtre, au rez-de-chaussée, en revanche, tout était illuminé : la salle à manger, le grand salon, la vaste bibliothèque, le fumoir aux lambris de bois sombre qui abritait des livres rares. Se rappelant subitement la raison de cette débauche de lumières, Cassandra porta la main à sa bouche.

— Oh ! mon Dieu... oh ! non !

Le cœur battant, elle abandonna la voiture devant la

pelouse et les magnifiques parterres de fleurs et gravit en courant les marches du perron. Comment avait-elle pu oublier ? Qu'allait-il dire ? Tenant son chapeau et ses gants dans une main, son sac serré sous son bras, elle s'apprêta à glisser sa clef dans la serrure. Au même instant, la porte s'ouvrit et la jeune femme se retrouva face au sévère visage de Berthold, le majordome, dont le crâne chauve luisait sous l'éclat des deux lustres qui éclairaient le hall ; Berthold, cravaté de blanc et toujours impeccable dans son habit, les yeux trop froids pour manifester ne fût-ce qu'une quelconque désapprobation. Derrière lui, une domestique en robe noire et tablier de dentelle blanche traversait l'entrée d'un pas pressé.

— Bonsoir, Berthold.

— Madame.

La porte se referma sèchement derrière elle, en même temps que le majordome claquait des talons.

Cassandra jeta un œil inquiet dans le grand salon. Dieu merci, tout était prêt. Le dîner de seize convives lui était complètement sorti de l'esprit. Par chance, la veille elle avait réglé tous les détails avec l'intendante. Frau Klemmer avait été parfaite, comme d'habitude. Adressant un petit signe de tête aux domestiques qu'elle croisait, la jeune femme se précipita à l'étage, regrettant de ne pouvoir grimper les marches deux à deux comme elle le faisait chez Dolff quand ils couraient se jeter sur le lit... À cette idée, l'ombre d'un sourire passa dans ses yeux mais elle s'efforça de chasser son amant de ses pensées.

Sur le palier, elle marqua un arrêt, le temps de considérer le long couloir au sol gris. Tout à l'entour était gris perle : la soie qui habillait les murs, les tapis, les rideaux de velours. Deux superbes commodes Louis XV marquetées, au plateau de marbre, meublaient le palier. Des appliques anciennes étaient fixées aux murs, entre de petites gravures de Rembrandt, dans la famille depuis toujours. Des portes flanquaient le couloir des deux côtés, mais une seule laissait filtrer un rai de lumière. Cassandra se dirigea vers ses appartements. Elle les atteignait à peine quand elle entendit s'ouvrir la porte derrière elle, et la lumière envahit la pénombre du couloir.

— Cassandra ?

Si la voix était sévère, le regard qu'elle rencontra en se retournant ne l'était pas. Grand, élancé, les épaules larges, encore beau à cinquante-huit ans, l'homme avait les yeux d'un bleu encore plus prononcé que ceux de la jeune femme, une chevelure où la neige se mêlait au sable. Son visage avait la régularité des anciens portraits germaniques.

— Je suis désolée... J'ai été retardée...

Leurs regards s'accrochèrent, lourds de tout ce qui n'était pas dit.

— Je comprends.

Bien mieux qu'elle ne le pensait.

— Tu seras prête à temps ? Ton retard serait regrettable.

— Ne t'inquiète pas, tout ira bien.

Elle le dévisagea d'un air peiné. Sa tristesse ne venait pas du dîner oublié cependant, mais du souvenir des joies qu'ils ne partageaient plus depuis longtemps. Il lui sourit sans se rapprocher, et cette distance entre eux était la même que celle qui les séparait dans la vie.

— Fais vite. Et... Cassandra...

Elle sut ce qu'il allait dire et la culpabilité lui serra la gorge.

— Es-tu allée là-haut ?

— Pas encore. J'irai avant de descendre.

Sur un hochement de tête, Walmar von Gotthard regagna ses appartements. Vaste et austère, sa chambre où dominaient les bois sombres était meublée d'antiquités allemandes et anglaises ; un tapis persan dans les tons bordeaux et bleu foncé recouvrait le luxueux parquet. Les murs étaient lambrissés, comme dans le bureau adjacent, sa tanière. Un dressing-room et une salle de bains complétaient son domaine.

Celui de Cassandra était plus vaste encore. À cet instant, elle y pénétrait en coup de vent et jetait son chapeau sur l'édredon de satin rose. Les lieux lui ressemblaient autant que les quartiers de Walmar reflétaient la personnalité de celui-ci. Tout chez elle était doux et harmonieux, ivoire et rose, satin et soie, étoffé et confortable, à l'abri du monde. L'abondance des rideaux obstruait quasiment la vue sur le jardin. À l'instar de sa vie avec Walmar, la pièce douillette la protégeait de l'extérieur. Presque aussi grand que la chambre à coucher, le dressing-room présentait une immense rangée de placards enfermant des vêtements d'un goût parfait, avec chaussures et chapeaux assortis. Un petit tableau impressionniste dissimulait le coffre à bijoux. Attenant au dressing-room, le boudoir, avec vue sur le lac, était meublé d'une méridienne ayant appartenu à la mère de Cassandra et d'un minuscule secrétaire de facture française. Il y avait là des livres qu'elle ne lisait plus, le cahier d'esquisses auquel elle ne touchait plus depuis le mois de mars. À croire qu'elle ne vivait plus ici. Elle ne reprenait vie que dans les bras de Dolff.

Tout en ôtant ses escarpins en chevreau ivoire et en déboutonnant hâtivement sa robe mauve, elle ouvrit deux placards, passa leur contenu en revue. Soudain elle se figea, le souffle coupé. Que faisait-elle ? Qu'avait-elle fait ? Dans quel absurde chemin s'était-elle engagée ? Quel espoir avait-elle de connaître un jour une vraie vie avec Dolff ? Elle était à jamais la femme de Walmar. Elle le savait, l'avait toujours su, depuis qu'elle s'était mariée à dix-neuf ans. Directeur de banque et proche relation d'affaires de son père, Walmar avait alors quarante-huit ans, et leur alliance paraissait évidente et logique : une association. Ils avaient le même style de vie, fréquentaient les mêmes gens. Deux ou trois unions avaient précédemment rapproché leurs familles. Tout aurait dû marcher. Peu importait qu'il fût tellement plus âgé ; ce n'était ni un vieillard ni un impotent. De surcroît, il avait toujours été très brillant (et il l'était encore dix ans plus tard). Surtout, il la comprenait. Il admettait qu'elle soit restée rêveuse et idéaliste, sachant qu'elle avait été élevée à l'écart du monde et des réalités. Aussi entendait-il la protéger des difficultés de la vie.

Ainsi Cassandra avait-elle eu son existence toute tracée, selon un schéma traditionnel établi par des mains plus habiles que les siennes. Il lui suffisait d'accomplir ce que l'on attendait d'elle, et Walmar la chérirait et la protégerait, la guiderait, entretenant le cocon dans lequel elle avait vécu depuis sa naissance. Cassandra von Gotthard n'avait rien à redouter de son époux ; en fait, elle n'avait rien à redouter du tout, sinon elle-même peut-être — cela, aujourd'hui, elle le savait.

Une fois percé son cocon protecteur, elle s'était évadée, sinon physiquement du moins en esprit. Mais elle se devait de regagner chaque soir le domicile conjugal, de jouer son rôle, d'être celle qu'elle devait être : l'épouse de Walmar von Gotthard.

— Frau von Gotthard ?

Cassandra fit volte-face au son de la voix qui venait de la surprendre dans son dressing-room.

— Oh ! Anna... Merci, je n'ai pas besoin d'aide.

— Fräulein Hedwig m'a demandé de vous dire...

Grands dieux ! Se sentant à nouveau coupable, Cassandra détourna la tête.

— ... les enfants aimeraient vous voir avant de se coucher.

— Je monte dès que je suis prête. Merci.

Son ton ne prêtait pas à confusion : doux et ferme, il congédiait la femme de chambre. Cassandra savait user à la perfection de tous les tons ; l'intonation juste, les mots appropriés coulaient dans ses veines. Jamais brutale, jamais courroucée, rarement brusque, elle était une dame. C'était son monde. Néanmoins, une fois la porte refermée, elle se laissa tomber dans un fauteuil, les yeux emplis de larmes. Elle se sentait impuissante, brisée, déchirée. Il ne s'agissait pourtant que de ses devoirs, en vue desquels elle avait été élevée. Or c'était précisément cela qu'elle fuyait chaque jour en allant retrouver Dolff.

Walmar représentait toute sa famille maintenant. Walmar et les enfants. Elle n'avait personne d'autre vers qui se tourner. Son père était mort. Sa mère avait-elle connu elle aussi cette solitude, avant de suivre son époux dans la tombe deux ans plus tard ? Elle ne savait à qui en parler, et personne dans son entourage ne lui aurait dit la vérité.

Dès le début de leur union, Walmar et elle avaient conservé une distance respectueuse. Walmar avait suggéré des chambres séparées. Ils avaient passé quelques soirées dans le boudoir de Cassandra, savourant du champagne et partageant alors le même lit. Mais ces moments étaient devenus fort rares depuis la naissance de leur deuxième et dernier enfant, lorsque Cassandra avait vingt-trois ans. L'enfant était né par césarienne ; elle avait failli mourir. Comme elle, Walmar redoutait les conséquences d'une nouvelle grossesse. Les soirées champagne s'étaient de plus en plus espacées, et avaient totalement cessé en mars. Walmar ne posait pas de question. Elle n'avait eu aucune difficulté à se faire comprendre, mentionnant quelques visites chez le médecin, prétextant une douleur, une migraine. Chaque soir, elle se retirait tôt dans sa chambre. Tout allait bien, Walmar se montrait compréhensif. Mais au fond d'elle-même, quand elle revenait à la maison, entrait chez lui ou dans sa propre chambre, elle savait que tout n'était pas parfait. Que faire à présent ? Était-ce là ce que la vie lui offrait ? Allait-elle continuer de la sorte, indéfiniment ? Probablement. Jusqu'à ce que Dolff se lasse. Car il se lasserait, forcément. Elle le savait, si lui l'ignorait encore. Et ensuite ? Un autre ? Et encore un autre ? Ou bien plus personne ? La jeune femme qui fixait, l'air désolé, son miroir, n'avait plus les certitudes de celle qui avait passé l'après-midi dans la maison de Charlottenburg. Elle savait seulement qu'elle avait trahi et son mari et son milieu.

Elle respira profondément, se leva et se dirigea vers son placard. Ses sentiments importaient peu pour le moment, il était temps de s'habiller. Faire bonne figure au dîner était le moindre de ses devoirs. Les invités seraient tous des banquiers accompagnés de leurs épouses. Bien qu'étant toujours la plus jeune, elle se conduisait à la perfection.

Un bref instant, elle eut envie de courir retrouver ses enfants, ces petits anges qu'on tenait éloignés d'elle au deuxième étage. Les enfants qui jouaient au lac de Charlottenburg lui rappelaient immanquablement les siens, et c'était toujours une souffrance pour elle de s'avouer qu'elle ne connaissait pas mieux ses propres enfants que ceux qu'elle voyait rire et s'amuser dans le parc. En fait, c'est Fräulein Hedwig qui était leur mère. Depuis toujours et pour toujours. Cassandra se faisait l'effet d'une étrangère devant ce petit garçon et cette petite fille qui tous deux ressemblaient tant à Walmar et si peu à elle...

— Ne sois pas ridicule, Cassandra. Tu ne peux t'occuper toi-même de ta fille.

Elle avait posé un regard peiné sur Walmar. Ariana était née la veille.

— Mais je le veux. C'est mon enfant.

— Notre enfant, avait-il corrigé en lui souriant alors qu'elle était au bord des larmes. Quoi, tu veux rester debout toute la nuit à changer des langes ? Tu serais épuisée au bout de deux jours. C'est... insensé.

Un moment, il avait paru contrarié. Mais cela n'avait rien d'insensé, c'était ce qu'elle voulait. C'était, elle le savait, ce qu'on ne lui permettrait jamais.

La nourrice était arrivée le jour où mère et fille quittaient la clinique, et avait emmené la petite Ariana au deuxième étage. Le soir, quand Cassandra était montée voir son bébé, elle s'était fait admonester par Fräulein : il ne fallait pas déranger l'enfant. On la lui amènerait, insistait Walmar. Elle n'avait aucune raison de monter au deuxième. Mais on ne lui amenait Ariana qu'une fois dans la matinée et, lorsqu'elle venait à la nursery, elle s'entendait toujours dire qu'il était trop tôt, ou trop tard ; le bébé dormait, ou s'agitait, ou pleurnichait. Et Cassandra retournait dans ses appartements, le cœur lourd de ne pas avoir vu sa fille.

— Attends qu'elle soit plus grande, conseillait Walmar, tu pourras jouer avec elle autant que tu le souhaiteras.

Lorsque ce temps était venu, il était trop tard. Cassandra et Ariana étaient deux étrangères l'une pour l'autre. La gouvernante avait gagné. Et lorsque son second enfant était arrivé, trois ans après, Cassandra était trop malade pour livrer bataille. Aux quatre semaines passées à l'hôpital succédèrent quatre semaines alitée chez elle. Puis quatre mois où elle avait sombré dans la dépression, pour finir par comprendre qu'elle ne remporterait pas le combat. On n'avait besoin ni de son soutien, ni de son aide, ni de son amour, ni de son temps. Elle était une jolie dame qui venait en visite, vêtue de beaux habits et qui sentait merveilleusement bon. Elle leur glissait bonbons et biscuits, dépensait des fortunes en jouets extraordinaires, mais ce que ses enfants auraient pu lui réclamer, elle n'avait pas le droit de le leur donner ; quant à ce qu'elle aurait désiré d'eux en retour, ils l'avaient depuis longtemps accordé à leur gouvernante.

Cassandra ravala ses larmes et prit une robe dans le placard puis traversa la pièce pour choisir une paire de souliers en daim noir. Elle en possédait neuf paires pour le soir et opta pour les plus récents. Ses bas de soie bruissèrent doucement lorsqu'elle les sortit de leur boîte en satin. Heureusement qu'elle avait eu le temps de prendre un bain chez Dolff, songea-t-elle. Au moment où elle se glissait dans la robe noire, il lui parut incroyable d'exister dans le monde de Dolff. Le havre de Charlottenburg lui parut un rêve inaccessible. La réalité était ici dans l'univers de Walmar von Gotthard, dont elle demeurait indéniablement et irrévocablement l'épouse.

Elle remonta la fermeture du long fourreau en crêpe de laine noir, à manches longues et col montant, dont la sobriété élégante rehaussait sa beauté et qui dénudait son dos jusqu'à la taille, dans une fente en forme de larme ; l'ivoire satiné de sa peau évoquait un clair de lune se reflétant sur l'océan par une belle nuit d'été.

Jetant sur ses épaules une courte cape en soie pour protéger sa robe, elle entreprit de se peigner avec soin puis de relever ses cheveux en une lourde torsade qu'elle fixa avec de longues épingles de corail noir. Satisfaite du résultat, elle essuya le mascara qui avait coulé sous ses yeux et se remaquilla légèrement. Des pendants d'oreilles en diamant complétèrent sa mise, ajoutant à son élégance. À ses doigts brillaient la superbe émeraude, qu'elle portait généralement le soir, et la chevalière qui ne quittait jamais sa main droite. Cette bague appartenait aux femmes de sa famille depuis quatre générations. Les initiales de son arrière-grand-mère y étaient inscrites en lettres de diamants qui étincelaient sous la moindre caresse de lumière.

Un ultime regard à son miroir prouva à Cassandra qu'elle offrait l'image qu'elle avait l'habitude de montrer : éblouissante, belle, sereine. Nul n'eût pu soupçonner le moindre tourment derrière cette rayonnante beauté. Ni qu'elle avait passé l'après-midi dans les bras de Dolff.

Une fois sur le palier désert, elle ne marqua qu'un bref arrêt devant l'escalier. La pendule indiquait sept heures, et les invités étaient attendus pour sept heures et demie. Elle avait une demi-heure à consacrer à Ariana et à Gerhard. Trente minutes pour jouer son rôle de mère. Combien ces instants volés totaliseraient-ils de temps dans l'existence de ses enfants ? se demanda-t-elle en gravissant les marches qui menaient à l'étage. Combien de demi-heures multipliées par combien de jours ? Mais avait-elle vu sa mère plus fréquemment ? Certes non. Et ce qui lui restait d'elle de plus vivant, de plus tangible, c'était cette chevalière qui n'avait jamais quitté sa main.

Parvenue devant la porte de la grande salle de jeux, elle frappa quelques coups. Il n'y eut pas de réponse, mais elle entendit des cris et des rires. Ils avaient pris leur bain et dîné depuis longtemps. Fräulein Hedwig leur faisait ranger leurs jouets, avec l'aide de la femme de chambre. Mais au moins ils étaient revenus maintenant : ils avaient passé la majeure partie de l'été à la campagne, et Cassandra ne les avait pas vus. Pour la première fois, cette année, Cassandra avait refusé de quitter Berlin, à cause de Dolff. Une activité au sein d'une institution de bienfaisance lui avait, fort à propos, fourni le prétexte qu'elle recherchait désespérément.

Elle frappa à nouveau et cette fois on l'entendit. Fräulein Hedwig la pria d'entrer. Il se fit un silence soudain quand les enfants levèrent vers elle un minois intimidé. C'est ce que Cassandra haïssait le plus, ce regard qu'ils posaient toujours sur elle, comme s'ils ne l'avaient jamais vue.

— Bonsoir, tout le monde.

Avec un sourire, elle tendit les bras. Nul ne bougea. Finalement, sur un encouragement de Fräulein Hedwig, Gerhard s'approcha. Il s'en serait fallu de peu qu'il ne coure se jeter dans ses bras si sa gouvernante n'avait été si prompte à le retenir.

— Attention, Gerhard ! Votre mère est habillée pour son dîner.

— Ce n'est pas grave, protesta Cassandra.

Mais ses bras ouverts restèrent vides.

— Bonsoir, maman, murmura le petit garçon.

Il avait les grands yeux bleus de sa mère mais les traits de son père. Un visage adorable, un sourire joyeux, des cheveux blonds, et un corps encore potelé de bébé, bien qu'il approchât les six ans.

— Je me suis fait mal au bras aujourd'hui.

Toujours sans approcher, il releva sa manche.

— Montre-moi, dit Cassandra en l'attirant tendrement vers elle. Oh ! mais quel affreux bobo ! Tu as eu très mal ?

La légère égratignure assortie d'un petit bleu comptait beaucoup pour lui.

— Oui, répondit-il à la dame en robe noire. Mais je n'ai pas pleuré.

— Voilà qui est très courageux de ta part.

— Je sais.

Il semblait satisfait de lui-même et se précipita aussitôt dans la pièce d'à côté pour aller chercher un jouet oublié. Cassandra resta seule avec Ariana, qui continuait de sourire timidement au côté de Fräulein Hedwig.

— Je n'ai pas droit à un baiser aujourd'hui, Ariana ?

Après un hochement de tête, la fillette approcha, hésitante, délicate, elfe gracile à la beauté prometteuse.

— Comment vas-tu ?

— Fort bien, je te remercie, maman.

— Pas de bobo, rien qu'il me faille embrasser ?

Elle secoua la tête et toutes deux se sourirent. Parfois Gerhard, avec ses attitudes typiquement masculines, les faisait rire de concert. Ariana, elle, avait toujours été différente. Pensive, silencieuse, bien plus réservée que son frère. Souvent Cassandra se demandait ce qu'il en aurait été sans Fräulein Hedwig.

— Qu'as-tu fait aujourd'hui ?

— J'ai lu, et j'ai fait un dessin.

— Je peux le voir ?

— Il n'est pas encore fini.

Ils ne l'étaient jamais.

— Peu importe, j'aimerais le voir quand même.

Ariana rougit violemment et fit non de la tête. Plus que jamais, Cassandra se fit l'effet d'une intruse et, comme chaque fois, souhaita voir disparaître Hedwig et la femme de chambre. Qu'elles aillent au moins dans la pièce voisine, afin qu'elle ait le loisir d'être seule avec ses enfants. Les occasions étaient si rares ! Hedwig ne les quittait pas d'une semelle.

— Regarde ! lança Gerhard qui revenait en se dandinant dans son pyjama, un gros chien en peluche au bout des bras.

— D'où vient-il ?

— La baronne von Vorlach me l'a apporté cet après-midi.

— Vraiment ? s'exclama Cassandra d'une voix blanche.

— Elle a dit que tu devais prendre le thé avec elle et que tu avais oublié.

Cassandra ferma les yeux.

— En effet, c'est affreux. Je m'excuserai auprès d'elle. En tout cas, voilà un joli chien. Comment s'appelle-t-il ?

— Bruno. Ariana, elle, a eu un gros chat blanc.

La fillette avait soigneusement gardé la nouvelle pour elle. Mère et fille partageraient-elles jamais quoi que ce soit ? Quand elle serait grande, peut-être deviendraient-elles amies. Pour l'heure, il était trop tard d'un côté, trop tôt de l'autre.

À l'étage inférieur, la pendule sonna la demie. La poitrine oppressée, Cassandra regarda ses enfants. Gerhard lui rendit son regard, déconfit.

— Tu dois t'en aller ?

— Je regrette. Papa donne un dîner.

— Toi, non ? s'enquit le garçonnet avec curiosité.

— Si, si, bien sûr, mais ce sont des gens de sa banque, et d'autres banques encore.

— Cela paraît ennuyeux.

— Gerhard !

Hedwig avait la réprimande facile, mais Cassandra se mit à rire et prit un ton de conspirateur pour répondre au délicieux bambin :

— Absolument... mais ne le dis à personne... c'est un secret entre nous.

— En tout cas, tu es très très jolie.

Il la dévisageait d'un air approbateur et elle embrassa sa menotte potelée.

— Merci, souffla-t-elle en l'attirant dans ses bras pour déposer un baiser au sommet de sa tête blonde. Bonne nuit, petit bonhomme. Vas-tu emmener ton chien au lit ?

— Non, déclara fermement l'enfant. Hedwig dit que je ne peux pas.

Se redressant, Cassandra adressa un sourire aimable à la gouvernante.

— Je pense qu'il en a le droit.

— Fort bien, madame.

Gerhard rayonnait de joie et tous deux échangèrent un dernier sourire complice avant que Cassandra se tourne vers Ariana.

— Et toi, vas-tu prendre ton chat en peluche dans ton lit ?

— Je crois, oui.

Elle jeta un œil sur Hedwig puis sur sa mère, et à nouveau celle-ci sentit quelque chose mourir tout au fond d'elle.

— Tu me le montreras demain, d'accord ?

— Oui, madame.

Le mot la blessa profondément mais elle dissimula son chagrin pour embrasser sa fille, adressa un dernier signe à ceux qu'elle quittait et referma doucement la porte.

Elle dévala les escaliers aussi vite que le lui permettait son étroit fourreau noir et atteignit le rez-de-chaussée au moment où Walmar accueillait leurs premiers invités.

— Ah, tu es là, ma chérie.

Son mari lui adressa un regard appréciateur, comme toujours. Il procéda aux présentations ; on claqua des talons, on baisa des mains. C'était un couple que Cassandra avait souvent rencontré lors de réceptions données à la banque mais elle ne les avait encore jamais reçus chez elle. Après les avoir chaleureusement salués, elle prit le bras de Walmar pour entrer dans le grand salon.

La soirée se passa en mondanités. Les mets étaient fins et les vins français excellents. Les invités parlèrent opérations bancaires et voyages. Enfants et politique étaient curieusement absents de la conversation, bien que l'on fût en 1934 et que la mort du président Hindenburg ait levé le dernier obstacle à l'ascension de Hitler. Ce sujet-là ne valait pas vraiment d'être discuté. Depuis que Hitler était devenu chancelier l'année précédente, les banquiers du pays avaient maintenu leur position. Aux yeux du Reich, ils étaient importants, ils avaient leur travail, Hitler le sien. Quoi que puissent en penser certains, il ne les inquiétait guère. Il n'y avait qu'à laisser faire. Et puis, il y avait ceux qui se réjouissaient de voir Hitler au pouvoir.

Walmar ne faisait pas partie de ceux-là, mais son point de vue demeurait minoritaire. Il avait été surpris par le pouvoir croissant des nazis ; en privé, il avait averti ses amis que cela conduirait à la guerre. Cependant il n'y avait aucune raison d'aborder le sujet ce soir-là. Les crêpes flambées, servies avec du champagne, présentaient autrement plus d'intérêt que le IIIe Reich.

Le dernier invité ne partit pas avant une heure trente. Avec un bâillement, Walmar s'approcha de sa femme.

— Un dîner très réussi, ma chérie. J'ai préféré le caneton au poisson.

— Ah oui ?

Mentalement, elle prit note de le signaler à la cuisinière le lendemain matin. Leurs dîners étaient gargantuesques : entrée, potage, poisson, viande ou volaille, salade, fromages, dessert, et enfin, fruits. C'était la tradition et ils s'y conformaient.

— As-tu passé une soirée agréable ? questionna Walmar avec sollicitude, tandis qu'ils montaient l'escalier.

— Bien sûr, répondit-elle, touchée qu'il le lui demande. Pas toi ?

— Une soirée utile. Ce contrat belge dont nous discutions se signera sans doute. Il était important que Hoffmann soit présent ce soir.

— Bien. En ce cas, c'est parfait.

Était-ce là son rôle, s'interrogea-t-elle en suivant son mari d'un pas las : encourager son époux pour son contrat belge et encourager Dolff pour son livre ? Mais si elle aidait ces deux hommes à atteindre leurs buts, pourquoi n'en faisait-elle pas autant pour ses enfants ? Et pour elle-même ?

— J'ai trouvé son épouse très jolie.

Walmar eut un haussement d'épaules puis, sur le palier, il lui sourit, un éclat chagrin dans les yeux.

— Pas moi. Mais je dois avouer que ta beauté me rend insensible à toute autre.

— Merci, souffla-t-elle en lui rendant son sourire.

Un instant, ils demeurèrent un peu mal à l'aise l'un face à l'autre. Le moment était venu de se séparer ; cela leur était plus facile les soirs où ils n'avaient pas d'obligations mondaines. Lui se retirait dans son bureau, elle montait lire dans sa chambre. Mais gravir les marches ensemble avivait leurs blessures et accentuait leurs solitudes respectives. Avant, il leur était toujours possible de se retrouver plus tard dans la chambre de Cassandra ; désormais ils savaient que ce ne serait plus jamais le cas. Un parfum d'adieu flottait entre eux chaque fois qu'ils atteignaient le palier, plus grave qu'un bonsoir.

— Tu as l'air en meilleure forme ces temps-ci, ma chérie. Je veux dire, au point de vue santé.

— Oui, je me sens mieux.

Mais cette constatation lui fit mal et elle s'empressa de

détourner les yeux. Le silence s'installa et la pendule sonna le quart.

— Il est tard, tu ferais bien d'aller te coucher.

Il l'embrassa sur le front et partit d'un pas résolu vers sa chambre.

— Bonne nuit, murmura Cassandra dans son dos, avant d'ouvrir la porte de ses appartements.

3

LE VENT fouettait Dolff et Cassandra alors qu'ils se promenaient le long du lac du château de Charlottenburg. Cet après-midi, ils étaient seuls dans le parc. Les enfants étaient retournés à l'école et le froid vif avait dissuadé les promeneurs habituels. Dolff et Cassandra savouraient leur balade solitaire.

— Tu n'as pas froid ? s'enquit Dolff.

— Avec ça ? rétorqua la jeune femme en riant. Si c'était le cas, l'avouer me gênerait.

Dolff promena un regard admiratif sur le nouveau manteau de zibeline dont l'ourlet dansait à quelques centimètres du sol. Cassandra portait une toque de même fourrure coquettement inclinée ; ses cheveux soyeux étaient rassemblés en un chignon bas sur la nuque. Le froid lui avait rosi les joues et ses yeux semblaient d'un bleu-violet plus étonnant que jamais. Un bras autour de ses épaules, Dolff la considéra avec fierté. Novembre était là et elle était sienne depuis plus de huit mois.

— Qu'éprouves-tu maintenant que tu as terminé ton livre ?

— Je me sens orphelin.

— Les personnages te manquent beaucoup ?

— Terriblement, au début. Mais moins lorsque je suis avec toi, ajouta-t-il en l'embrassant sur le front. Nous rentrons ?

Ils se dirigèrent d'un pas allègre vers la maison de Dolff. Cette maison où Cassandra se sentait de plus en plus chez elle. La semaine dernière, ils s'étaient risqués ensemble chez un antiquaire pour y acheter deux fauteuils et un petit secrétaire.

— Du thé ? proposa la jeune femme en gagnant la cuisine.

Dolff l'y suivit. Elle mit la bouilloire à chauffer puis s'installa sur l'une des vieilles chaises.

— Savez-vous combien il est délicieux de vous avoir ici, madame ?

— Sais-tu combien il est délicieux d'être ici ?

Elle en avait terminé avec la culpabilité. C'était sa façon de vivre, voilà tout, et elle s'était trouvée grandement réconfortée d'apprendre incidemment, quelques mois plus tôt, que l'une des sœurs de son père avait eu un amant trente-deux années durant. Peut-être était-ce sa destinée à elle aussi ? Vieillir avec Dolff et Walmar, utile à tous deux, son être intime irrévocablement lié à celui de Dolff, et retenue par les bras protecteurs de Walmar. Qu'y avait-il de si terrible après tout ? Quelqu'un souffrait-il ? La peine qu'elle éprouvait toujours en pensant à ses enfants avait commencé bien avant que Dolff n'entre dans sa vie.

— Te voilà de nouveau grave. À quoi pensais-tu ?

— Oh ! à nous...

Songeuse, elle servit le thé. Dans cette cuisine accueillante, elle se sentait bien loin du cérémonial qui présidait aux thés qu'elle donnait à Grunewald, sous l'œil sévère du majordome Berthold.

— Penser à nous te rend soucieuse à ce point ?

— Parfois, reconnut-elle en lui tendant une tasse. Je prends notre histoire très au sérieux, tu sais.

— Je sais, acquiesça Dolff avec gravité. Moi aussi.

Et soudain il eut envie de lui dire ce qu'il n'avait encore jamais dit :

— Si les choses étaient... différentes... Je veux que tu saches que... je te voudrais pour toujours.

— Et maintenant ? demanda-t-elle, plongeant son regard dans le sien.

— Je te veux quand même pour toujours. (Sa voix était une caresse.) Mais je ne peux rien pour changer la situation.

— Je ne te demande rien, murmura Cassandra en souriant. Je suis heureuse ainsi.

Et à son tour elle lui confia ce qu'elle n'avait jamais dit :

— La part la plus importante de ma vie est ici, Dolff.

Pour lui, avoir cette femme dans sa vie était proprement inouï. Tant de choses avaient changé dans son existence au cours de l'année écoulée ! Le monde autour d'eux changeait aussi, mais il en était bien plus conscient qu'elle. Doucement, elle lui toucha la main, le tirant de ses pensées.

— Parle-moi de ton livre maintenant. Que dit ton éditeur ?

Une expression étrange passa dans les yeux de Dolff.

— Pas grand-chose.

— Il ne l'aime pas ? s'étonna Cassandra, bouleversée.

C'était un livre merveilleux, qu'elle avait lu par les après-midi froids, enfouie dans le lit de son amant.

— Que dit-il ?

— Rien, répondit Dolff avec un regard plus dur. Ils ne sont pas certains de pouvoir le publier.

Voilà qui expliquait l'ombre qu'elle avait devinée dans ses yeux en arrivant après le déjeuner. Pourquoi ne lui en avait-il pas parlé plus tôt ? Mais lui taire ses soucis lui ressemblait bien ; il tenait toujours à ce qu'elle lui parle d'elle.

— Ils sont fous ? Et le succès de ton dernier roman ?

— Ça n'a aucun rapport, rétorqua Dolff en lui tournant le dos pour poser sa tasse dans l'évier.

— Je ne comprends pas.

— Moi non plus, mais nous finirons par comprendre. Notre Führer bien-aimé nous y aidera bien assez tôt.

— De quoi parles-tu ?

La colère brillait dans le regard de Dolff quand il lui fit face.

— Cassandra, as-tu idée de ce qui se passe actuellement dans notre pays ?

— Tu veux parler de Hitler ? Cela ne va pas durer. Les gens en auront assez de lui.

— C'est ce que tu crois ? Ce que croit ton époux ? insista Dolff d'un ton amer.

Qu'il parle de Walmar la stupéfia.

— Je ne sais pas. Il n'en parle guère. Du moins pas avec moi. Une personne sensée ne peut pas aimer Hitler, mais contrairement à ce que pensent certains, je ne le crois pas dangereux.

— En ce cas, tu es bien sotte, Cassandra.

Jamais encore il ne lui avait parlé sur ce ton, ni n'avait fait montre de cette colère, de cette amertume.

— Sais-tu pourquoi mon éditeur tergiverse ? reprit-il. Non parce que mon dernier livre se serait mal vendu, ni parce qu'il n'aime pas le manuscrit. Il a été assez idiot pour me faire savoir combien il l'appréciait avant de se rétracter. Mais c'est à cause du parti...

Il regarda la jeune femme avec une angoisse qui la déchira.

— Parce que je suis juif, Cassandra. Un Juif n'est pas censé connaître le succès, ni remporter des récompenses nationales. Avec Hitler au pouvoir, il n'y aura pas de place pour les Juifs dans la nouvelle Allemagne.

— C'est grotesque !

L'incrédulité de Cassandra se lisait sur son visage. Jamais encore ils n'avaient abordé ce sujet. Dolff lui avait parlé de ses parents, de son passé, de son enfance, mais jamais il ne s'était étendu sur le fait d'être juif et ce que cela signifiait ou non pour lui. Elle le savait et c'était tout. Quand elle y pensait — rarement —, cette différence lui plaisait. La question n'avait jamais fait l'objet d'une discussion entre eux. Pour Dolff, en revanche, qui ne pouvait oublier sa différence, la vérité se faisait jour peu à peu quant à ce qui pourrait advenir.

— Tu ne parles pas sérieusement, s'entêta Cassandra. Ce ne peut pas être ça.

— Cela arrive aussi à d'autres Juifs, je ne suis pas le seul concerné. Ils ne publient plus ni nos livres ni nos articles, ne nous prennent plus au téléphone. Crois-moi, Cassandra, je sais.

— Alors va trouver un autre éditeur.

— Où ? En Angleterre ? En France ? Je suis allemand, je veux publier mon travail ici.

— Eh bien, fais-le. Ils ne sont pas tous aussi idiots.

— Il ne s'agit pas d'idiotie ; ils sont bien plus avisés que nous ne le pensons. Ils voient venir les choses et ils ont peur.

Choquée par ce qu'elle entendait, Cassandra dévisagea son amant. La situation ne pouvait être aussi terrible qu'il le croyait. Il était bouleversé par ce refus, simplement. Poussant un long soupir, elle lui prit la main.

— Même si c'est vrai, cela ne durera pas. Ils se détendront dès qu'ils verront que Hitler ne cause pas tant de troubles que ça.

— Qu'est-ce qui te fait penser qu'il ne causera pas des troubles terribles ?

— Il ne le peut pas. Le pouvoir est toujours entre de bonnes mains. La colonne vertébrale de ce pays, c'est la banque, les affaires, les vieilles familles ; ils ne se laisseront pas séduire par ses boniments. Les classes inférieures, peut-être, mais que représentent-elles ?

— Les « vieilles familles » ne seront peut-être pas séduites, mais si elles ne s'érigent pas contre lui, nous sommes condamnés. Et puis, tu te trompes sur autre chose : elles n'ont plus le pouvoir. Le pouvoir, c'est le petit homme, des armées et des armées de petits hommes, qui individuellement sont sans puissance mais qui, une fois en groupes, deviennent forts. Des gens qui sont fatigués de ce que tu appelles la « colonne vertébrale », fatigués des classes supérieures, des « vieilles familles » et des banques. Ces gens-là croient chaque chose que prêche Hitler ; ils estiment avoir trouvé un nouveau dieu. Et s'ils s'unissent, ils deviendront la véritable puissance de ce pays. Si cela se produit, nous aurons tous des difficultés, pas seulement les Juifs, mais également des gens comme toi.

Ses paroles la terrifiaient. S'il avait raison... Mais non... ce n'était pas possible.

Lui souriant, elle se leva pour lui caresser le torse.

— J'espère que rien ne sera aussi noir que tu le prédis.

Dolff l'embrassa puis, passant le bras autour de sa taille, l'emmena à l'étage. Elle aurait aimé lui demander ce qu'il comptait faire pour son manuscrit mais elle ne voulait pas le presser ni ranimer ses craintes. Et pour un auteur de sa trempe, il semblait impensable que les préjugés de Hitler envers les Juifs et les écrivains juifs fussent d'une réelle importance. Après tout, il était Dolff Sterne.

Ce soir-là, Cassandra rentra chez elle en ruminant les paroles de Dolff. L'expression de son amant la tourmentait encore lorsqu'elle pénétra dans la demeure. Il lui restait une heure avant le dîner et, au lieu d'aller voir les enfants, elle chercha refuge dans sa chambre. S'il avait raison ? Qu'est-ce que cela signifierait ? Quelles seraient les conséquences pour eux ? Se laissant doucement glisser dans l'eau chaude, elle préféra conclure que tout cela n'était que bêtise. Le roman serait publié. Dolff obtiendrait un nouveau prix. Les artistes étaient parfois un peu fous. Elle sourit en se remémorant d'autres moments de l'après-midi. Elle souriait encore quand elle entendit frapper à la porte de sa chambre et pria machinalement sa femme de chambre d'entrer.

— Cassandra ?

Au lieu d'Anna, ce fut Walmar qui s'adressa à elle depuis la pièce voisine.

— Walmar ? Je suis dans mon bain.

Ayant laissé la porte entrouverte, elle se demanda s'il allait entrer, mais il n'en fit rien.

— Pourras-tu venir me voir lorsque tu seras habillée ?

Au ton sérieux de sa voix, Cassandra éprouva une légère crainte. Allait-il chercher l'affrontement ? Elle ferma les yeux, retint son souffle.

— Tu veux entrer ?

— Non, viens me voir avant le dîner.

À son intonation, il paraissait plus inquiet que fâché.

— J'arrive dans quelques minutes.

— Bien.

Quand il fut parti, elle se dépêcha de sortir du bain, se maquilla, se peigna. Elle revêtit un sobre tailleur gris perle sur une blouse de soie blanche qui se fermait au col par une large cravate. Ses souliers étaient en daim gris, ses bas gris fumée. Elle mit le double rang de perles noires qui avait été le collier préféré de sa mère, avec les boucles d'oreilles assorties. C'était une jeune femme discrète et sérieuse qu'elle contempla dans le miroir avant de s'engager dans le couloir. Seuls ses cheveux et ses yeux apportaient couleur et luminosité à sa mise.

— Entre, répondit Walmar quand elle eut frappé chez lui.

Elle avança dans la pièce. Assis dans le confortable fauteuil de cuir de son bureau, Walmar s'empressa de poser le document qu'il lisait.

— Tu es ravissante, Cassandra.

— Merci.

Dans ses yeux, elle lut la vérité, la douleur. Elle eut envie de le réconforter mais s'en trouva incapable. Elle mesurait soudain l'abîme qui les séparait. Abîme derrière lequel Walmar s'était retranché.

— Assieds-toi, je t'en prie. Un sherry ?

Elle déclina son offre. Il savait ; à son regard elle n'en douta plus. Sous prétexte de contempler le feu, elle détourna le visage. Elle n'avait rien à lui dire. Elle n'aurait qu'à endurer le blâme et opter pour une solution. Que pouvait-elle faire ? Lequel quitterait-elle ? Elle les aimait tous deux, avait besoin de chacun d'eux.

— Cassandra...

Elle s'attarda dans la contemplation de l'âtre puis finit par revenir à son mari.

— Oui, souffla-t-elle, la voix étranglée de tristesse.

— Il faut que je te dise quelque chose... C'est...

Walmar était au supplice, mais tous deux savaient qu'il n'y avait plus moyen de reculer.

— C'est extrêmement pénible pour moi d'en discuter avec toi, comme ce doit l'être pour toi.

Le sang battait aux oreilles de Cassandra, si fort qu'elle entendait à peine son époux. Sa vie était terminée.

— Mais je dois te parler. Pour ton bien. Pour ta sécurité. La nôtre, peut-être.

— Ma sécurité ? murmura-t-elle.

Avec un soupir, Walmar se laissa retomber dans son fauteuil. Des larmes voilaient ses yeux.

— Voilà. Je sais... Je sais que... ces derniers mois... tu t'es engagée dans... une situation difficile.

Cassandra baissa les paupières.

— Je veux que tu saches, poursuivit-il, que je... je comprends... Je ne suis pas hostile.

Les grands yeux tristes se rouvrirent.

— Oh ! Walmar..., fit-elle alors que des larmes commençaient à rouler sur ses joues. Je ne veux pas... Je ne peux....

— Attends, écoute-moi.

Son ton était paternel. Il enchaîna :

— Ce que j'ai à te dire est très important. Je veux aussi que tu saches, maintenant que la situation est claire, que je t'aime. Je ne veux pas te perdre, quoi que tu puisses penser de moi aujourd'hui.

Cassandra secoua la tête et, tirant de sa poche un mouchoir de dentelle, s'essuya les yeux.

— J'ai du respect pour toi, Walmar. Et je t'aime aussi.

C'était la vérité. Elle l'aimait et souffrait de sa souffrance.

— Tu dois cesser de voir... ton ami. Pas pour les raisons que tu imagines, précisa-t-il en remarquant la réaction d'horreur muette de sa femme. J'ai vingt-neuf ans de plus que toi, ma chérie, et je ne suis pas un imbécile. Ces choses se produisent parfois et peuvent blesser gravement ceux qui les vivent, mais si on les affronte courageusement, on peut survivre à l'épreuve. Cependant, ce n'est pas là ce que j'avais à te dire. Pour des raisons totalement étrangères à moi ou à notre union, tu dois cesser de voir... Dolff.

Prononcer le nom de son rival le mit au supplice.

— Même si tu n'étais pas mariée, tu devrais rompre cette relation, conclut-il.

— Que veux-tu dire ? s'emporta Cassandra.

Toute gratitude envers la générosité de Walmar s'était envolée.

— Pourquoi ? Parce qu'il est écrivain ? Le prends-tu pour un bohémien ? Oh ! Walmar, c'est un homme très convenable et merveilleux.

L'absurdité de cette plaidoirie ne lui apparut pas sur-le-champ. Avec un nouveau soupir, Walmar s'enfonça encore plus profondément dans son fauteuil.

— J'espère que tu ne me crois pas assez étroit d'esprit pour éliminer les écrivains ou les artistes de mon cercle d'amis. Tu me ferais plaisir en te rappelant que je n'ai jamais péché par des opinions aussi mesquines, Cassandra. Ce dont je te parle est tout à fait différent.

Il se pencha en avant.

— Tu ne peux pas te permettre de fréquenter cet homme et d'être vue chez lui, non parce qu'il est écrivain... mais parce qu'il est juif. Et cela me rend malade de te dire cela, car ce qui est en train de se produire dans ce pays est laid et écœurant, mais le fait est que c'est *ce qui se passe.* Tu es ma femme, la mère de mes enfants, et je ne veux pas que tu sois assassinée ou jetée en prison ! Comprends-tu, bon sang ? Comprends-tu combien c'est grave ?

Cassandra le dévisagea avec une stupeur incrédule. Le cauchemar reprenait, en écho aux paroles de Dolff.

— Tu veux dire que... ils pourraient le tuer ?

— Je n'en sais rien, et je ne sais plus quoi penser. Mais tant que nous menons une vie tranquille et que nous restons en dehors des événements, nous sommes en sécurité, toi, moi, Ariana et Gerhard. Cet homme, lui, n'est pas en sécurité. Cassandra, je t'en prie..., supplia-t-il en lui saisissant la main. S'il lui arrive quoi que ce soit, je ne veux pas que tu sois impliquée. Si la situation était différente, à une autre époque, j'aurais été peiné mais j'aurais fermé les yeux. Aujourd'hui c'est impossible. Je dois t'arrêter. Tu dois t'arrêter.

— Et lui ?

Trop effrayée, elle ne pleurait plus. La gravité des propos de Walmar l'avait ramenée à la réalité.

— Nous ne pouvons rien pour l'aider. S'il est intelligent et si les choses continuent à ce train, il ferait bien de quitter l'Allemagne. Dis-le-lui.

Cassandra fixait le feu, ne sachant que répondre. Elle savait seulement qu'elle n'abandonnerait pas Dolff. Ni maintenant ni jamais. Elle chercha le regard de Walmar, et derrière le courroux discerna une lueur très tendre. Elle alla l'embrasser sur la joue.

— Merci.

Il ne l'avait pas admonestée pour son infidélité ; il s'inquiétait seulement de sa sécurité, peut-être même de celle de Dolff. Quel homme extraordinaire ! Un instant, son amour pour lui brûla d'une ferveur oubliée depuis des années.

— C'est donc si grave ? demanda-t-elle, une main sur son épaule.

— Peut-être pire encore. Nous l'ignorons. Mais nous finirons par savoir, ajouta-t-il après un silence.

— J'ai du mal à croire que la situation puisse nous échapper ainsi.

— Feras-tu ce que je te demande, Cassandra ? reprit Walmar comme elle s'apprêtait à s'en aller.

Elle voulut l'en assurer, promettre, mais un changement subtil s'était produit entre eux. Il savait la vérité et c'était préférable ainsi. Elle n'avait plus à lui mentir.

— Je ne sais pas.

— Tu n'as pas le choix, martela-t-il avec colère. Cassandra, je t'interdis de...

Elle s'était déjà glissée hors de la pièce.

4

SIX SEMAINES plus tard, un ami de Dolff, écrivain lui aussi, disparaissait. Bien moins célèbre que Dolff, il avait également rencontré des difficultés pour la publication de son dernier ouvrage. Sa compagne téléphona à Dolff à deux heures du matin, au bord de la crise de nerfs. Revenant d'une visite chez sa mère à Munich, elle avait trouvé la porte de l'appartement fracturée, Helmut absent, et du sang sur le sol. Les feuillets du manuscrit sur lequel il travaillait étaient éparpillés dans la pièce. Les voisins avaient entendu crier puis hurler, elle n'en savait pas plus. Dolff lui donna rendez-vous près du domicile de Helmut puis l'emmena chez lui. Le lendemain, elle partait chez sa sœur.

Quand Cassandra arriva plus tard dans la matinée chez Dolff, elle le trouva abattu et fou de chagrin.

— Je ne comprends pas, Cassandra. Petit à petit, le pays entier devient dément. Comme si un poison s'insinuait lentement dans ses veines. Il finira par nous atteindre au cœur et nous tuer. Mais cela ne me concernera plus.

Devant son expression lugubre, elle fronça les sourcils.

— Que veux-tu dire ?

— À ton avis ? Combien de temps crois-tu qu'il s'écoulera avant que ce soit mon tour ? Un mois ? Six mois ? Un an ?

— Ne sois pas stupide. Helmut n'était pas romancier. Il écrivait des textes politiques qui critiquaient ouvertement Hitler depuis son accession au pouvoir. Ne vois-tu pas la différence ? Qu'est-ce qui peut leur déplaire dans ton cas ? Un roman tel que *Der Kuß* ?

— Je ne suis pas certain de distinguer la nuance, Cassandra.

Il promena un œil malheureux autour de lui. Il ne se sentait même plus en sécurité sous son propre toit, comme s'il les attendait à tout moment.

— Dolff... mon chéri, je t'en prie... sois raisonnable. C'est une chose horrible qui s'est produite, mais cela ne peut pas t'arriver à toi. Tout le monde te connaît. Ils ne vont pas te faire disparaître à la faveur de la nuit.

— Pourquoi pas ? Qui les arrêtera ? Toi ? Quelqu'un d'autre ? Bien sûr que non. Qu'ai-je fait pour Helmut cette nuit ? Absolument rien.

— D'accord, alors va-t'en, pour l'amour du ciel ! Pars en Suisse. Tu pourras te faire publier là-bas. Et tu seras en sécurité.

Il la considéra sombrement.

— Cassandra, je suis allemand. C'est mon pays à moi aussi. J'ai autant le droit d'y être qu'un autre. Pourquoi diable m'en irais-je ?

— Alors que me racontes-tu ?

C'était leur première querelle.

— Je t'explique que mon pays est en train de se détruire, lui et son peuple, et cela me rend malade.

— Mais tu n'y peux rien. Et si c'est ce que tu crois, pars avant qu'il ne te détruise.

— Et toi, Cassandra ? Tu t'imagines que tu es intouchable ? Tu crois que tu seras épargnée ?

— Je ne sais pas... Je ne sais pas... Je ne sais plus rien. Je ne comprends rien.

Depuis plusieurs semaines, elle était épuisée et se sentait impuissante face aux craintes des deux hommes qu'elle aimait. Elle avait beau quémander auprès d'eux l'assurance que tout ce en quoi elle croyait ne changerait jamais, tous deux lui affirmaient le contraire avec force. Walmar insistait pour qu'elle cessât de voir Dolff ; Dolff s'insurgeait contre ce qu'aucun d'eux n'avait pouvoir de modifier. Durant une demi-heure encore, il continua de parler de façon décousue et Cassandra finit par s'emporter :

— Que veux-tu de moi, exactement ? Que puis-je faire ?

— Rien, bon sang... rien...

Et tandis que les larmes coulaient sur ses joues, il attira la jeune femme dans ses bras et se laissa aller à son chagrin.

— Mon Dieu, Cassandra... oh ! mon Dieu...

Elle le tint étroitement contre elle, comme elle l'eût fait d'un fils.

— Tout va bien... tout va bien, mon chéri... je t'aime...

C'était tout ce qu'il restait à dire, mais la terreur qu'elle avait pu tenir à distance jusqu'alors lui glaçait maintenant le cœur. Et si une nuit c'était Dolff qu'on emmenait, hurlant dans les ténèbres ? Si elle se retrouvait à la place de l'amie de Helmut ? Non, cela ne pouvait lui arriver... ni à lui... Ces choses-là n'arrivaient pas... ne leur arriveraient pas.

Lorsqu'elle rentra chez elle en fin d'après-midi,Walmar l'attendait, non pas dans son bureau mais dans le grand salon. Il lui fit signe de le rejoindre et referma sans bruit la double porte.

— Cassandra, la situation devient impossible.

— Je refuse d'en parler.

Lui tournant le dos, elle regarda le feu qui ronflait sous le portrait du grand-père de Walmar dont les yeux semblaient toujours vous suivre.

— Ce n'est pas le moment, ajouta-t-elle.

— Ce ne sera jamais le moment. Si tu ne fais pas ce que je t'ai demandé, je t'enverrai hors de Berlin.

— Je ne partirai pas. Je ne peux pas le laisser en ce moment.

C'était folie d'en discuter avec Walmar mais elle n'avait pas le choix. Voilà près de deux mois qu'ils avaient eu leur discussion et, peu importait le prix à payer, elle tiendrait bon. Sa vie était déjà faite de trop de renoncements. Ses rêves de carrière théâtrale, ses enfants... elle n'abandonnerait pas Dolff.

— Walmar, je ne sais que faire. J'ai peine à croire ce qu'on me raconte ces jours-ci. Que nous arrive-t-il ? Qu'arrive-t-il à l'Allemagne ? Tout cela à cause de ce petit homme ridicule ?

— On le dirait. Peut-être a-t-il flatté quelque folie qui germait dans notre âme à tous. Peut-être ceux qui l'ont reçu à bras ouverts attendaient-ils celui qui les guiderait.

— Personne ne peut donc l'arrêter avant qu'il soit trop tard ?

— Il est peut-être déjà trop tard. Il envoûte le peuple. Il promet progrès, richesse, réussite. Pour ceux qui n'y ont jamais goûté, c'est séduisant. Ils ne peuvent résister.

— Et nous ?

— Il faut attendre et voir venir. Mais cela ne vaut pas pour ton ami, Cassandra. Si les choses continuent à ce rythme, il ne pourra plus se permettre d'attendre. Pour l'amour de Dieu, écoute-moi. Pars séjourner quelques jours chez ma mère et profites-en pour faire le point loin de nous deux.

Non, elle ne voulait pas s'éloigner d'eux, elle ne voulait pas quitter Dolff.

— Je vais réfléchir, dit-elle.

À son intonation, Walmar comprit qu'elle avait déjà arrêté sa décision. Il ne pouvait rien de plus. Pour la première fois, Walmar von Gotthard sut ce qu'était une défaite. Cassandra le vit se lever de son siège, marcher vers la porte.

— Walmar..., appela-t-elle en lui tendant la main. Ne prends pas cet air... Je... Je suis désolée.

Il se contenta de la regarder depuis la porte.

— Oui, tu es désolée, Cassandra. Et moi aussi. Comme le seront bientôt les enfants. Ce que tu fais te détruira, nous détruira peut-être tous.

Cassandra von Gotthard ne crut pas un mot de cette prédiction.

5

Au mois de février, Walmar et Cassandra assistèrent au Bal du Printemps. Par ce temps encore glacé, il était réconfortant de fêter la saison prochaine. La jeune femme portait une longue hermine sur une robe en velours blanc d'une extrême sobriété, qui lui dénudait le dos et dont la jupe retombait à la perfection jusqu'à ses pieds chaussés de satin blanc. Avec sa chevelure relevée en une masse de boucles souples, elle était plus belle que jamais et nul n'aurait pu soupçonner qu'elle avait des soucis. Aujourd'hui encore, Dolff s'était montré irritable à propos de son manuscrit non publié, et Walmar et elle s'adressaient à peine la parole en raison de leur différend. Habituée depuis toujours à cacher ses sentiments et à ne faire preuve que de grâce hors du secret de sa chambre à coucher, elle souriait avec bonté à toutes leurs connaissances et ne manquait pas de danser très volontiers avec tous les amis de Walmar. Comme chaque fois, l'arrivée du couple avait fait sensation, autant à cause de l'élégance de Cassandra que de son éclatante beauté.

— Vous êtes éblouissante, Frau von Gotthard. Pareille à une reine des neiges.

Le compliment venait d'un banquier qui lui avait été présenté un instant plus tôt, et que Walmar avait salué d'un bref signe de tête accompagné d'un prompt acquiescement lorsque l'homme lui avait demandé la permission d'inviter Cassandra à danser. Ils valsaient lentement ; la jeune femme regardait son époux bavarder avec quelques amis.

— Merci. Je crois comprendre que vous connaissez mon mari ?

— Un peu. Nous avons eu le plaisir de faire des affaires ensemble à une ou deux reprises. Mais mes... activités ont été de nature un peu moins commerciale l'an passé.

— Ah ? Un repos sabbatique ? s'enquit Cassandra avec un charmant sourire.

— Pas du tout. Je me suis efforcé d'aider notre chef à collecter des fonds pour le IIIe Reich.

Il déclara cela avec une telle force que Cassandra, stupéfaite, le fixa droit dans les yeux.

— Cela a dû beaucoup vous occuper.

— Absolument. Et vous ?

— Je me consacre principalement à mes enfants et à mon époux.

— Et le reste du temps ?

— Pardon ?

Le malaise de Cassandra allait croissant dans les bras de cet inconnu impudent.

— Je me suis laissé dire que vous patronniez les arts, en quelque sorte.

— Vraiment ?

Elle aurait voulu que la danse prît fin. Malgré le sourire aimable de l'homme, une lueur glaçante luisait dans ses yeux.

— Oui. À votre place, je ne perdrais pas mon temps de cette façon. Notre conception de l'art va être bouleversée grâce au IIIe Reich.

— Ah oui ?

Elle crut défaillir. Était-ce un avertissement voilé en ce qui concernait Dolff ? Ou devenait-elle folle elle aussi, imaginant des menaces partout ?

— Comprenez-moi bien, nous avons eu des artistes tellement... médiocres, des cerveaux malades qui maniaient la plume.

Il faisait sans nul doute allusion à Dolff.

— Tout cela va changer, conclut-il.

— Le changement s'est déjà produit, corrigea-t-elle, prise de colère. Il semble qu'on ne publie plus les mêmes auteurs, non ?

Oh ! Dieu, que faisait-elle ? Que dirait Walmar s'il l'entendait ? La valse touchait à sa fin, elle allait être débarrassée du malveillant personnage, mais elle avait envie d'en dire davantage.

— Ne prenez pas ces bêtises trop à cœur, Frau von Gotthard.

— Je n'en avais pas l'intention.

— Voilà qui est encourageant à entendre.

Qu'insinuait-il ? Son cavalier la reconduisit auprès de Walmar et se retira ; elle ne le revit pas de la soirée. Sur le trajet du retour, elle eut envie de rapporter cette conversation à son époux mais craignit de le fâcher — ou pire, de l'inquiéter. Et le lendemain, la bonne humeur retrouvée de Dolff la dissuada de lui raconter ce qui s'était passé. Après tout, que signifiaient les paroles de quelque banquier minable entiché de Hitler et du IIIe Reich ?

Dolff avait pris une décision. Publié ou non, il continuerait d'écrire. Et il tenterait inlassablement de se faire éditer. En tout cas, même s'il crevait de faim, il resterait. Personne ne le chasserait de son pays. Il avait le droit d'y vivre, d'y prospérer, même s'il était juif.

— Que dirais-tu d'une balade près du château ?

Cassandra sourit. Ce serait leur première sortie depuis deux semaines.

— Avec plaisir.

Ils marchèrent deux heures, aux abords du château puis autour du lac, regardant les rares enfants venus jouer, souriant aux promeneurs. Enfin ils renouaient avec leur premier hiver, lorsqu'ils s'étaient rencontrés par hasard puis fiévreusement recherchés, redoutant cependant l'avenir.

— Sais-tu ce que je pensais quand j'espérais te trouver ici ? demanda Dolff en étreignant la main de sa compagne.

— Dis-moi.

— Que tu étais la femme la plus insaisissable, la plus mystérieuse que j'aie jamais connue, et que passer une seule journée avec toi me rendrait heureux pour le restant de mes jours.

— Et aujourd'hui ? Es-tu heureux ?

Elle se rapprocha de lui, emmitouflée dans sa courte veste de fourrure qui tombait sur sa jupe en tweed.

— Jamais je n'ai été plus heureux. Et toi ? L'année écoulée ne t'a pas paru trop éprouvante ?

C'était le souci constant de Dolff car elle vivait une situation des plus pénibles, avec Walmar et les enfants, surtout maintenant que son époux savait. Elle lui avait parlé des avertissements de celui-ci.

— Cela n'a pas été difficile, mais merveilleux, répondit-elle, levant vers lui un regard empli d'amour. C'est tout ce à quoi j'aspirais, sans espérer l'obtenir.

Et encore, elle ne pouvait vivre pleinement cet amour. Néanmoins, elle se contentait de ses précieux après-midi avec Dolff.

— Je serai toujours à toi, Cassandra. Toujours. Même après ma mort, même quand je serai parti depuis longtemps.

— Ne dis pas des choses pareilles, fit-elle tristement.

— Je veux dire quand je serai octogénaire, mon adorable sotte. Je ne partirai nulle part sans toi.

Cassandra retrouva le sourire et, main dans la main, ils se mirent à courir au bord du lac. Sans se consulter, ils regagnèrent joyeusement la maison, se firent du thé mais le burent rapidement car ils souffraient d'une tout autre soif. Leur étreinte fut passionnée, urgente, à l'image du besoin désespéré, essentiel qu'ils avaient l'un de l'autre. La fin d'après-midi les trouva endormis, Cassandra lovée dans les bras de son amant.

Dolff fut le premier à entendre qu'on cognait à la porte d'en bas. Puis il y eut le martèlement brutal de pieds qui grimpaient l'escalier. Tout à fait éveillé, il s'assit dans le lit. Son mouvement tira Cassandra du sommeil. Les pupilles de la jeune femme se dilatèrent, comme si elle sentait le danger. Sans dire un mot, Dolff bondit du lit et jeta les couvertures sur elle. Il enfilait sa robe de chambre, debout au milieu de la grande chambre, quand ils firent irruption. On aurait dit une armée d'uniformes bruns portant la croix gammée en brassard. Ils n'étaient pourtant que quatre.

Dolff resserra la ceinture de sa robe de chambre d'un geste sec.

— Qu'est-ce que c'est ?

Ils se contentèrent de rire. L'un des hommes l'agrippa violemment et le frappa au visage.

— Non mais, écoutez-moi ça !

Et tout à coup, deux des hommes le maintinrent, tandis qu'un troisième lui décochait un violent coup de poing au ventre. Poussant un grognement de douleur, Dolff se plia en deux et reçut un coup de pied ; cette fois le sang coula d'une entaille près de sa bouche. Le quatrième homme inspectait tranquillement la chambre.

— Et qu'est-ce que nous avons là dans le lit ? Une pute juive pour tenir chaud à notre illustre écrivain ?

D'un geste vif, il tira les couvertures, découvrant Cassandra.

— Mignonne avec ça. Debout.

Un instant immobile, elle finit par obéir, son corps souple et gracieux parcouru d'un léger tremblement, fixant sur Dolff des yeux terrifiés. Les quatre hommes la détaillèrent avec avidité. Elle ne voyait que Dolff, qui haletait de douleur, entre les deux Chemises brunes.

— Sortez-le d'ici, ordonna le chef avec un ricanement méprisant. À moins qu'il veuille regarder, ajouta-t-il en portant les mains à son ceinturon.

Soudain Dolff reprit ses esprits, ses yeux cherchèrent Cassandra puis se rivèrent, furieux, sur le chef du commando.

— Non ! Ne la touchez pas !

— Et pourquoi, monsieur l'auteur célèbre ? Elle a la vérole ?

Quatre rires retentirent à l'unisson. Cassandra suffoqua. La perspective de ce qui l'attendait l'emplit d'une terreur qu'elle n'avait jamais connue. Sur un signe du chef, les trois autres tirèrent Dolff hors de la pièce ; un fracas terrible avertit Cassandra qu'on l'avait poussé dans les escaliers. Elle entendit des vociférations et les hurlements de Dolff, qui criait « Cassandra » en luttant contre ses tortionnaires. Une pluie de coups le fit taire, puis Cassandra perçut le bruit d'un corps qu'on tire. Elle regarda l'homme qui s'apprêtait à défaire son pantalon.

— Vous allez le tuer... oh ! mon Dieu, vous allez le tuer !

Les yeux exorbités, le cœur battant à tout rompre, elle recula. Elle ne pensait plus à elle mais seulement à Dolff, qui était peut-être déjà mort.

— Et alors ? repartit son assaillant, amusé. Ce n'est pas une grosse perte pour notre société. Ni même pour toi. Ce n'est qu'un petit Juif. Et toi, ma jolie ? Sa jolie princesse juive ?

Dans les yeux bleu lavande, la rage se mêlait maintenant à la terreur.

— Comment osez-vous ? Comment osez-vous ?

Toutes griffes dehors, elle se rua sur son agresseur. Mais d'un geste vif, l'homme la gifla en pleine figure, du dos de la main.

— Ça suffit, déclara-t-il froidement. Tu as perdu ton petit ami, sale youpine, et tu vas apprendre ce que c'est que d'être aux mains d'une race supérieure. Je vais te donner une petite leçon.

Sur ces mots, il tira son ceinturon des passants et l'en frappa sur la poitrine. Étourdie par la douleur, elle se protégea la tête de ses bras.

Puis elle comprit ce qu'elle devait faire et redressa la tête pour fixer son tortionnaire avec une colère mêlée de honte. Il la tuerait. Il la violerait et la tuerait. Elle devait lui dire. Elle... elle n'avait pas le choix. Elle n'était pas aussi courageuse que Dolff.

— Je ne suis pas juive, articula-t-elle, pressant ses seins qui saignaient.

— Ah non ?

Le bras levé dans un geste menaçant, l'homme s'approcha d'elle. Ses yeux brillaient de désir.

— Mes papiers sont dans mon sac à main. Je suis...

Elle était au supplice mais elle n'avait pas le choix.

— ... Je suis Cassandra von Gotthard. Mon époux est le président de la banque Tilden.

L'homme marqua un arrêt, la scruta avec colère et suspicion puis ses pupilles s'étrécirent.

— Votre mari ignore que vous êtes ici ?

Cassandra tremblait. Lui dire que son époux savait, c'était ruiner la réputation de Walmar. Lui dire que Walmar ne savait pas, c'était se condamner elle-même.

— Mon intendante sait précisément où je suis.

— Très astucieux.

Le ceinturon reprit sa place dans les passants du pantalon.

— Vos papiers.

— Là-bas.

En deux enjambées, il atteignit le sac en crocodile brun à fermoir d'or, l'ouvrit brusquement, fouilla et trouva le portefeuille. Il en sortit le permis de conduire et les papiers d'identité qu'il jeta au sol. Visiblement il enrageait et quand il revint, l'air menaçant, vers Cassandra, celle-ci pensa que sa parade avait été inutile. Il se moquait éperdument de qui elle était. Elle rassembla ses forces en prévision de ce qui allait suivre.

Pendant un moment qui lui sembla interminable, l'homme la considéra, avant de la frapper violemment au visage.

— Garce ! Sale putain ! Si j'étais ton mari, je te tuerais. Mais tu mourras un jour pour avoir fait une chose pareille, comme ce sale Juif. Tu es une ordure. La honte de ta race et de ton pays. Salope !

Sur ces mots, il tourna les talons et la laissa seule dans la chambre. Ses bottes claquèrent dans l'escalier et enfin elle entendit la porte se refermer. C'était fini... fini... Tremblant de la tête aux pieds, elle tomba à genoux ; le sang coulait de ses seins, son visage était meurtri, les larmes ruisselaient de ses yeux. Cassandra s'effondra en sanglotant.

Soudain elle entrevit ce qui pouvait arriver. Ils risquaient de revenir, de détruire la maison. Prise de frénésie, elle s'habilla. Mais ensuite elle s'attarda dans la chambre où Dolff et elle avaient donné chair à leurs rêves, fixa en pleurant l'endroit où elle l'avait vu pour la dernière fois et, sans réfléchir, tendit la main vers les vêtements qu'il avait portés quelques heures auparavant. Jetés n'importe où dans la fièvre de l'amour, fleurant encore son eau de toilette épicée et citronnée. Elle serra contre elle sa chemise, la caressa, la pressa sur son visage dans un sanglot. Puis elle dévala les escaliers. En bas des marches, elle vit la flaque de sang, puis la traînée qui allait jusqu'à la porte, quand ils l'avaient tiré, sans doute inconscient, hors de chez lui. Elle courut vers sa voiture garée non loin dans la rue.

Elle ne sut jamais comment elle était parvenue à regagner Grunewald, sanglotant sans relâche, les mains crispées sur le volant. Elle était sortie de son véhicule, avait marché vers la maison, ouvert la porte avec sa clef. En silence, elle avait gravi l'escalier jusqu'à sa chambre, claqué la porte, regardé autour d'elle. Elle était rentrée. Chez elle... oui, c'était la chambre rose qu'elle connaissait bien... la chambre rose... rose... Elle ne vit que cela, juste avant de tomber à terre, inconsciente.

6

LORSQUE Cassandra revint à elle, elle était couchée dans son lit, avec une compresse froide sur le front. La pièce était sombre et elle entendait un étrange bourdonnement. Au bout d'un moment, elle s'aperçut que le bruit était dans sa tête.

Elle distinguait la silhouette floue de Walmar qui lui appliquait sur le visage quelque chose de lourd et humide. Bientôt elle sentit qu'on ouvrait son corsage, éprouva une douleur cuisante puis le réconfort d'un bandage tiède sur ses seins. Elle dut attendre longtemps avant de pouvoir distinguer clairement son mari. Le bourdonnement cessa enfin et Walmar s'assit dans un fauteuil proche du lit sans rien dire. Il se contenta de changer régulièrement les compresses. La pièce resta dans l'obscurité. Lorsque de temps en temps on frappait à la porte, Walmar congédiait les importuns. Cassandra lui lança un regard reconnaissant puis sombra dans le sommeil. À minuit, elle revint de nouveau à elle ; une vague lumière venait du boudoir. Walmar était toujours là, tout entier à sa veille silencieuse.

Mais bientôt il n'y tint plus et, voyant que la jeune femme avait repris conscience, il voulut savoir, pour leur sécurité à tous deux.

— Cassandra, tu dois parler maintenant. Me dire ce qu'il s'est passé.

— Je t'ai déshonoré, chuchota-t-elle.

— Ne dis pas de sottises, rétorqua-t-il en lui prenant la main. Raconte, ma chérie. Il le faut. Je dois savoir.

Anna était accourue en hurlant. Il était arrivé une chose horrible à Frau von Gotthard, elle gisait à moitié morte sur le parquet de sa chambre. Affolé, il s'était précipité pour la découvrir, non pas mourante, mais battue et choquée. Il avait compris.

— Cassandra ?

— Il... Il allait me tuer... me violer... Je lui ai dit... qui j'étais.

Un frisson de peur parcourut Walmar.

— Qui était-ce ?

— Ils l'ont emmené... Ils ont emmené Dolff, poursuivit-elle, d'une voix hachée. Ils l'ont frappé... ils... Il... saignait... et puis ils... l'ont traîné... dans les escaliers...

Se redressant, elle fut prise de haut-le-cœur. Walmar, impuissant à la secourir, lui tendit une serviette rose brodée à son chiffre. Quand la nausée s'estompa, elle posa un regard vide sur son mari.

— Et l'un d'eux est resté... pour moi... Je lui ai dit... Je lui ai dit...

Ses yeux prirent une expression pathétique.

— Ils croyaient que j'étais juive.

— Tu as eu raison de leur dire qui tu étais. Sinon tu serais morte. Peut-être ne vont-ils pas tuer Dolff, mais toi, ils t'auraient probablement tuée.

Il savait pertinemment que c'était le contraire, mais il lui fallait mentir, pour elle.

— Que vont-ils faire de lui ?

Il l'étreignit et elle sanglota durant près d'une heure dans ses bras. Ses pleurs apaisés, elle resta immobile, brisée, jusqu'à ce que Walmar la réinstalle sur les oreillers et éteigne la lumière.

— Il faut que tu dormes. Je reste près de toi.

Il ne la quitta pas de la nuit mais, quand elle s'éveilla au petit matin, il se retira pour prendre du repos. Sa nuit n'avait été qu'angoisse face au visage pâle et torturé par d'atroces cauchemars, marqué d'affreuses contusions. Quel que soit l'homme qui l'avait frappée, il y avait mis toute sa force. Et au fil des heures, Walmar se prit à haïr comme jamais cette engeance. Voilà ce qu'était le IIIe Reich. Était-ce là ce qu'on devait escompter pour les années à venir ? Faudrait-il considérer comme une bénédiction de ne pas être juif ? Devrait-il voir son pays transformé en une nation de voyous, de maraudeurs, qui battaient les femmes, violaient les innocentes, censuraient les artistes au nom de leurs origines ? Qu'était donc devenu leur monde pour que sa bien-aimée Cassandra ait eu à payer ce prix-là ? Il était indigné et, à sa façon, lui aussi pleurait Dolff.

Quand il eut pris son bain et bu une tasse de café, il consulta le journal avec appréhension. Sachant pertinemment comment ces gens-là procédaient, il s'attendait à apprendre qu'il était arrivé un « accident » à Dolff Sterne. Or il ne découvrit cette fois, au fil des pages, aucune nouvelle « sans gravité ». En fait, l'entrefilet était tellement discret qu'il ne le vit pas en dernière page.

Deux heures plus tard, quand il retourna auprès de Cassandra, il la trouva éveillée, silencieuse, le regard mort et rivé au plafond. Bien qu'elle l'eût entendu entrer, elle ne tourna pas les yeux vers lui.

— Te sens-tu un peu mieux ?

Elle ne répondit pas, continuant de fixer le plafond.

— As-tu besoin de quelque chose ?

Cette fois, elle secoua la tête.

— Prendre un bain chaud te ferait peut-être du bien.

Longtemps, elle conserva ce regard fixe, avant de le tourner avec difficulté vers Walmar.

— Et s'ils venaient vous tuer, toi et les enfants ?

Depuis son réveil, elle ne pensait qu'à cela.

— Ne dis pas de bêtises, ils ne feront jamais une chose pareille.

« Oh si ! » pensa-t-elle. Elle savait désormais qu'ils étaient capables de tout. Ils tiraient les gens de leur lit pour les tuer, ou les emmener.

— Cassandra... chérie... nous sommes tous en sécurité.

Il mentait sciemment. Plus personne n'était en sécurité.

— Ce n'est pas vrai, ils te tueront. Parce que je leur ai dit mon nom. Ils viendront ici... ils...

— Non, assura Walmar, l'obligeant à le regarder à nouveau. Sois raisonnable. Je suis banquier. Ils ont besoin de moi.

Ils ne me feront pas de mal, ni à moi ni à ma famille. Ne t'ont-ils pas laissée partir hier ?

Elle hocha la tête, mais tous deux savaient que plus jamais elle ne se sentirait à l'abri.

— Je t'ai déshonoré, reprit-elle douloureusement.

— Arrête. C'est fini maintenant. C'était un cauchemar, un affreux cauchemar, mais c'est terminé. Tu dois te réveiller !

Pourquoi ? Pour découvrir que Dolff avait disparu ? Revivre sans relâche ce même cauchemar ? Elle ne connaîtrait plus que le vide, et la souffrance, et une horreur qu'elle ne parviendrait pas à oublier. Elle n'aspirait qu'à dormir. Dormir pour toujours. D'un profond sommeil dont elle n'aurait jamais à s'éveiller.

— Je dois aller deux heures au bureau, pour la réunion avec les Belges. À mon retour, je passerai le reste de la journée auprès de toi. Tout ira bien d'ici là ?

Elle acquiesça. Se penchant vers elle, Walmar déposa un baiser sur ses longs doigts graciles.

— Je t'aime, Cassandra. Tout ira bien maintenant.

Avant de partir, il demanda à Anna de porter un petit déjeuner léger à sa maîtresse et de le laisser sur la table de nuit. Quoi qu'elle vît, précisa-t-il, elle était priée de ne pas en discuter avec les autres domestiques.

Une demi-heure plus tard, Anna monta à Cassandra son plateau en osier blanc, recouvert d'une nappe de dentelle blanche. Malgré la présence d'une rose rouge dans un soliflore et la porcelaine de Limoges préférée de sa grand-mère, Cassandra ne dit mot quand elle vit le plateau. Ce ne fut qu'après le départ d'Anna qu'elle retrouva un semblant d'intérêt en apercevant le journal du matin. Il fallait qu'elle le parcoure... peut-être aurait-elle des nouvelles... quelques mots qui lui apprendraient le sort de Dolff. Avec une grimace de douleur, elle se cala contre ses oreillers et déplia le quotidien. Elle lut chaque page, chaque article, chaque ligne et, contrairement à Walmar, tomba sur l'entrefilet en dernière page. Il était simplement écrit que le romancier Dolff Sterne avait eu un accident à bord de sa Bugatti ; il était mort. Cassandra poussa un cri et se figea.

Durant près d'une heure, elle demeura sans bouger puis, résolument, elle s'assit sur le bord du lit. Elle frissonnait, la tête lui tournait ; elle parvint cependant à gagner la salle de bains et à ouvrir les robinets de la baignoire. Dans le miroir, elle vit les yeux que Dolff avait aimés, les yeux qui avaient été témoins quand on l'avait emmené hors de la chambre, hors de chez lui, hors de la vie, séparé d'elle à jamais.

La baignoire fut bientôt pleine et Cassandra ferma sans bruit la porte. Ce fut Walmar qui la découvrit une heure plus tard, les poignets tailladés, sans vie, dans la baignoire sanglante.

7

LA SOMBRE Hispano-Suiza qui transportait Walmar von Gotthard, ses deux enfants, Ariana et Gerhard, ainsi que Fräulein Hedwig roulait lentement derrière le corbillard noir. Depuis l'aube de ce matin gris de février, ce n'était que brume et pluie. Jour aussi lugubre que l'étaient Walmar et les enfants qui se tenaient tous deux avec raideur, cramponnés aux mains de leur gouvernante. Ils avaient perdu la jolie dame. La dame aux cheveux d'or et au regard lavande s'en était allée.

Seul Walmar comprenait vraiment. Lui seul savait à quel point elle avait été déchirée. Pas seulement entre deux hommes, mais entre deux états d'esprit, deux existences, deux modes de vie. Jamais elle n'avait pu s'adapter tout à fait aux règles rigides de la vie pour laquelle elle avait été élevée.

Ç'avait peut-être été une erreur que de l'obliger à se couler dans le moule. N'aurait-il pas dû avoir la sagesse de la laisser à un homme plus jeune ? Mais elle avait été si tendre, si libre, si adorable, si chaleureuse, si parfaitement l'épouse dont il avait toujours rêvé. D'autres pensées encore serraient le cœur de Walmar. N'avait-il pas eu tort de l'éloigner de ses enfants ?

Tandis que la voiture roulait avec lenteur, Walmar lança un œil vers la nurse à qui appartenaient dorénavant ses enfants. Un visage rude, énergique, un bon regard, des mains solides. Avant de venir travailler dans leur famille, elle avait été la gouvernante des nièce et neveu du banquier. Fräulein Hedwig était une brave femme, mais Walmar savait que c'était en partie à cause d'elle que Cassandra avait mis fin à ses jours, car elle s'était retrouvée sans raison de vivre après la tragédie. La perte de Dolff lui avait été insupportable, ainsi que la crainte d'avoir attiré le malheur sur Walmar. Peut-être avait-elle agi par lâcheté, par folie, pourtant Walmar savait bien qu'il y avait davantage. Près de la baignoire, elle avait laissé un mot à l'écriture tremblée : « Adieu. Je suis désolée. C. » À ce souvenir, les yeux de Walmar s'emplirent de larmes. *Auf Wiedersehen,* ma chérie... Adieu.

La sombre Hispano-Suiza finit par s'arrêter devant le cimetière de Grunewald, succession de tertres fleuris où l'alignement solennel des pierres tombales semblait fixer les nouveaux venus par-delà le rideau de pluie.

— On laisse maman ici ?

Gerhard était bouleversé, Ariana se taisait. Fräulein Hedwig acquiesça. Les grilles s'ouvrirent et Walmar fit signe au chauffeur d'avancer.

Le service funèbre avait été bref dans l'église luthérienne de Grunewald, avec seulement les enfants et la mère de Walmar. Le décès de Cassandra serait annoncé dans la presse du soir, attribué à une soudaine maladie, une grippe fatale. Nul ne contesterait cette déclaration : elle avait toujours paru si fragile ! Quant aux quelques employés administratifs qui savaient, Walmar les intimidait trop pour qu'ils révèlent la vérité.

Le pasteur les avait suivis dans sa vieille automobile. Comme Cassandra s'était suicidée, il avait été impossible de célébrer les funérailles dans l'église catholique où la famille assistait ordinairement aux offices ; le pasteur luthérien s'était montré plus tolérant. Il descendit de son véhicule, suivi par la mère de Walmar, la baronne von Gotthard, qui émergea de sa Rolls. Les deux chauffeurs en livrée des von Gotthard se tinrent discrètement à l'écart tandis que l'on sortait le cercueil du corbillard. Un fossoyeur attendait, le visage austère, abrité sous son parapluie. Le pasteur tira de sa poche une petite bible qu'il ouvrit à une page marquée.

Entre sa gouvernante et sa sœur qu'il tenait par la main, Gerhard pleurait doucement. Ariana regardait autour d'elle. Que d'inscriptions, que de noms ! Tout n'était que grandes pierres, hautes statues, arbres aux allures fantomatiques. Au printemps, tout deviendrait vert et chantant mais aujourd'hui, à l'exception des carrés de pelouse qui couvraient les tombes, tout paraissait horrible, et si triste... En fixant la succession de caveaux, la fillette sut qu'elle n'oublierait jamais ce jour. La veille au soir, elle avait pleuré sa mère. Elle avait toujours été quelque peu effrayée par cette éblouissante beauté, aux immenses yeux mélancoliques et à la chevelure chatoyante. Fräulein Hedwig défendait de la toucher, pour ne pas risquer de froisser sa robe. C'était étrange de la laisser maintenant ici, dans cette boîte, sous la pluie, et Ariana était consternée en songeant que la jolie dame allait rester seule sous l'un de ces monticules.

Cassandra reposerait dans le caveau familial des von Gotthard, qui abritait déjà le père et le frère aîné de Walmar, ses grands-parents et trois tantes. Walmar s'apprêtait à la laisser auprès d'eux, sa ravissante épouse, la femme fragile au rire cristallin et aux yeux merveilleux. Il reporta le regard sur ses enfants ; si Ariana montrait une vague ressemblance avec sa mère, Gerhard n'en avait aucune. Avec ses longues jambes de poulain, Ariana se tenait auprès de son père, en robe et bas blancs, dans son manteau de velours bleu au col d'hermine confectionné avec une chute du splendide vêtement de sa mère. À côté d'elle, Gerhard était le pendant de sa sœur en plus petit : culotte courte et chaussettes blanches, manteau du même bleu. Ils étaient tout ce qu'il restait à Walmar désormais. Silencieusement ce dernier fit vœu de les protéger du mal qui avait si brutalement détruit sa femme. Quoi qu'il arrive dans son pays, même si leurs valeurs étaient mises à mal, il ne permettrait pas que ses enfants en souffrent. Il les garderait du venin nazi jusqu'à ce que l'Allemagne soit libérée de Hitler et de ses semblables. La tourmente ne durerait pas indéfiniment et, lorsqu'elle s'apaiserait, ils seraient à nouveau en sécurité chez eux.

— ... et conserve Ton enfant, Père, dans la paix éternelle qu'elle a maintenant trouvée auprès de Toi. Qu'elle repose en paix. Ainsi soit-il.

Les cinq personnes qui assistaient à l'enterrement se signèrent, puis restèrent un moment silencieuses et immobiles devant le cercueil de bois noir. Les parapluies de Walmar et du pasteur se rouvrirent quand des trombes d'eau s'abattirent sur eux. Finalement, Walmar posa ses mains sur les épaules de ses deux enfants.

— Allons, rentrons.

Mais Gerhard ne voulait pas quitter la jolie dame ; il secoua la tête et resta à fixer le cercueil. Fräulein Hedwig finit par l'entraîner vers la voiture où elle le fit monter. Ariana suivit promptement, jetant par-dessus son épaule un ultime regard vers la tombe et son père qui se tenait devant, seul à présent que grand-mère était également partie. Le pasteur avait vite regagné son propre véhicule. Walmar restait, solitaire, devant le cercueil sur lequel reposait une unique couronne de grosses fleurs blanches : orchidées, roses et muguet, toutes les fleurs qu'elle aimait.

Un instant, il eut envie de l'emmener avec lui, de ne pas la laisser en ce lieu, parmi ces disparus auxquels elle n'avait jamais ressemblé. Ses tantes, son père, le baron von Gotthard, et son frère aîné mort à la guerre. Cassandra avait été pareille à une enfant, et elle était si jeune. Morte à trente ans. Walmar demeurait sans bouger, incapable de croire qu'elle n'était plus.

Ce fut Ariana qui revint le chercher. Il sentit une petite main se nicher dans la sienne et, quand il abaissa le regard, la découvrit dans son petit manteau bleu au col d'hermine trempé par la pluie.

— Il faut y aller maintenant, papa. Nous te ramenons à la maison.

Elle paraissait si grande, si sage, si aimante, avec ses immenses yeux bleus qui semblaient la réplique lointaine d'autres yeux qu'il avait connus. Ignorant la pluie, elle fixait son père et lui étreignait la main. Sans un mot, Walmar hocha la tête, le visage mouillé de larmes et de pluie. La petite main était chaude dans la sienne.

Il ne jeta pas un regard en arrière, la fillette non plus. Main dans la main, ils montèrent dans l'Hispano-Suiza et le chauffeur ferma la portière. Alors les fossoyeurs du cimetière de Grunewald entreprirent de recouvrir le cercueil de Cassandra von Gotthard. La sépulture deviendrait un monticule vert semblable aux autres. Cassandra reposait avec ceux qui étaient venus en ce monde avant elle et qu'elle n'avait pas connus.

LIVRE DEUXIÈME

ARIANA

Berlin

8

— Ariana ?

Il l'attendait au pied des escaliers. Si elle ne se pressait pas, ils seraient en retard.

— Ariana !

L'ancienne nursery avait été transformée en appartements plus adaptés à des adolescents. À plusieurs reprises, il avait envisagé d'installer les enfants au premier, près de lui, mais ils étaient habitués à leur domaine, et surtout, lui-même ne s'était jamais résolu à rouvrir les appartements de sa femme. Les portes en restaient fermées depuis six ans.

La pendule sonna la demie et, comme s'il attendait ce signal, le palier supérieur s'éclaira. Walmar leva les yeux vers une apparition en organdi blanc, aux cheveux dorés éclaboussés de minuscules roses blanches. La robe neigeuse de la jeune fille mettait en valeur son cou de cygne et ses traits dont la finesse évoquait un camée. Ses yeux bleu vif pétillaient lorsqu'elle descendit lentement les marches. Derrière elle, sur le seuil de leur ancienne salle de jeu, Gerhard souriait. Il ne tarda pas à briser le charme en interpellant son père qui, admiratif, la regardait approcher.

— Elle n'est pas mal, n'est-ce pas ? Pour une fille.

Ariana et son père sourirent, mais le sourire fut plus las chez Walmar.

— Je dirais qu'elle est extraordinaire, pour une fille.

Walmar venait d'avoir soixante-cinq ans. Et les temps n'étaient pas faciles, ni pour lui ni pour personne. La guerre sévissait depuis bientôt deux ans. Non que cela eût changé leur mode de vie ; Berlin restait une ville belle, excitante, vivante jusqu'à la folie avec ses fêtes permanentes, son théâtre, son opéra, ses innombrables distractions. Mais il jugeait tout cela fatigant pour un homme de son âge. De surcroît, en dépit du poids des ans, il avait le souci constant d'ordonner sa vie, de diriger sa banque, de se tenir à l'écart des ennuis, et de protéger ses enfants du poison qui courait maintenant dans les veines du pays. Non, rien n'était facile. Mais jusqu'alors il avait su résoudre tous les problèmes. La banque Tilden demeurait solide, ses relations avec le Reich étaient bonnes, son train de vie assuré ; en sa qualité de banquier, et tant que le parti aurait besoin de lui, il n'avait rien à craindre ni pour ses enfants ni pour lui.

Lorsque Ariana et Gerhard avaient eu l'âge d'entrer dans une organisation de jeunesse, il avait expliqué aux autorités que Gerhard peinait dans ses études, souffrait d'un asthme léger et d'une timidité maladive face aux enfants de son âge. À dire vrai, depuis la mort de sa mère... vous comprenez, bien sûr... Quant à Ariana... nous ignorons encore si elle se remettra jamais du choc. Un digne veuvage, une ascendance aristocratique, deux jeunes enfants et une banque : il n'avait besoin de rien de plus pour survivre en Allemagne, sinon d'endurance, d'assez de sagesse pour se tenir tranquille, et de suffisamment de souplesse pour se montrer aveugle et muet.

Il se rappelait encore l'horreur d'Ariana quand elle s'était rendue chez le fourreur de sa mère, trois ans après le décès de celle-ci. Lorsqu'elle était petite, le fourreur Rothmann lui offrait toujours du chocolat chaud et des gâteaux, parfois une petite queue de vison. Arrivant ce jour-là à sa boutique, elle avait vu une douzaine d'hommes, croix gammée en brassard, devant le magasin sombre. La marquise était brisée, les carreaux cassés, les luxueux étalages dévastés. Et sur le volet, un seul mot : *Juif.*

Ariana s'était précipitée en pleurs à la banque de son père.

— Tu ne dois le raconter à personne, Ariana ! lui avait fermement ordonné Walmar. À personne ! Tu n'en parleras pas, tu ne poseras pas de questions ! À personne !

Elle l'avait dévisagé sans comprendre.

— Mais d'autres gens l'ont vu. Les soldats étaient tous dehors avec leurs armes, et la vitrine... oh ! papa... je sais... J'ai vu du sang !

— Tu n'as rien vu, Ariana. Tu n'es jamais allée là-bas.

— Mais...

— Silence ! Aujourd'hui, tu as déjeuné avec moi au Tiergarten, après quoi nous sommes revenus à la banque. Nous sommes restés ici un moment, tu as pris une tasse de chocolat chaud et enfin le chauffeur t'a reconduite à la maison. Est-ce clair ?

Jamais elle n'avait vu son père ainsi. Était-il possible qu'il eût peur ? Pourtant ils ne pouvaient lui faire de mal. C'était un banquier important. Qui plus est, papa n'était pas juif. Mais où avaient-ils emmené Rothmann ? Et qu'adviendrait-il de son magasin ?

— M'as-tu compris, Ariana ?

La voix de son père était coupante, mais elle voyait bien que sa colère n'était pas dirigée contre elle.

— Je comprends. Mais pourquoi ?

Avec un soupir, Walmar von Gotthard s'était calé dans son fauteuil. Face à son bureau impressionnant, la fillette, malgré ses treize ans, paraissait toute petite. Que lui dire ? Comment lui expliquer ?

Un an après cet incident, le pire était arrivé. La guerre avait commencé en septembre. Il avait alors agi avec prudence et obtenu l'effet escompté : les enfants étaient en sécurité, protégés. Gerhard avait maintenant treize ans, Ariana seize. Leur existence n'avait guère changé et, même si les enfants soupçonnaient leur père de haïr Hitler, ils n'en parlaient jamais, ni avec lui ni entre eux. Il était dangereux de montrer que l'on détestait Hitler. Nul ne l'ignorait.

Ils habitaient toujours la maison de Grunewald, allaient aux mêmes écoles qu'autrefois, fréquentaient la même église, mais rendaient rarement visite à leurs amis. Walmar les surveillait étroitement ; pour leur bien, expliquait-il avec circonspection, et aucun d'eux ne contestait son autorité. Après tout, le pays était en guerre. Dans Berlin uniformes, soldats en goguette et jolies filles pullulaient. Parfois, le soir, ils entendaient de la musique lorsque leurs voisins donnaient de grandes réceptions pour des officiers et des amis. Berlin vivait dans un climat de gaieté effrénée, et pourtant, la guerre entraînait dans son sillage pleurs et douleurs. Parmi leurs amis, beaucoup avaient leurs proches au combat. Certains avaient déjà perdu père et frères. Malgré les railleries de leurs camarades, Ariana et Gerhard étaient soulagés de savoir leur père trop âgé pour le front. Déjà orphelins de mère, ils n'auraient pas supporté de le perdre lui aussi.

— Mais tu n'es pas trop vieux pour les fêtes, avait souligné Ariana avec un sourire déchirant à l'adresse de Walmar.

C'était le printemps de ses seize ans et elle aspirait ardemment à son premier bal. Elle se souvenait fort bien que, du vivant de sa mère, ses parents sortaient beaucoup. Or au cours des six dernières années, Walmar avait passé la majeure partie de son temps libre soit dans ses appartements soit à jouer avec eux. Sa vie mondaine avait cessé lorsque Cassandra avait mis fin à ses jours. Les enfants savaient peu de chose sur leur mère ; Walmar avait gardé secrètes les douloureuses circonstances de sa mort.

— Dis oui, papa. Je t'en prie.

Devant son regard suppliant, Walmar avait souri.

— Un bal en ce moment ? Alors qu'il y a la guerre ?

— Oh ! papa, tout le monde assiste à des réceptions. Même ici, à Grunewald, ils s'amusent toute la nuit.

Dans leur élégant quartier résidentiel, en effet, les réjouissances duraient fréquemment jusqu'au petit matin.

— N'es-tu pas un peu jeune pour cela ?

— Pas du tout, avait-elle affirmé avec un aplomb qui la faisait ressembler davantage à la mère de Walmar qu'à la sienne. J'ai seize ans.

Au bout du compte, grâce au soutien de son frère, Ariana avait obtenu gain de cause, et voilà qu'elle se tenait devant lui, telle une princesse de conte de fées, dans la robe d'organdi blanc confectionnée par les doigts experts de Fräulein Hedwig.

— Tu es adorable, ma chérie.

Elle lui adressa un sourire enfantin, admirant de son côté l'habit de son père.

— Toi aussi.

Le rire moqueur de Gerhard qui les observait leur parvint aussitôt.

— À mon avis, vous êtes un peu ridicules tous les deux.

Mais il paraissait fier d'eux.

— File au lit, petit monstre, lança gaiement sa sœur en dévalant les dernières marches.

Peu avant la guerre, l'Hispano-Suiza avait été remplacée par une Rolls noir et gris qui les attendait maintenant dans l'allée, le vieux chauffeur debout près de la portière. Ariana portait une pèlerine sur les épaules et la robe blanche tournoya autour d'elle quand elle monta en voiture. L'Opéra où se tenait le bal brillait de tous ses feux quand ils en approchèrent. La large avenue était aussi belle que d'habitude ; Unter den Linden — « sous les tilleuls » — n'avait pas encore été touchée par la guerre.

Walmar posa un regard fier sur sa fille, assise à ses côtés dans la Rolls, telle une princesse.

— Tu es contente ?

— Très.

La perspective de son premier bal l'enchantait.

Et cela dépassait encore ses espérances. Un tapis rouge habillait les marches menant à l'Opéra, le grand hall aux extraordinaires plafonds était tout illuminé. Et ils n'étaient entourés que de femmes en robe de soirée et couvertes de diamants, d'hommes en habit ou en uniforme, bardés de décorations. Pour Walmar, la seule ombre au tableau était le grand drapeau suspendu au-dessus d'eux, l'emblème rouge, noir et blanc du Reich.

La musique leur parvint depuis le grand salon où ils entrèrent, se trouvant brusquement entourés d'une multitude de silhouettes tourbillonnantes. Les yeux d'Ariana semblaient deux aigues-marines dans l'ivoire délicat de son visage, sa bouche un rubis superbement taillé.

Elle dansa sa première valse avec son père qui s'empressa ensuite de la ramener dans les limites rassurantes d'un groupe de connaissances — des banquiers pour la plupart — qui conversaient autour d'une table près de la piste de danse.

La jeune fille bavardait gaiement avec eux depuis une vingtaine de minutes lorsque Walmar remarqua la présence d'un jeune homme en uniforme qui se tenait auprès d'eux et qui, tout en parlant tranquillement avec un ami, observait Ariana avec intérêt. Walmar détourna les yeux du soldat et invita sa fille pour une deuxième danse. Son attitude n'était pas très correcte, mais il se faisait un devoir de repousser l'inévitable le plus longtemps possible. Certes, en l'amenant ici, il savait qu'elle danserait avec d'autres hommes. Mais les uniformes... ces uniformes omniprésents... Il ne lui restait plus qu'à espérer que tous ces officiers la trouvent trop jeune pour être réellement séduisante.

Or tandis qu'il faisait valser Ariana, il s'aperçut qu'elle retenait le regard de tous les hommes. Elle était jeune, pimpante, adorable et, plus encore, dotée d'un charme particulier, d'une puissance tranquille qui attirait quiconque plongeait dans le bleu intense de ses yeux. Comme si elle possédait les réponses à quelque secret. On regardait ce visage paisible, ce doux regard et, soudain, naissait le sourire, pareil à l'éclat du soleil d'été sur un lac. Et en dépit de sa jeunesse, on subissait cette attirance magique et on brûlait tout à coup de mieux la connaître. Elle était de taille beaucoup plus petite que son frère, d'ossature beaucoup plus délicate. Elle arrivait à peine à l'épaule de son père et ses pieds semblaient ne pas toucher le sol quand elle valsait.

Lorsque Walmar la raccompagna à leur table, le jeune officier s'approcha d'eux. Sans mot dire, Walmar se raidit. Pourquoi celui-ci et pas un autre ? Un autre sans uniforme — un homme et non le Reich. Voilà tout ce que représentaient pour lui ces uniformes ; ce n'était pas des êtres humains mais une bande de scélérats voraces, de sybarites qui, de concert, avec ce qu'ils représentaient et ce qu'ils menaçaient, avaient tué sa femme.

— Herr von Gotthard ?

Walmar acquiesça d'un bref hochement de tête, après quoi le jeune homme tendit aussitôt le bras droit tout en lançant :

— *Heil Hitler !*

Walmar hocha de nouveau la tête, cette fois avec un sourire figé.

— Mademoiselle est bien votre fille ?

Walmar l'eût volontiers giflé, cependant il répondit à l'importun, après un bref regard à Ariana.

— Oui. Elle est un peu trop jeune pour être ici ce soir, mais j'ai consenti à l'amener à condition qu'elle reste auprès de moi.

Cette déclaration choqua l'intéressée mais elle ne protesta

pas. Après un signe de tête compréhensif, le jeune homme considéra la féerique princesse avec un sourire éblouissant. Il avait des dents blanches et parfaites que mettaient en valeur la courbe de ses lèvres et la beauté de son sourire. Le bleu de ses yeux était proche de celui des yeux d'Ariana mais sa chevelure était d'un noir de jais. Il était grand, élégant, avec les épaules larges, les hanches étroites, ses longues jambes soulignées par l'uniforme.

Pour se présenter, il s'inclina devant le père d'Ariana, comme autrefois, puis claqua des talons.

— Werner von Klaub, Herr von Gotthard. Je vois bien que Fräulein von Gotthard est effectivement une très jeune personne, mais vous m'honoreriez en me la confiant pour une danse.

Walmar hésita. Se rappelant qu'il connaissait la famille du garçon, il comprit qu'un refus serait faire offense à son nom comme à son uniforme. De plus, Ariana, si jolie, en avait très envie. Comment s'y opposer ? Comment lutter contre l'uniforme qui avait fait main basse sur leur monde ?

— Je suppose que je n'ai rien à objecter...

La voix pleine de tendresse et de regret, il posa un doux regard sur sa fille dont les yeux brillaient d'une joie contenue.

— Tu permets, papa ?

— Va donc.

Von Klaub s'inclina de nouveau, cette fois devant Ariana, avant de l'entraîner. Ils dansèrent lentement, pareils au prince et à Cendrillon, en parfaite harmonie. C'était un plaisir de les regarder, commenta l'homme qui se trouvait à côté de Walmar. Peut-être bien, mais pas pour ce dernier. Il comprit qu'une nouvelle menace venait d'entrer dans sa vie. Plus important encore, dans la vie d'Ariana. Elle grandissait, devenait de plus en plus charmante, il ne pourrait la garder éternellement prisonnière à la maison. Pour finir elle le quitterait, peut-être au profit d'un de « ceux-là ». Que c'était étrange, songea-t-il en observant le couple. Dans une autre vie, à une autre époque, von Klaub eût été le bienvenu chez eux et dans l'existence de sa fille, mais aujourd'hui... L'uniforme avait tout changé pour Walmar. L'uniforme et ce qu'il représentait.

Lorsque la musique se tut, Ariana lança un regard interrogateur vers son père. Il s'apprêtait à secouer la tête, à refuser la permission, mais cette fois encore il n'eut pas le cœur de la peiner. Il fit donc un signe affirmatif. Et à la fin de la deuxième danse, il recommença. Après quoi, le jeune officier ramena sagement sa cavalière à son père, s'inclina devant elle et lui souhaita le bonsoir. Mais quelque chose dans son sourire fit penser à Walmar que ce n'était pas la dernière fois qu'ils voyaient Werner von Klaub.

— Quel âge a-t-il, Ariana ? Te l'a-t-il dit ?

— Vingt-quatre ans, répondit la jeune fille, fixant son père avec un petit sourire. Il est très aimable, tu sais. Est-ce qu'il te plaît ?

— La question est de savoir s'il te plaît à toi.

Le haussement d'épaules évasif d'Ariana provoqua chez son père le premier rire de la soirée.

— Seigneur, ma chérie ! Te voilà partie pour briser un millier de cœurs.

Il espérait seulement qu'elle ne briserait pas le sien. L'ayant préservée par tous les moyens du nazisme, il mourrait si, par amour, elle embrassait un jour cette cause.

Heureusement, les années passèrent sans qu'Ariana manifestât la moindre rébellion ou le moindre intérêt pour cette doctrine haïe. Werner von Klaub leur avait bien rendu visite, mais seulement une ou deux fois. S'il trouvait la jeune fille toujours aussi éblouissante, il la jugeait également très jeune et trop timide. Elle ne l'amusait pas comme les femmes qu'il avait l'habitude de fréquenter et que son uniforme séduisait. Ariana n'était pas prête et Werner von Klaub pas suffisamment amoureux pour attendre.

Walmar fut soulagé quand les visites cessèrent et qu'Ariana n'en parut pas particulièrement attristée. Elle vivait heureuse à la maison avec son père et son frère, avait de nombreuses amies au lycée. D'une certaine façon, le combat déterminé de Walmar pour la protéger du monde la faisait paraître plus jeune que son âge. Pourtant, le chagrin l'avait rendue sage et elle faisait preuve d'une étonnante maturité. La perte de sa mère, si intimidante qu'avait été Cassandra, si vagues qu'avaient été les circonstances de sa disparition, avait marqué Ariana, et l'absence d'un être vers qui se tourner avait imprimé une tristesse dans ses yeux bleus. Mais il s'agissait d'une souffrance intime, sans rapport avec la guerre. Malgré les bombardements de plus en plus fréquents sur Berlin depuis 1943, et le temps qu'elle passait à la cave avec Gerhard, son père et les domestiques au cours des raids aériens, Ariana ne connut pas directement les épreuves de la guerre avant ses dix-neuf ans, au printemps 1944.

Tout au long de ce dernier, les Alliés avaient accru leurs efforts et Hitler avait récemment pris de nouvelles mesures confirmant son engagement dans une guerre totale.

Rentrant un jour du lycée, Ariana apprit par Berthold que son père était enfermé dans le grand salon avec un ami.

— A-t-il dit de qui il s'agissait ? s'enquit la jeune fille.

Elle souriait au vieux majordome qui devenait de plus en plus sourd.

— Oui, Fräulein, acquiesça-t-il, son visage impassible ridé par un sourire qu'il ne réservait qu'à elle.

Il feignit d'avoir compris sa question mais elle vit bien que non. Dans ces cas-là, elle n'hésitait pas à lui parler plus fort, contrairement à son frère qui se moquait ouvertement de la surdité du maître d'hôtel. Mais le vieux domestique acceptait tout de Herr Gerhard, son chouchou.

— Mon père a-t-il dit le nom de son visiteur ?

— Ah... non, Fräulein. C'est Frau Klemmer qui a ouvert.

J'étais avec Herr Gerhard afin de l'aider pour son matériel de chimie.

— Oh ! mon Dieu, pas ça !

— Pardon ?

— Rien, Berthold, je vous remercie.

Ariana traversa prestement le hall d'entrée.

Sur le palier du deuxième étage, elle croisa Frau Klemmer. Ce matin, dans le plus grand secret, Frau Klemmer et elle avaient envisagé de rouvrir les appartements de Cassandra. Voilà neuf ans qu'ils restaient fermés et Ariana n'était plus une enfant. Partager le second avec Gerhard l'agaçait maintenant ; son frère était bruyant et envahissant avec ses expériences chimiques, à tenter de fabriquer de petites bombes. Comme elle avait décidé, en accord avec son père, d'attendre la fin de la guerre pour entrer à l'université, ils étaient convenus qu'elle s'occuperait de la maison dans deux mois, lorsqu'elle aurait achevé ses études secondaires. Elle projetait aussi de consacrer plus de temps au bénévolat. Elle se rendait déjà deux jours par semaine dans un hôpital, mais il lui paraissait plus naturel de prendre davantage de responsabilités sous le toit familial et elle rêvait d'occuper les appartements de sa mère... à condition de parvenir à convaincre son père.

— Lui avez-vous demandé ? questionna Frau Klemmer dans un chuchotement de conspirateur.

— Pas encore. Ce soir. Si j'arrive à me débarrasser de Gerhard après le dîner. Quelle calamité celui-là, soupira-t-elle.

L'adolescent avait quinze ans et demi.

— À mon avis, si vous laissez à votre père le loisir de réfléchir, il acceptera. Il sera content de vous avoir plus près de lui. Monter toutes ces marches pour vous voir l'épuise.

Pour juste que fût l'argument, Ariana doutait qu'il l'aidât à gagner sa cause. À soixante-huit ans, son père n'appréciait pas qu'on lui rappelât son âge.

— Je trouverai quelque chose. J'aurais aimé lui parler tout de suite mais il n'est pas seul. Savez-vous qui est avec lui ?

— C'est Herr Thomas, répondit la domestique, perplexe. Il n'a pas l'air bien du tout.

Qui avait l'air bien par les temps qui couraient ? Même le père d'Ariana semblait harassé lorsqu'il revenait de la banque. Le Reich accentuait la pression sur les banquiers allemands, exigeant des fonds qu'ils n'avaient pas.

Frau Klemmer partie, Ariana se demanda si elle rejoindrait son père. Elle avait envie de se glisser une nouvelle fois chez sa mère, pour admirer la magnifique chambre, voir aussi si le boudoir serait assez grand pour accueillir son bureau, mais cela pouvait attendre. Elle préférait saluer l'ami de son père.

Bien que Herr Thomas fût d'une trentaine d'années plus jeune que son père, celui-ci avait beaucoup d'affection pour lui. Max avait travaillé quatre ans pour Walmar, avant de se décider à faire son droit. Au cours de ses études, il avait épousé une étudiante et le couple avait eu trois enfants en quatre ans. Le plus jeune avait aujourd'hui trois ans, mais Max ne l'avait pas revu depuis ses quatre mois. Sa femme était juive ; elle et les enfants lui avaient été enlevés. Les deux premières années de guerre, ils étaient parvenus à échapper aux nazis, mais l'inévitable avait fini par arriver en 1941. Leur perte avait failli détruire Max. Maintenant, quand il rendait visite à Walmar, il semblait de quinze ans plus âgé que ses trente-sept ans. Malgré ses efforts désespérés pour retrouver sa famille, Ariana savait qu'il avait renoncé à tout espoir l'année précédente.

Elle frappa doucement à la double porte mais ne perçut en retour que le sourd murmure d'une conversation. Mais alors qu'elle s'apprêtait à faire demi-tour, son père répondit.

— Papa ? appela-t-elle en passant la tête par l'entrebâillement. Puis-je entrer ?

Ce qu'elle vit la laissa interdite et elle ne sut plus si elle devait partir ou rester. Lui tournant le dos, le visage enfoui dans ses mains, Maximilien Thomas était secoué par des sanglots. Ariana consulta son père du regard, s'attendant à ce qu'il la renvoie. À sa surprise, il lui fit signe d'entrer. Il ne savait que faire, que dire, peut-être sa fille saurait-elle offrir à Max un peu plus de réconfort que lui même. Pour la première fois, Walmar reconnaissait qu'Ariana n'était plus une enfant ; elle avait en plus la douceur d'une femme. Gerhard eût-il frappé à la place de sa sœur, son père l'aurait renvoyé d'un geste vif. Quand Ariana approcha, Max laissa retomber ses mains et elle découvrit sur son visage une expression de désespoir total.

— Max... que s'est-il passé ?

Sans réfléchir, elle s'agenouilla auprès de lui et lui ouvrit les bras. Il se laissa aller contre elle et continua de sangloter doucement. Il ne souffla mot durant de longues minutes puis finit par s'arracher à l'étreinte en s'essuyant les yeux.

— Merci. Je suis désolé de...

— Nous comprenons, fit Walmar.

Sur la longue table ancienne se trouvait un grand plateau en argent supportant plusieurs bouteilles de cognac et ce qui restait des réserves de whisky anglais du maître de maison. Sans demander à Max sa préférence, Walmar lui servit un verre de cognac et le lui tendit. Max but lentement et s'essuya de nouveau les yeux.

— Il s'agit de Sarah ? interrogea Ariana.

Avait-il eu enfin des nouvelles ? Il avait cherché si longtemps à obtenir des informations sur le sort de son épouse.

Max fixa sur la jeune fille un regard où se lisaient toute la douleur et l'horreur d'avoir vu aujourd'hui ses pires craintes confirmées.

— Ils sont tous... morts, articula-t-il difficilement. Tous les quatre... Sarah... les enfants...

— Mon Dieu !

Ariana le dévisagea, voulut demander pourquoi. Mais ils connaissaient tous la réponse. Parce qu'ils étaient juifs... *Juden.*

— Ils m'ont dit que je devais être reconnaissant. Que je peux maintenant repartir de zéro avec une femme de ma race. Oh ! mon Dieu... mon Dieu... mes bébés... Ariana...

Il eut un élan vers la jeune fille et celle-ci l'étreignit de nouveau, pleurant elle aussi.

De son côté, Walmar songeait que son ami ne pouvait plus rester à Berlin.

— Écoutez, Max, il faut que vous réfléchissiez maintenant. Qu'allez-vous faire ?

— Que voulez-vous dire ?

— Allez-vous rester ici, maintenant que vous savez ?

— Je ne sais pas... Je ne sais pas... J'ai voulu partir voilà des années. En 1938, j'en avais parlé à Sarah... mais elle ne voulait pas... ses sœurs, sa mère... Ensuite je suis resté parce qu'il fallait que je la retrouve. Je croyais que si j'apprenais où elle était, je pourrais négocier avec eux, je... Oh ! mon Dieu, j'aurais dû savoir...

— Cela n'aurait rien changé, murmura Walmar qui partageait la douleur de son ami. À présent vous connaissez la vérité. Et si vous restez, ils vous tourmenteront. Ils vous surveilleront, pour savoir où vous allez, qui vous fréquentez. Vous êtes un suspect pour avoir été marié à Sarah. Vous devez partir.

Max Thomas secoua la tête. Walmar savait trop de quoi il parlait. À deux reprises, les bureaux de l'avocat avaient été saccagés, avec l'inscription « Ami des Juifs » gravée sur chaque meuble et peinte sur les murs. Il était pourtant resté. Il le devait. Afin de retrouver sa femme.

— Je crois que je ne réalise pas encore que c'est fini... qu'elle... que je n'ai plus personne à chercher.

Les yeux exorbités sous le poids de cette constatation terrible, il s'adossa dans son fauteuil.

— Où irais-je ?

— N'importe où. En Suisse, si vous le pouvez. Peut-être ensuite aux États-Unis. Mais quittez l'Allemagne, Max, elle vous détruira si vous restez.

Comme elle a détruit Cassandra... Dolff avant elle... Le souvenir était vivace dans le regard de Walmar quand il fixa le visage de son ami.

— Je ne peux pas m'en aller, souffla ce dernier.

— Pourquoi ? s'emporta Walmar. Parce que vous êtes patriote ? Parce que vous aimez ce pays qui a été si bon ? Grands dieux, mon vieux, à quoi bon rester ? Fichez le camp.

Ariana les observait, effrayée ; jamais elle n'avait vu son père si véhément.

— Max... Papa a peut-être raison. Vous pourriez revenir plus tard.

— Si vous êtes sensé, vous n'en aurez pas envie. Refaites votre vie ailleurs. N'importe où, Max, n'importe où, mais quittez ce pays avant qu'il vous écrase.

— C'est déjà fait.

Max dardait sur son aîné un regard lugubre. Walmar soupira, se rassit face à lui.

— Oui, je sais, je comprends. Mais, Max, il vous reste la vie. Vous avez déjà perdu Sarah et les enfants.

Malgré la douceur de sa voix, ces mots provoquèrent de nouvelles larmes chez Max.

— Vous leur devez, à eux aussi bien qu'à vous-même, de survivre. Pourquoi ajouter une autre tragédie, un autre deuil ?

Si seulement il avait pu dire cela à Cassandra... Si elle avait pu le comprendre...

— Comment ? questionna Max.

Il avait beau y songer, il ne parvenait pas à concevoir ce

que représentait le fait de quitter sa maison, sa patrie, le pays qui avait autrefois donné le jour à ses fils comme à ses rêves.

— Je ne sais pas. Nous allons y réfléchir. Avec le chaos qui règne actuellement, vous pourriez tout bonnement disparaître. D'ailleurs..., poursuivit Walmar qui pensait à voix haute, si vous disparaissiez immédiatement, ils penseraient sûrement que la nouvelle vous a rendu fou. Vous pourriez vous être enfui, suicidé, n'importe quoi. Ils n'auraient pas tout de suite des soupçons.

— Comment faire ? Je sors de chez vous ce soir et je marche droit vers la frontière ? Avec ma serviette, mon manteau et la montre en or de mon grand-père ?

Continuant de réfléchir, Walmar hocha tranquillement la tête.

— Peut-être bien.

— Vous êtes sérieux ?

Ariana était bouleversée par tout ce qu'elle entendait. Ils tuaient donc des femmes et des enfants, en laissaient d'autres partir à pied vers la frontière au beau milieu de la nuit ?

Le regard de Walmar revint se poser sur son ami. Il avait un plan.

— Oui, je suis très sérieux. À mon avis, il vous faut partir sur-le-champ.

— Ce soir ?

— Peut-être pas, mais dès que possible, dès que j'aurai les papiers. Néanmoins, je crois que vous devez vous évanouir dans la nature dès ce soir. Qu'en pensez-vous ? s'enquit-il en avalant une gorgée de cognac.

Max ne restait pas insensible à la sagesse de son aîné. Quelle raison avait-il de se cramponner à un pays qui avait déjà tué tous ceux qu'il chérissait ?

— Vous avez raison, finit-il par admettre. Je vais partir. Je ne sais où ni comment.

Les yeux de Walmar s'étaient reportés sur sa fille. C'était un moment décisif pour leur existence à tous trois.

— Ariana, tu peux nous laisser maintenant.

Un instant, personne ne bougea.

— Tu le veux vraiment, papa ?

Elle brûlait de rester auprès de lui et de Max.

— Tu peux rester si tu le souhaites. Si tu comprends bien qu'il est essentiel de garder le silence sur tout cela. Tu n'en parleras à personne. Ni avec Gerhard ni avec les domestiques. Pas même avec moi. Personne. Les choses se dérouleront en silence. Une fois finies, rien ne se sera produit. D'accord ?

Elle acquiesça. Un court instant, Walmar songea qu'il était fou de mêler sa fille à cela, mais ils étaient tous impliqués. Bientôt, cela leur arriverait aussi. Il était temps qu'elle sache. Voilà un moment qu'il y pensait. Elle devait comprendre à quel point la situation était désespérée.

— Tu m'as bien compris, Ariana ?

— Parfaitement, papa.

— Bon.

Il ferma les yeux, avant de s'adresser de nouveau à Max.

— Ce soir, vous sortirez d'ici par la grande porte, l'air encore plus bouleversé que lorsque vous êtes arrivé, et c'est là que vous disparaîtrez. Vous marcherez vers le lac. Plus tard vous reviendrez. Je vous ferai entrer une fois tout le monde couché. Vous resterez ici un jour ou deux. Ensuite vous vous en irez. Tranquillement. La frontière. La Suisse. Là, mon ami, vous serez parti pour de bon. Pour une nouvelle vie.

— Et comment financerai-je ma fuite ? s'inquiéta Max. Pouvez-vous sortir mon argent de la banque ?

— Ne vous en préoccupez pas, fit Walmar. Ne vous inquiétez que de revenir ici ce soir. Et d'atteindre ensuite la frontière. De mon côté, je m'occupe de l'argent et des papiers.

Max était plus qu'impressionné par son respectable et vieil ami.

— Vous connaissez quelqu'un capable de faire ce genre de chose ?

— Oui. J'ai fait des recherches, il y a environ six mois, au cas où... le besoin s'en ferait sentir.

Bien qu'étonnée que son père eût envisagé une telle situation, Ariana se tut.

— Nous sommes d'accord ? conclut Walmar. Vous restez dîner ? Votre départ serait plus logique après.

— Fort bien. Mais où me cacherez-vous ?

Walmar s'était posé la même question mais, cette fois, ce fut Ariana qui trouva la solution.

— Chez mère.

Son père la regarda avec un vif déplaisir et Max assista à leur bref échange muet.

— C'est le seul endroit où personne ne va, papa.

Hormis que Frau Klemmer et elle-même s'y étaient rendues le matin même. Voilà pourquoi elle y avait pensé. D'ordinaire, la famille comme la domesticité affectaient de ne plus considérer les appartements de Cassandra comme faisant partie de la maison von Gotthard.

— Max y serait en sécurité. Et je remettrai tout en ordre après son départ. Personne n'en saura rien.

Walmar réfléchit durant un moment qui parut interminable. La dernière fois qu'il était entré dans ces pièces, sa femme gisait morte dans une baignoire pleine de sang. Il n'y avait jamais remis les pieds, incapable de supporter la douleur de ces derniers souvenirs, ce visage tuméfié, ces yeux désespérés, les seins écorchés par la boucle du ceinturon de ce nazi qui avait failli la violer.

— Je suppose qu'il n'y a pas d'autre solution, articula-t-il avec une souffrance que seul Max comprit.

Tous deux savaient de quoi étaient capables les nazis.

— Je suis désolé de vous causer tant de tracas, Walmar.

— Ne dites pas de bêtises. Nous voulons vous aider. Et

peut-être qu'un jour, ajouta-t-il avec un petit sourire triste, c'est vous qui nous aiderez.

Il y eut un silence dans le salon, avant que Max ne reprenne la parole :

— Vous envisagez vraiment de partir, Walmar ?

Le banquier parut pensif.

— Je ne suis pas certain de le pouvoir. Ils me surveillent. Ils me connaissent. Ils ont davantage besoin de moi que de vous. Je suis l'un de leurs bailleurs de fonds. La banque Tilden est importante pour le Reich. C'est à la fois mon épée de Damoclès et mon salut. Mais s'il le faut, je ferai comme vous.

Ariana fut choquée par les paroles de son père. Jamais elle n'aurait soupçonné qu'il envisageât de fuir. À cet instant, Berthold frappa à la porte pour annoncer le dîner, et tous trois quittèrent le salon en silence.

9

Walmar von Gotthard traversa silencieusement sa demeure et attendit dans l'entrée. Il avait demandé à Max Thomas d'ôter ses souliers afin de ne pas faire de bruit dans l'allée de gravillons. Puis il lui avait confié sa clef personnelle. Max était parti vers onze heures du soir ; d'ici quelques minutes trois heures sonneraient. Grâce à la pleine lune il n'eut aucun mal à distinguer son ami qui courait sur la pelouse. Les deux hommes n'échangèrent pas un mot, seulement un signe de tête, tandis que Max s'essuyait les pieds pour ne pas laisser de trace de terre sur le sol de marbre. Walmar fut satisfait de la présence d'esprit du jeune homme ; il avait à présent devant lui un homme différent de celui qui avait éclaté en sanglots dans son bureau quelque dix heures auparavant. Maintenant qu'il avait décidé de fuir, Max aurait besoin d'à-propos et de sang-froid pour assurer sa survie.

Les deux hommes s'engagèrent rapidement dans l'escalier et atteignirent bientôt la porte au fond du couloir. Un instant, Walmar s'immobilisa, comme hésitant à entrer. Mais Ariana les attendait et, devinant leur présence, entrebâilla la porte. Max se glissa prestement à l'intérieur. Pour Walmar, il était peut-être temps de rouvir les portes et d'aller lui aussi de l'avant.

Il franchit le seuil, referma sans bruit, suivit sa fille et son ami vers le boudoir dont les teintes roses avaient pâli. La méridienne se trouvait toujours dans l'angle ; Ariana y avait disposé des couvertures afin que Max puisse y dormir.

— J'ai pensé qu'il serait plus en sécurité ici, chuchota-t-elle. Si quelqu'un jetait un œil depuis la chambre, il ne le verrait pas.

Walmar acquiesça. Max posa sur son ami des yeux reconnaissants et cernés par la fatigue. Bientôt ses hôtes le laissèrent. Walmar avait promis de lui obtenir des papiers le plus rapidement possible. Pour le salut de Max, il espérait les avoir la nuit suivante.

Plongés chacun dans leurs pensées, Ariana et son père se séparèrent sans un mot dans le couloir. La jeune fille monta dans sa chambre, songeant à Max et au voyage solitaire qu'il s'apprêtait à entreprendre. Elle se souvenait de Sarah, une femme toute petite aux yeux sombres et rieurs, toujours à raconter des histoires drôles, et d'une grande gentillesse. Tout cela semblait remonter tellement loin. Au cours des trois ans écoulés, Ariana avait souvent pensé à elle, se demandant où elle était, ce qu'ils avaient fait d'elle... et des garçons... Aujourd'hui on connaissait leur sort.

Les mêmes réflexions tourmentaient Max qui reposait sur la méridienne capitonnée de satin rose, dans les appartements de la femme qu'il n'avait vue qu'une seule fois, lorsqu'il avait fait la connaissance de Walmar. Une femme éblouissante, à la chevelure dorée, presque cuivrée. La femme la plus étonnante qu'il eût vue de sa vie. Peu de temps après, il avait appris sa mort. Une mauvaise grippe, lui avait-on dit. Or, couché en ce lieu, il devinait que la cause de son décès était tout autre. Walmar lui avait communiqué une étrange impression. C'était comme s'il savait que son ami, lui aussi, avait souffert par la faute des nazis.

De son côté, Walmar regardait le lac au clair de lune, mais, au lieu de l'étendue d'eau, c'était son épouse qu'il voyait. La fragile, l'éblouissante, la ravissante Cassandra... la femme qu'il avait désespérément chérie voilà si longtemps... et les rêves qu'ils avaient partagés dans la chambre du bout du couloir. Lieu désormais désert, figé, solennel, oublié. Il avait éprouvé un déchirement cette nuit en franchissant le seuil avec Max et Ariana, Ariana au même regard lavande et profond. Tout à sa peine, il se détourna du spectacle du clair de lune et se résolut enfin à se dévêtir pour se coucher.

— Lui avez-vous demandé ? questionna Frau Klemmer après le petit déjeuner.

— Quoi donc ? fit Ariana, l'esprit ailleurs.

— Pour l'appartement de votre mère.

Quelle fille étrange, songeait l'intendante, si lointaine, si effacée parfois. Avait-elle déjà oublié ? Souvent Frau Klemmer s'interrogeait sur les mystères que celaient les grands yeux bleus.

— Oh... oui... enfin, non. Il a dit non.

— Était-il fâché ?

— Non. Catégorique seulement. Je crois que je vais rester où je suis.

— Pourquoi ne pas insister un peu ? Peut-être finira-t-il par céder.

Ariana secoua la tête avec détermination.

— Il a assez de soucis comme ça.

L'intendante s'éloigna avec un haussement d'épaules. Il était parfois difficile de comprendre la jeune fille, mais il est vrai que sa mère était bizarre, elle aussi.

Quand Ariana partit en classe, Walmar avait déjà quitté la maison dans sa Rolls. Elle aurait aimé rester chez elle, à cause de Max, mais son père avait insisté pour qu'elle vaque à ses occupations habituelles et, dans l'intérêt de son ami, avait lui-même verrouillé la porte de Cassandra.

Les heures parurent longues à Ariana mais vint enfin le moment de rentrer. Toute la journée, elle avait été distraite, ne pensant qu'à Max et se demandant comment il allait. Le pauvre, ce devait être étrange de se retrouver caché dans une maison inconnue. D'un pas tranquille, elle traversa le hall d'entrée, salua Berthold et s'engagea dans l'escalier. Elle déclina la proposition d'Anna de lui servir du thé et alla se brosser les cheveux dans sa salle de bains. Quinze minutes s'écoulèrent avant qu'elle ose descendre à l'étage inférieur. Elle s'arrêta un instant devant la porte de son père puis continua, tenant en main la clef qu'elle avait empruntée à Frau Klemmer deux jours auparavant.

Elle se fut bientôt glissée chez Cassandra et, sur la pointe des pieds, traversa la chambre à coucher. Elle apparut, sur le seuil du boudoir, vision souriante, à un Max fatigué et pas rasé.

— Bonjour, murmura-t-elle.

Il l'invita à s'asseoir.

— Avez-vous mangé ? C'est bien ce que je pensais, enchaîna-t-elle quand il lui eut répondu par la négative. Tenez, dit-elle en sortant un sandwich de sa poche. Plus tard, je vous apporterai du lait.

Ce matin elle lui avait laissé un broc d'eau. Mieux valait qu'il n'utilise pas les robinets. Après tant d'années, les canalisations risquaient de gargouiller bruyamment et d'alerter les domestiques.

— Vous allez bien quand même ?

— Très bien, fit-il en mordant dans le sandwich. Vous n'aviez pas à faire ça. Mais je suis content que vous l'ayez fait, précisa-t-il avec un sourire.

Il semblait plus jeune, comme si les marques du tourment s'étaient effacées de son visage. Certes, il était fatigué, différent avec sa barbe d'un jour, néanmoins il n'avait plus son expression lugubre et désespérée de la veille.

— Comment s'est passée la journée à l'école ?

— Affreuse. Je me faisais du souci pour vous.

— Il ne fallait pas. Je suis bien ici.

Bizarrement, alors qu'il ne se cachait là que depuis quelques heures, il avait déjà le sentiment d'être coupé du monde. Les autobus, le bruit, son bureau, le téléphone, jusqu'au bruit des bottes qui claquaient dans la rue, tout lui manquait. À croire qu'il était passé dans un autre monde. Un monde isolé, oublié, un monde de satin rose, le domaine d'une femme depuis longtemps disparue. Max comme Ariana regardèrent autour d'eux en même temps puis leurs yeux finirent par se rencontrer.

— Comment était-elle... votre mère ?

— Je ne sais trop, souffla la jeune fille. Je ne l'ai pas réellement connue. Je n'avais même pas dix ans quand elle est morte.

Brièvement, elle se rappela Gerhard au cimetière, puis sa longue attente sous la pluie, cramponnée à la main de son père.

— Elle était très belle. Je crains de ne pas en savoir plus.

— Je l'ai vue une fois. Elle était extraordinaire, la femme la plus exquise que j'aie rencontrée.

— Elle montait nous voir au deuxième étage, en robe du soir, parfumée. Ses robes bruissaient merveilleusement quand elle traversait la pièce. Elle me paraissait terriblement mystérieuse et sans doute en sera-t-il toujours ainsi.

Ariana darda ses grands yeux tristes sur Max.

— Savez-vous où vous irez ?

À force de chuchoter, elle évoquait un enfant qui quémande un secret. Max sourit.

— Plus ou moins. Votre père a raison. D'abord la Suisse. Et quand la guerre sera terminée, peut-être essaierai-je de partir aux États-Unis. Mon père avait un cousin là-bas. Je ne suis pas certain qu'il soit encore en vie mais c'est un but.

— Vous ne reviendrez pas ici ? murmura Ariana, bouleversée. Jamais ?

— Jamais. Je ne veux plus revoir ce pays.

Qu'il se coupe définitivement de tout ce qui avait été sa vie semblait étrange à Ariana. Mais peut-être avait-il raison de fermer la porte. Était-ce le même sentiment qui avait poussé son père à ne jamais franchir le seuil des appartements de sa femme jusqu'à la nuit précédente ? Il existait donc des lieux où l'on ne revenait jamais. Parce que la douleur était insupportable. Quand elle releva les yeux, Max lui souriait gentiment.

— Viendrez-vous me voir en Amérique, votre père et vous, quand la guerre sera finie ?

— Cela paraît si loin, rétorqua-t-elle avec un rire sourd.

— J'espère que non.

Et, sans réfléchir, il saisit la main de la jeune fille et la tint longtemps ; Ariana se pencha vers lui et l'embrassa sur le front. Il n'était plus besoin de mots entre eux. Max l'étreignait, elle lui caressait doucement les cheveux. Au bout d'un moment il la lâcha, affirmant qu'il était dangereux pour elle de s'attarder ici. La vérité était qu'il pensait à l'impensable alors même qu'il se cachait sous le toit de son ami.

Plus tard dans la soirée, Walmar vint le trouver, l'air beaucoup plus las et abattu que lui. Il avait déjà les papiers pour le voyage ainsi qu'un passeport allemand au nom d'Ernst Josef Frei. Le faussaire avait pris la photographie sur le passeport de Max et le cachet officiel semblait authentique.

— Du beau travail, commenta Max, fasciné.

Walmar se tenait inconfortablement dans un fauteuil rose.

— Il y a aussi une carte, un peu d'argent, un permis de circuler dans le pays. Vous pourrez approcher de la frontière en train. Ensuite, mon ami, ce sera à vous de jouer. Mais vous devriez y arriver... grâce à cela.

Il tendit à Max une enveloppe pleine de billets, de quoi lui permettre de vivre plusieurs semaines.

— Je n'ai pas osé prendre plus, cela eût attiré des soupçons.

— Vous avez pensé à tout, Walmar.

Max le fixait avec admiration. Quel homme remarquable !

— Je l'espère. Je crains d'être un peu novice en la matière, mais j'en aurai profité pour m'entraîner.

— Vous envisagez sérieusement de partir ? Pourquoi ?

— Pour bon nombre de raisons. Qui sait ce qui arrivera, à quel moment ils perdront le contrôle. Je dois aussi penser à Gerhard maintenant. Il aura seize ans à l'automne. Si la guerre ne s'achève pas rapidement, il risque d'être enrôlé. En ce cas, nous partirons.

Max comprit. S'il avait encore eu un fils à protéger des nazis, il eût agi de même.

Walmar ne s'inquiétait pas seulement pour Gerhard, mais pour Ariana aussi. Elle était d'une beauté si délicate, si attirante à sa façon réservée. S'ils lui faisaient du mal, ou, pire, si quelque officier de haut rang jetait son dévolu sur la fille unique du banquier von Gotthard ? Cette perspective l'effrayait à présent que sa fille était grande et que, d'ici quelques semaines, elle n'irait plus en classe. Savoir qu'elle travaillait bénévolement à l'hôpital Martin-Luther le terrifiait plus que tout.

— Que puis-je faire pour vous remercier ? demanda Max.

— Vous mettre à l'abri. Commencer une vie nouvelle.

— Ce n'est rien du tout. Pourrai-je vous faire savoir où je suis ?

— Discrètement. Juste une adresse. Pas de nom. Je comprendrai.

Max hocha la tête, puis Walmar sortit une clef de sa poche, une clef de voiture.

— Le train part à minuit. Dans le garage derrière la maison, vous trouverez un vieux coupé Ford bleu. Il appartenait à Cassandra. J'ai moi-même vérifié qu'il était en état de marche ce matin. Il a démarré, miraculeusement. Les domestiques ont dû l'entretenir. Prenez-le pour gagner la gare, et laissez-le là-bas. Demain matin, je signalerai qu'il a été volé. Vous serez loin. Nous irons nous coucher tôt ce soir, afin qu'il n'y ait pas de problème. Avec un peu de chance, tout le monde dormira quand vous partirez à onze heures et demie. Tout est au point, mon ami... Ah, encore une chose.

Max se demandait laquelle mais Walmar avait vraiment pensé à tout. Il passa sans bruit dans la chambre de Cassandra et prit deux tableaux accrochés au mur. Avec son couteau, il ôta les cadres avant de séparer soigneusement les toiles de leur armature de bois. L'un était un petit tableau de Renoir qui avait appartenu à sa mère, l'autre un Corot qu'il avait acheté à son épouse à Paris au cours de leur voyage de noces, voilà vingt ans. Sans dire un mot à Max qui le regardait faire, il roula les deux œuvres et les tendit à son ami.

— Prenez-les et faites-en ce que bon vous semblera. Vendez-les, mangez-les, échangez-les. Ils valent beaucoup d'argent, suffisamment pour vous lancer dans votre nouvelle vie.

— Walmar, non ! Ce que je laisse à la banque ne pourrait pas les payer.

Max avait dépensé une fortune pour essayer de retrouver Sarah et les garçons.

— Ils ne servent à personne ici. Vous en avez besoin... moi je ne pourrai plus jamais les regarder... puisqu'ils étaient ici. Ils sont à vous, Max. Acceptez-les de la part d'un ami.

À ce moment-là, Ariana qui se glissait dans la pièce fut troublée de voir les yeux de Max emplis de larmes ; elle comprit rapidement en découvrant les cadres vides auprès du lit de sa mère.

— Ça y est, vous partez, Max ?

— Dans quelques heures. Votre père vient de... Je ne sais que dire, Walmar.

— *Auf Wiedersehen,* Maximilien. Bonne chance.

Ils se serrèrent la main, Max refoulait ses larmes. Walmar partit bientôt ; Ariana s'attarda quelques minutes. Avant qu'elle ne suive son père pour aller dîner, Max la retint et ils s'embrassèrent.

Le dîner se déroula dans le respect des convenances, si l'on excepte Gerhard qui lança des boulettes de pain dans le dos de Berthold. Tancé par son père, il sourit mais, un peu plus tard, lança une boulette à sa sœur.

— Si tu continues, nous te renverrons prendre tes repas avec Fräulein Hedwig.

— Excuse-moi, père.

Ensuite, malgré ses efforts pour se montrer aimable, le garçon n'obtint guère d'échos de la part de son père ou de sa sœur et finit lui aussi par manger en silence.

Après le repas, Walmar se retira dans son bureau et Ariana dans sa chambre. Gerhard retourna à ses fredaines. La jeune fille brûlait de voir encore Maximilien mais son père lui avait recommandé la plus grande prudence afin de ne pas éveiller l'attention des domestiques. Le succès de la fuite de Max, comme leur sécurité par la suite, dépendait du secret et de la discrétion les plus absolus. Aussi resta-t-elle sagement dans sa chambre pour, comme l'avait ordonné son père, éteindre les lumières à dix heures trente. Mais dans l'obscurité silencieuse elle attendit, pensa, pria jusqu'à n'y plus tenir. À onze heures vingt, elle se glissait jusqu'aux appartements de sa mère.

Comme s'il avait su qu'elle viendrait, Max attendait. Cette fois il l'embrassa longuement, ardemment, la serra à l'étouffer. Après un ultime baiser, il boutonna son pardessus.

— Je dois y aller, Ariana. Prends bien soin de toi, ma chérie. D'ici à ce que nous nous retrouvions.

— Je vous aime, chuchota Ariana.

Ses yeux le disaient autant que ses paroles.

— Dieu vous garde.

Il tenait à la main la serviette qui abritait les deux toiles de prix roulées dans des journaux.

— Nous nous retrouverons quand tout sera fini, assura-t-il avec un sourire confiant. Peut-être à New York.

— Vous êtes fou, fit-elle.

— Peut-être. Mais je t'aime, moi aussi, ajouta-t-il, son sérieux retrouvé.

C'était la vérité. Cette jeune fille l'avait ému, elle avait su être là quand il avait eu besoin d'amitié et de douceur.

Dès qu'il fut sorti sans bruit dans le couloir, elle verrouilla la porte derrière eux, lui adressa un dernier signe avant qu'il ne s'engage dans l'escalier, puis elle courut retrouver l'abri de sa chambre où elle finit par entendre le bruit de la voiture de sa mère qui s'éloignait.

— *Auf Wiedersehen,* mon chéri.

Et elle demeura près d'une demi-heure à sa fenêtre, songeant au premier homme qu'elle avait embrassé, se demandant s'ils se retrouveraient jamais.

10

RIEN ne transparaissait le lendemain matin dans l'attitude de son père ni dans celle d'Ariana qui eût pu éveiller le moindre soupçon lorsqu'ils prirent ensemble le petit déjeuner. Et l'après-midi, quand le chauffeur annonça gravement qu'on avait volé l'ancienne Ford de Frau von Gotthard, Walmar prévint immédiatement la police. Le véhicule fut retrouvé dans la soirée, abandonné près de la gare, intact. Il fut alors suggéré discrètement que Gerhard était le coupable et qu'il avait voulu faire un petit tour. La police s'efforça de dissimuler son amusement, Gerhard de son côté manifesta une juste indignation. Pour finir, les autorités les laissèrent se débrouiller tout seuls, et la voiture retrouva sa place au garage.

— Je ne l'ai pas prise, père ! se défendit l'adolescent en rougissant devant Walmar.

— Vraiment ? En ce cas, tout va bien.

— Mais tu crois que c'est moi !

— Peu importe. La voiture est là. Veille, s'il te plaît, à ce que ni toi ni l'un de tes amis ne tente une nouvelle fois de... euh... emprunter... le véhicule de ta mère.

Walmar se détestait dans ce rôle mais il n'avait pas le choix. Ariana comprit la situation et s'efforça de consoler son frère quand il quitta vivement la pièce.

— C'est trop injuste ! Je ne l'ai pas prise ! Ce ne serait pas toi ? demanda-t-il subitement à sa sœur.

— Bien sûr que non. Ne sois pas idiot. Je ne sais pas conduire.

— Je parie que si !

— Ne sois pas bête, Gehrard !

Mais aussitôt tous deux éclatèrent de rire et montèrent bras dessus, bras dessous au deuxième étage, Gerhard convaincu que sa sœur avait fait le coup.

Malgré la gaieté que la jeune fille manifestait avec son frère, Walmar devina que quelque chose n'était plus comme avant. Le matin elle était plus silencieuse, puis quand elle rentrait de ses cours ou de son travail bénévole, elle disparaissait immédiatement dans sa chambre. Il était difficile d'engager la conversation avec elle. Une semaine après le départ de Max, elle guetta le moment où son père serait seul dans son bureau et vint l'y trouver, les yeux brillants de larmes.

— As-tu des nouvelles, père ?

Il comprit tout de suite car il partageait le même souci.

— Non, rien. Mais nous en aurons. Il peut se passer du temps avant qu'il se fixe quelque part.

— Tu n'en sais rien, fit-elle en se laissant tomber dans un fauteuil devant le feu. Il est peut-être mort.

— Peut-être, reconnut Walmar d'une voix sourde et triste. Et peut-être pas. Mais il est parti, Ariana. Sorti de nos vies. Pour mener sa propre vie, où qu'elle le conduise. Tu ne dois pas trop penser à lui. Nous sommes seulement un pan de l'ancienne existence qu'il a laissée derrière lui.

L'état de sa fille l'effrayait et les mots suivants lui échappèrent involontairement :

— Es-tu très attachée à lui, Ariana ?

Ariana se tourna vers son père, choquée, car elle ne l'avait jamais entendu poser ce genre de question.

— Je ne sais pas. Je...

Elle ferma les yeux.

— J'étais seulement inquiète. Il pourrait...

Rougissant légèrement, elle regarda à nouveau le feu, préférant taire la vérité.

— J'espère que non, reprit Walmar. Il est difficile de refréner ses sentiments mais...

Comment lui dire ? Que dire ?

— Par les temps qui courent, mieux vaut garder l'amour pour des jours meilleurs. En période de guerre, dans des circonstances difficiles, les sentiments s'exacerbent mais les idylles ont quelque chose d'irréel et risquent de ne pas durer. Tu le reverras peut-être dans plusieurs années et tu le trouveras très différent de l'homme dont tu te souviens.

— Je le sais, père.

— J'en suis heureux. (Il soupira profondément.) Il serait dangereux d'aimer un homme dans la position de Max. Il est en fuite, peut-être un jour les nazis le poursuivront-ils. Si tu te liais à lui, ils te harcèleraient aussi. Et même s'ils ne te faisaient pas de mal, la douleur pourrait te détruire ; comme, d'une certaine façon, la perte de Sarah a failli détruire Max.

— Comment peuvent-ils punir les gens de s'aimer ? demanda Ariana, révoltée. Comment quelqu'un peut-il décider *a priori* ce qui est bien et ce qui est mal ?

La question enfantine, si naïve et si juste, raviva en lui le souvenir de Cassandra... Il l'avait prévenue... elle savait...

— Père ? souffla Ariana, le voyant soudain si lointain.

— Tu dois l'oublier. Ce serait dangereux pour toi, articula-t-il, fixant sur elle un regard sévère.

— Tu as couru un danger en l'aidant, père.

— C'est différent. Même si tu as raison en un sens. Mais je ne suis pas attaché à lui par le lien de l'amour. J'espère que toi non plus...

Comme elle ne répondait pas, il gagna la fenêtre pour regarder le lac. De là, il pouvait presque apercevoir le cimetière de Grunewald, mais c'était le visage de Cassandra qu'il avait à l'esprit. Son expression lorsqu'il l'avait mise en garde. Son visage, encore, la nuit qui avait précédé sa mort.

— Ariana, je vais te dire une chose que je n'ai jamais voulu te dire. À propos du prix de l'amour. À propos des nazis... à propos de ta mère.

Sa voix était douce, lointaine. Déconcertée, Ariana fixait son dos.

— Ce n'est pas un jugement que je porte sur elle, ni une critique. Je n'éprouve aucune colère. Je ne te raconte pas cela pour que tu aies honte. Nous nous aimions profondément. Mais elle était très jeune quand nous nous sommes mariés. Je l'aimais, mais sans toujours la comprendre. D'une certaine façon, elle était différente des femmes de son époque. Elle avait dans l'âme une sorte de feu tranquille.

Il se retourna et fit face à sa fille.

— Quand tu es née, elle aurait voulu s'occuper de toi elle-même, ne pas te confier à une gouvernante. C'était impensable, je trouvais cela stupide. Aussi ai-je engagé Fräulein Hedwig, et je crois qu'un changement s'est alors opéré chez ta mère. Par la suite, elle parut toujours un peu perdue.

Il se tut un instant et se détourna de nouveau.

— Nous étions mariés depuis dix ans quand elle a rencontré quelqu'un, un homme plus jeune que moi. C'était un écrivain célèbre, beau, intelligent et elle en est tombée amoureuse. Je l'ai su quasiment dès le début. Peut-être même avant que ne commence leur liaison. Des gens m'ont dit les avoir vus. Et puis, un nouvel éclat brillait dans ses yeux. L'éclat du bonheur, de la vie qui revenait, un éclat merveilleux. Et je crois que je l'en aimais davantage, ajouta-t-il plus sourdement.

» La tragédie de Cassandra ne fut pas d'aimer un autre homme que son mari, mais que son pays fût tombé aux mains des nazis, et que l'homme qu'elle aimait désespérément fût juif. Je l'ai mise en garde, pour son salut à elle comme pour le sien, mais elle a refusé de le quitter. D'ailleurs elle ne voulait quitter aucun de nous. À sa façon elle nous était fidèle à tous deux. Je ne peux pas dire que j'aie réellement souffert de son attachement à cet homme. Elle m'était aussi attachée qu'auparavant, peut-être davantage. Mais elle l'était autant à son amant. Même quand les éditeurs cessèrent de publier ses écrits, même quand il fut frappé d'ostracisme, et pour finir...

La voix de Walmar se cassa, il eut du mal à continuer.

— ... même quand ils le tuèrent.

» Elle était avec lui le jour où ils vinrent le chercher. Ils le traînèrent hors de sa maison, le frappèrent, et quand ils trouvèrent ta mère, ils... ils la battirent aussi... ils auraient également pu la tuer, mais elle eut la présence d'esprit de leur révéler son identité, alors ils la laissèrent tranquille. Elle rentra à la maison. Quand j'arrivai, elle fut seulement capable de me dire qu'elle m'avait déshonoré, et à quel point elle redoutait qu'ils nous fassent du mal à tous. Elle sentit qu'elle devait donner sa vie pour sauver la nôtre... et elle ne pouvait plus vivre après ce qu'ils avaient fait à celui qu'elle aimait. Je me suis absenté deux heures pour assister à une réunion. À mon retour, elle était morte. Dans sa salle de bains, là-bas...

» Voilà, Ariana, l'histoire de ta mère, qui aimait un homme que les nazis voulaient éliminer. Elle n'a pas supporté le choc de la réalité qu'ils lui ont montrée... elle était incapable de vivre avec l'horreur, la brutalité, la peur... Donc, en un sens, ils l'ont tuée. Comme ils seraient capables de te tuer si tu prenais le risque d'aimer Max. N'en fais rien... oh ! mon Dieu, je t'en prie, Ariana... n'en fais rien...

Tout à coup, il enfouit son visage dans ses mains et, pour la première fois de sa vie, Ariana entendit pleurer son père. Tremblante, silencieuse, elle alla à lui, le prit dans ses bras, et mêla ses larmes aux siennes.

— Je suis désolée... Oh ! papa, je suis désolée !

Elle répéta ces mots plusieurs fois, horrifiée par ce qu'il venait de lui raconter. Cependant, pour la première fois, sa mère lui était devenue réelle.

— Papa, non... s'il te plaît... Je suis désolée... Je ne sais pas ce qui s'est passé... je ne sais plus. C'était si étrange qu'il soit là dans cette chambre... chez nous, caché, aux abois. Je voulais l'aider. J'avais tant de peine pour lui.

— Moi aussi, répondit Walmar, relevant la tête. Mais tu dois l'oublier. Un jour tu rencontreras un homme. Un homme bon, qui te conviendra, dans des temps meilleurs, j'espère.

Tout en séchant de nouvelles larmes, Ariana acquiesça sans mot dire.

— Crois-tu que nous le reverrons un jour ? questionna-t-elle plus tard.

— Peut-être, fit Walmar en la serrant dans ses bras. J'espère que oui.

Ils demeurèrent enlacés, l'homme qui avait perdu Cassandra et la petite fille que celle-ci lui avait laissée.

— Je t'en supplie, ma chérie, sois prudente maintenant, tant que nous sommes en guerre.

— Je te le promets.

Elle leva les yeux vers lui tandis qu'un pâle sourire naissait sur ses lèvres.

— En plus, je ne veux pas te quitter, jamais.

Cette déclaration arracha un rire sourd à son père.

— Cela aussi changera, ma petite.

Deux semaines plus tard, Walmar recevait une lettre à son bureau. Sans nom d'expéditeur, elle contenait une simple feuille de papier où était inscrite une adresse. Max se trouvait en Suisse, à Lucerne. Ce fut la dernière fois que Walmar von Gotthard eut de ses nouvelles.

11

L'ÉTÉ se déroula sans incident. Walmar continuait de diriger la banque et Ariana travaillait à l'hôpital trois matinées par semaine. Depuis qu'elle avait terminé ses études, elle avait davantage de temps à consacrer au travail bénévole ainsi qu'à la marche de la maison. Elle, Gerhard et leur père allèrent passer une semaine de vacances en montagne. À leur retour, ils fêtèrent les seize ans de Gerhard. Le matin de son anniversaire, Walmar déclara que désormais son fils était un homme. Opinion apparemment partagée par l'armée hitlérienne car, lors de l'offensive ultime et désespérée de l'automne 1944, on incorpora tout homme ou garçon en âge d'être enrôlé. Gerhard reçut sa notification quatre jours après son anniversaire. Il avait trois jours pour se présenter.

— Ce n'est pas possible.

C'était au petit déjeuner et il lisait et relisait la convocation. Il était déjà en retard pour le lycée.

— Ils ne peuvent pas faire ça... n'est-ce pas, père ?

— Je ne sais pas, nous verrons, répliqua Walmar d'un air sombre.

Dans la matinée, il rendit visite à l'un de ses vieux amis, un colonel, et apprit qu'il n'existait aucun recours.

— Nous avons besoin de lui, Walmar. Nous avons besoin d'eux tous.

— Ça va donc si mal ?

— Pire encore.

— Je vois.

Durant un moment, ils discutèrent de la guerre, de l'épouse du colonel, de la banque de Walmar, après quoi ce dernier repartit pour son bureau en réfléchissant à la situation. Il ne perdrait pas son fils. Il avait déjà assez perdu.

Une fois à la banque, il passa deux coups de téléphone. Il rentra ensuite chez lui pour le déjeuner, sortit quelques papiers de son coffre-fort puis retourna à la banque. Ce soir-là, quand il rentra chez lui bien après dix-huit heures, il trouva ses deux enfants dans la chambre de Gerhard. Ariana avait pleuré et le visage de son fils ne reflétait que peur et désespoir.

— Ils ne peuvent pas le prendre, n'est-ce pas, père ?

Ariana croyait son père capable de déplacer les montagnes, néanmoins son regard recelait peu d'espoir. Pas plus que n'en avait Walmar lorsqu'il répondit :

— Ils sont dans leur droit.

Gerhard ne souffla mot ; il resta immobile, assommé par ce qui lui arrivait. L'ordre de convocation était encore sur son bureau. Il l'avait lu cent fois ce matin. Deux autres garçons de sa classe l'avaient également reçu. Lui n'avait pas parlé du sien, son père lui ayant conseillé le silence au cas où il serait en mesure d'agir.

— Donc je dois partir, finit-il par lâcher d'une voix morne.

Ce qui provoqua de nouvelles larmes chez Ariana.

— Oui, tu dois partir, Gerhard.

Malgré la sévérité de son ton, Walmar fixait un regard doux sur ses enfants.

— Sois fier de servir ton pays, ajouta-t-il.

— Es-tu fou ? s'exclama le jeune homme.

Lui et Ariana fixaient leur père d'un regard horrifié.

— Du calme, lui enjoignit Walmar.

Sur ces mots, il alla fermer la porte de la chambre puis revint vers eux et, un doigt sur les lèvres, leur fit signe de se rapprocher.

— Tu n'auras pas à y aller, chuchota-t-il.

— Vraiment ? jubila l'adolescent. Tu t'es arrangé ?

— Non, c'était impossible. Nous nous en allons.

— Hein ?

Si Gerhard était abasourdi, son père et sa sœur échangèrent un regard de connivence, en souvenir de la fuite de Max quelques mois auparavant.

— Comment partirons-nous ?

— Demain je t'emmène en Suisse. Nous dirons que tu es malade, ici, à la maison. Tu ne dois pas te présenter avant jeudi — dans trois jours. Je te ferai passer la frontière et te laisserai chez l'un de mes amis à Lausanne, ou à Zurich s'il le faut. Puis je reviendrai chercher ta sœur.

Disant cela, il considéra tendrement Ariana et lui toucha la main. Peut-être reverrait-elle Max après tout.

— Pourquoi ne vient-elle pas avec nous ?

— Je ne puis tout organiser aussi vite, et si elle reste, personne ne soupçonnera que nous partons définitivement. De toute façon, je reviendrai au bout d'un jour, et là je repartirai avec elle pour de bon. Surtout vous ne devez en souffler mot à personne. Nos vies dépendent de votre silence. C'est bien compris ?

Les deux jeunes gens acquiescèrent.

— Gerhard, je t'ai fait faire un autre passeport. Si nécessaire, nous nous en servirons à la frontière. Mais quoi qu'il arrive d'ici là, je veux que tu paraisses résigné à incorporer l'armée. Mieux, que tu aies l'air content. Également ici, dans cette maison.

— Tu ne fais pas confiance aux domestiques ?

À seize ans, Gerhard, encore naïf, ne tenait pas compte des liens de Berthold avec le parti nazi, ni de la foi aveugle de Fräulein Hedwig en Adolf Hitler.

— Pas quand il s'agit de nos vies.

— D'accord, admit Gerhard avec un haussement d'épaules.

— N'emporte rien. Nous achèterons tout ce dont nous aurons besoin.

— Nous prenons de l'argent ?

— J'en ai déjà.

Walmar était prêt depuis des années.

— Je regrette seulement que nous ayons attendu si longemps, reprit-il. Nous n'aurions pas dû revenir de vacances.

L'entendant soupirer, Ariana s'efforça de le consoler.

— Tu ne pouvais pas savoir, papa. Quand seras-tu de retour de Suisse ?

— Nous sommes lundi, nous partons demain matin... Je serai revenu mercredi soir. Toi et moi repartirons jeudi dans la nuit. Je passerai la journée à la banque. Nous dirons que nous sortons dîner et ne reviendrons pas. Je trouverai un petit subterfuge pour faire croire aux domestiques que Gerhard est parti à l'armée sans dire au revoir. L'important est que tu empêches Anna comme Hedwig d'entrer dans la chambre de Gerhard demain et après-demain. Nous raconterons ensuite qu'il est parti trop tôt jeudi matin pour saluer quiconque. Si toi et moi sommes là, personne ne soupçonnera rien. Je tâcherai d'être rentré pour dîner mercredi.

— Quel prétexte as-tu donné à la banque ?

— Aucun. Je n'ai pas besoin d'expliquer mon absence. Il se tient suffisamment de réunions secrètes ces temps-ci pour que je puisse me couvrir. Bon, tout est clair pour vous deux ? La guerre sera bientôt finie, les enfants, et dans la débâcle les nazis entraîneront tout dans leur chute. Je ne veux pas que vous soyez présents à ce moment-là. Il est temps pour nous de partir. Gerhard, tu me retrouveras demain matin à onze heures au café à côté de mon bureau. De là, nous irons ensemble à la gare. C'est bien compris ?

— Oui, fit l'adolescent avec une gravité soudaine.

— Ariana, demain tu restes ici pour t'occuper de ton frère, d'accord ?

— Absolument, père. Mais comment quittera-t-il la maison dans la matinée sans être vu ?

— Il partira à cinq heures, quand tout le monde dormira encore. D'accord, Gerhard ?

— Entendu, père.

— Mets des vêtements chauds pour le voyage. Il nous faudra marcher sur la dernière partie du trajet.

— Toi aussi, père ? s'inquiéta la jeune fille.

— Moi aussi. Et j'en suis fichtrement capable, probablement plus que ce jeunot.

Il ébouriffa les cheveux de son fils et s'apprêta à quitter la pièce. Mais les enfants ne purent répondre à son sourire.

— Ne vous inquiétez pas, tout ira bien. Et un jour nous serons de retour.

Or, comme il refermait la porte derrière lui, Ariana se demanda s'ils reviendraient jamais.

12

— Frau Gebsen...

Son chapeau à la main, Walmar von Gotthard posa un regard impérieux sur sa secrétaire.

— Je passerai le reste de la journée en réunions à l'extérieur. Vous comprenez... où je me rends.

— Bien sûr, Herr von Gotthard.

— Parfait.

Il sortit d'un pas rapide. Sa secrétaire ignorait où il allait, croyait seulement le savoir. Au Reichstag, évidemment, rencontrer une fois de plus le ministre des Finances. Et s'il ne réapparaissait pas le matin, elle en conclurait que les réunions avaient repris. Elle comprenait fort bien ces choses-là.

Walmar avait préparé son départ au détail près : il savait le ministre des Finances en mission hors de Berlin pour quelques jours.

Ayant demandé à son chauffeur de ne pas l'attendre ce matin, il se dirigea rapidement vers le café qui faisait le coin de la rue où se trouvait sa banque. Comme prévu, Gerhard avait quitté la maison à cinq heures du matin, sans bagage, après un dernier baiser de sa sœur et un ultime regard sur la demeure où il avait grandi, avant de parcourir à pied la vingtaine de kilomètres qui le séparait du cœur de Berlin.

Dès qu'il pénétra dans le café, Walmar vit son fils mais se garda de lui adresser un quelconque signe de reconnaissance. Il gagna tout de suite les toilettes, le visage à moitié caché par les bords de son chapeau, sa serviette à la main. Une fois la porte verrouillée, il troqua rapidement son costume contre un vieux bleu de travail qu'il avait pris au garage et un chandail qu'il enfila sur sa chemise. Son déguisement complété par une vieille casquette banale et une veste chaude, il rangea son costume dans sa serviette puis enfonça son chapeau au fond de la poubelle. Un peu plus tard, il rejoignit Gerhard et, après avoir grommelé un vague salut, lui fit signe de sortir.

Ils prirent un taxi jusqu'à la gare et se mêlèrent bientôt à la foule grouillante. Vingt minutes plus tard, ils étaient dans le train à destination de la frontière, leur permis de voyager en règle, leurs pièces d'identité également, leurs visages discrètement dissimulés. Walmar était terriblement fier de son fils qui avait joué son rôle à la perfection. Fugitif depuis quelques heures à peine, il apprenait vite et bien.

— Fräulein Ariana ?... Fräulein Ariana ?

On frappait à la porte et le visage de Fräulein Hedwig apparut lorsque la jeune fille entrebâilla l'huis avec précaution. Vite, elle posa l'index sur ses lèvres afin d'intimer silence à Hedwig et la rejoignit dans le couloir.

— Que se passe-t-il ? fit la gouvernante.

— Chut... vous allez le réveiller. Gerhard ne se sent pas bien du tout.

— A-t-il de la fièvre ?

— Je ne crois pas. Il a plutôt un vilain rhume, à mon avis.

— Je vais le voir.

— Oh, non, je lui ai promis que nous le laisserions dormir toute la journée. Il craint d'être trop malade pour rejoindre l'armée jeudi, aussi a-t-il décidé de se reposer.

— Bien sûr, je comprends. Vous ne pensez pas que nous devrions appeler le docteur ?

— Seulement si son état empire.

Fräulein Hedwig se rangea à cet avis, satisfaite que le jeune homme confié à sa garde se montrât si désireux de servir son pays.

— Un bon garçon, commenta-t-elle.

Ariana sourit avec bienveillance et embrassa la vieille femme sur la joue.

— Merci pour tout ce que vous faites.

Le compliment fit rougir la gouvernante.

— Dois-je lui apporter du thé ?

— Non, je lui en préparerai plus tard. Pour le moment il dort.

— En tout cas, prévenez-moi s'il souhaite me voir.

— Je n'y manquerai pas. Merci.

— *Bitte schön.*

Et Fräulein Hedwig partit vaquer à ses occupations.

À deux reprises dans l'après-midi, puis une fois encore le soir, elle proposa ses services à Ariana, mais chaque fois la jeune fille l'assura que son frère s'était éveillé un moment plus tôt, qu'il s'était restauré et rendormi. On était mardi soir, elle n'avait plus à jouer cette comédie que jusqu'au retour de son père, mercredi soir. Ensuite tout serait plus facile. Le chef de famille expliquerait qu'il avait lui-même conduit Gerhard à l'armée au point du jour. Il suffisait de tenir jusqu'à mercredi. Vingt-quatre heures. Elle y parviendrait. Le jeudi soir enfin, son père et elle seraient partis.

Elle était lasse et se sentait le corps endolori quand elle descendit, tard dans la soirée du mardi. Guetter toute la journée Hedwig ou Anna, surveiller ses paroles et monter la garde près de la porte de Gerhard l'avait épuisée. Elle avait maintenant besoin de fuir le deuxième étage, ne fût-ce que pour quelques minutes. Aussi se glissa-t-elle dans le bureau de son père et resta-t-elle à fixer les cendres dans l'âtre froid. S'était-il réellement tenu ici ce matin ? Était-ce bien ici qu'il lui avait rapidement dit au revoir ? La pièce semblait différente à présent sans lui, avec les papiers bien ordonnés sur le bureau, les livres alignés dans la bibliothèque.

Plantée devant la fenêtre et contemplant le lac, elle se remémora leurs dernières paroles :

« Ne t'inquiète pas. Je serai de retour demain soir. Et tout ira bien pour Gerhard.

— Ce n'est pas pour Gerhard que je me fais du souci, mais pour toi.

— Ne dis pas de sottises. N'as-tu pas confiance en ton vieux père ?

— Plus qu'en personne.

— Bien. J'ai la même confiance en toi. Voilà pourquoi j'ai à te montrer certaines choses, ma chère Ariana, qui un jour pourraient t'être fort utiles. Je crois qu'il faut que tu les connaisses. »

Il lui avait montré le coffre-fort dissimulé dans sa chambre, un autre dans la grande bibliothèque, le dernier dans la chambre de Cassandra, dans lequel il avait conservé tous les bijoux de son épouse défunte.

« Un jour ils seront à toi.

— Pourquoi maintenant ? »

Des larmes avaient jailli des yeux d'Ariana. Elle n'avait pas envie qu'il lui parle de cela à ce moment-là. Pas alors qu'il partait avec Gerhard.

« Parce que je t'aime, et que je veux que tu saches que tu ne seras pas totalement démunie s'il m'arrivait quelque chose. Si on t'interroge, tu te borneras à dire que tu ne sais rien. Que tu croyais Gerhard malade dans sa chambre et que tu ignorais son départ. Surtout n'hésite pas à mentir. Et protège-toi, grâce à ton intelligence et grâce à ceci. »

Il lui désignait un petit pistolet ainsi qu'une douzaine de liasses de billets de banque fraîchement sortis des presses.

« Si l'Allemagne s'écroule, ils ne vaudront rien, mais les bijoux de ta mère pallieront toujours tes besoins. »

Alors il lui montra le faux volume de Shakespeare, qui abritait une grosse émeraude — la bague de fiançailles de Cassandra — ainsi que la chevalière incrustée de diamants. Dès qu'Ariana la vit, elle ressentit le besoin de la toucher. L'éclat lui en était familier ; elle se rappelait avoir vu le bijou à la main droite de sa mère.

« Elle la portait toujours, souffla Walmar d'une voix rêveuse.

— Je m'en souviens.

— Vraiment ? s'étonna-t-il. Rappelle-toi qu'elles sont ici si tu en as besoin. Sers-t'en bien, ma chérie, et le souvenir de ta mère sera honoré. »

Perdue dans ses pensées, Ariana finit par songer que rester dans le bureau de son père ne le ferait pas revenir plus vite et qu'il était l'heure pour elle d'aller se coucher. Surtout qu'il lui faudrait se lever tôt le lendemain pour reprendre sa faction, de crainte que la zélée Fräulein Hedwig n'insiste pour voir Gerhard.

Sans bruit, elle éteignit les lampes dans le bureau de son père, referma la porte et monta à l'étage supérieur.

À l'arrivée en gare de Müllheim, Walmar secoua doucement Gerhard qui dormait. Le train roulait depuis près de douze heures et le garçon sommeillait depuis maintenant quatre heures. Il paraissait si jeune, si innocent, la tête calée dans l'angle du compartiment. Des soldats étaient montés lors des différents arrêts et par deux fois, leurs papiers avaient été vérifiés. Walmar avait désigné Gerhard comme un jeune ami ; les papiers étaient en règle et il avait eu garde, s'adressant aux officiers, d'adopter un ton respectueux assorti d'un parler fruste. Gerhard avait à peine ouvert la bouche, considérant les militaires avec des yeux impressionnés, si bien que l'un d'eux lui avait ébouriffé les cheveux et, en guise de plaisanterie, promis un commandement pour bientôt. L'adolescent avait souri de façon charmante et les deux soldats s'étaient éloignés.

À Müllheim, aucun passager ne descendit et l'arrêt fut bref, mais Walmar préférait que son fils soit réveillé avant qu'ils n'atteignent Lörrach, leur destination. En tout état de cause, la fraîcheur de la nuit achèverait de le tirer de sa torpeur. Une marche de quinze kilomètres les attendait ensuite, puis ce serait l'épreuve décisive : franchir la frontière et atteindre Bâle au plus tôt. De là, ils prendraient un train pour Zurich où Walmar avait décidé de laisser Gerhard qui serait alors en sûreté. Il reviendrait deux jours plus tard avec Ariana et tous trois continueraient ensemble vers Lausanne.

Il avait hâte de retourner auprès d'Ariana ; la mystification ne durerait pas éternellement. Mais le principal était que Gerhard fût à l'abri en Suisse. Avant cela Lörrach, puis leur longue marche vers Bâle. Vingt-neuf kilomètres séparaient Müllheim de Lörrach ; une demi-heure après que Gerhard se fut étiré paresseusement, promenant autour de lui un regard absent, le train s'arrêta. Pour eux, c'était le terminus.

À une heure trente du matin, ils descendirent avec une poignée d'autres voyageurs. Si Walmar sentit brièvement ses jambes trembler en posant le pied sur le sol, il n'en souffla mot à son fils. Il se contenta d'enfoncer sa casquette, de relever son col et tous deux se dirigèrent vers le bâtiment de la gare. Un vieux et un gamin qui rentraient chez eux. Dans leurs vêtements grossiers ils ne déparaient pas à Lörrach ; seuls les mains soigneusement manucurées et les cheveux bien coupés de Walmar auraient pu les trahir mais il n'avait pas quitté sa casquette de la journée et s'était gardé de se laver les mains dans la gare poussiéreuse de Berlin.

— Tu as faim ? demanda-t-il à Gerhard qui bâillait et frissonnait.

— Ça va. Et toi ?

— Tiens, mange, rétorqua Walmar en lui souriant.

Et il lui tendit une pomme qu'il avait gardée du déjeuner pris dans le train. Gerhard croqua le fruit tandis qu'ils avançaient sur la route. Il n'y avait personne en vue.

Il leur fallut cinq heures pour parcourir les quinze kilomètres. Gerhard l'eût fait plus rapidement mais Walmar n'avait plus son pas de jeune homme. Il s'en tira quand même remarquablement bien pour un homme de près de soixante-dix ans, et ils surent qu'ils avaient atteint la frontière en découvrant des kilomètres de barrière et de fil de fer barbelé. Dans le lointain, ils entendaient les patrouilles frontalières. Ils avaient quitté la route deux heures plus tôt et, dans l'obscurité qui précède la première lueur de l'aube, ressemblaient à deux fermiers matinaux. Pas de bagage pour attirer les soupçons, seulement la serviette de Walmar qu'il était prêt à jeter dans les buissons à la moindre alerte. De sa poche il tira une pince et entreprit de cisailler les barbelés que Gerhard écartait au fur et à mesure. En quelques minutes, le trou fut assez grand pour passer en rampant.

Le cœur de Walmar battait à tout rompre... qu'ils soient pris et ils seraient abattus... Non qu'il s'en souciât pour lui-même, mais son fils... Vite, vite, ils rampèrent... il entendit sa veste se déchirer mais bientôt ils se redressaient tous deux, en Suisse, près d'une rangée d'arbres dans un champ. Walmar fit un geste et tous deux se mirent à courir sous les arbres durant un temps qui leur parut interminable. Quand ils s'arrêtèrent, ils n'avaient été ni suivis ni entendus. Un an ou deux auparavant, il eût été beaucoup plus difficile de passer, mais ces derniers mois l'armée avait eu un besoin désespéré de ses hommes et l'on avait allégé les effectifs le long de la frontière suisse.

Ils marchèrent encore une heure et demie et atteignirent Bâle à l'aurore. Le splendide lever de soleil sur les montagnes poussa Walmar à s'arrêter pour enlacer les épaules de son fils et contempler la symphonie mauve et rose qui enchantait le ciel. À ce moment, Walmar songea qu'il ne s'était jamais senti aussi libre. Ils auraient une vie heureuse ici jusqu'à la fin de la guerre, et peut-être au-delà.

Les pieds endoloris, ils parvinrent à la gare à temps pour attraper le premier train. Walmar acheta deux billets pour Zurich puis se cala sur son siège. À peine eut-il fermé les yeux qu'il sombra dans le sommeil, pour un bref moment lui sembla-t-il. Plus tard, Gerhard lui toucha le bras. Durant les quatre heures et demie de voyage, l'adolescent s'était régalé du paysage mais n'avait pas eu le cœur de réveiller son père.

— Papa... Je crois que nous y sommes.

Ensommeillé, Walmar reconnut la place de la gare, la cathédrale Grossmünster au loin et, plus loin encore, entrevit le sommet de l'Uetlißerg. Il eut l'impression d'être chez lui. Comme ils quittaient le train sans encombre, malgré son dos et ses jambes douloureux, il éprouva le désir de saisir le bras de son fils pour danser. Au lieu de cela, un lent sourire éclaira son visage et il prit Gerhard par les épaules. Ils avaient réussi. Ils étaient libres. Désormais Gerhard était sauf. Jamais il ne servirait dans les armées hitlériennes. Jamais on ne lui tuerait son fils.

Ils se dirigèrent d'un pas allègre vers une pension modeste dont Walmar se souvenait vaguement pour y avoir déjeuné un jour qu'il attendait un train. Et l'endroit se révéla tel que dans son souvenir, sans prétention, tranquille, chaleureux. Il ne craignait pas d'y laisser Gerhard le temps qu'il fasse l'aller-retour de Berlin.

Après un petit déjeuner plantureux, il accompagna son fils jusqu'à sa chambre, examina la pièce avec satisfaction et se tourna enfin vers le garçon qui était devenu un homme en si peu de jours. Ce fut Gerhard qui parla le premier, fixant d'un regard admiratif et voilé de larmes le père qui l'avait guidé dans sa fuite, qui avait coupé les barbelés, marché des heures et franchi la frontière pour le conduire ici.

— Merci, papa... merci.

Il se jeta au cou de son père, ce père que ses camarades avaient parfois traité de « vieux » par plaisanterie. Or ce n'était pas un vieillard qui le serrait dans ses bras, mais un homme prêt à tout pour sauver son fils. Walmar étreignit longtemps son fils.

— Tout va bien. Tu es à l'abri maintenant, et tu seras bien ici.

Promptement il gagna le simple bureau, prit dans sa veste une feuille de papier ainsi que le stylo en or qu'il avait soigneusement caché.

— Voici les coordonnées de Herr Müller... au cas où Ariana et moi serions retardés.

Le visage du garçon s'assombrit mais Walmar ignora ses craintes.

— Simple précaution.

Il ne voulait pas lui donner l'adresse de Max, c'était trop dangereux. En revanche, Herr Müller était un banquier qu'il connaissait bien.

— Et je te laisse ma serviette. Il y a des papiers, de l'argent. Même si je ne pense pas que tu en aies grand besoin dans les deux jours qui viennent.

Il n'emportait avec lui qu'un portefeuille bien rempli, rien qui permette de l'identifier au cas où il se ferait arrêter en route. Cette fois ce serait plus difficile, à cause du grand jour, mais il tenait à ne pas différer son retour auprès d'Ariana. Il s'aperçut alors que Gerhard pleurait. Ils s'étreignirent une fois encore et se dirent au revoir.

— Ne te fais pas de souci. Tu vas dormir maintenant. À ton réveil, tu prendras un bon repas puis tu iras faire un tour, profiter de la vue. C'est un pays libre, Gerhard, sans nazis, sans croix gammées. Profites-en. Ariana et moi serons peut-être là demain soir.

— Crois-tu qu'elle pourra parcourir le chemin à pied depuis Lörrach ?

Même pour eux, le périple avait été rude.

— Elle y arrivera. Je lui conseillerai de ne pas mettre de hauts talons !

Gerhard sourit à travers ses larmes puis serra une dernière fois son père dans ses bras.

— Je peux t'accompagner à la gare ?

— Non, jeune homme, tu as seulement le droit de filer au lit.

— Tu as à peine dormi...

Bien qu'apparemment épuisé, Walmar secoua la tête.

— Je récupérerai dans le train jusqu'à Bâle, et probablement ensuite jusqu'à Berlin.

Ils se regardèrent longtemps, intensément. Il n'y avait plus rien à dire.

— *Auf Wiedersehen,* papa, murmura Gerhard.

Dans l'escalier de la pension, son père agita une dernière fois la main. N'ayant que dix minutes pour attraper le train de Bâle, il courut jusqu'à la gare, arriva juste à temps pour acheter son billet et monter dans un wagon. À la pension, Gerhard s'était allongé sur le lit et avait déjà sombré dans le sommeil.

13

— Alors, comment va-t-il ? s'inquiéta Fräulein Hedwig qui se tenait dans le couloir, auprès des plateaux du petit déjeuner destinés aux deux jeunes gens.

Ariana adressa un sourire rassurant à la vieille gouvernante.

— Beaucoup mieux, quoiqu'il tousse encore un peu. Encore une journée au lit et il sera sur pied.

— Cela et une visite du médecin, Fräulein Ariana. Nous n'allons pas le laisser partir à l'armée avec une pneumonie. Voilà qui n'arrangerait pas les affaires du Reich.

— Il ne risque pas la pneumonie, assura Ariana, d'un ton gentil mais ferme. Et si sa mauvaise humeur est signe de guérison, il devrait être en pleine forme pour servir le Reich.

Elle rentra dans l'appartement avec le plateau destiné à son frère, comptant revenir tout de suite pour chercher le sien, mais Fräulein Hedwig la devança en s'en emparant.

— C'est bon, Fräulein, je le prends dans un instant.

— Allons, Ariana. Vous vous occupez de votre frère depuis hier, vous avez besoin d'aide, croyez-moi.

Moitié gloussant, moitié grognant, elle pénétra d'autorité dans le petit salon de l'appartement des enfants, où elle déposa le plateau de la jeune fille.

— Merci, Fräulein.

À l'évidence, Ariana attendait le départ de la gouvernante.

— *Bitte,* rétorqua Hedwig en voulant s'emparer du plateau qu'Ariana tenait toujours. Je le lui porte.

— Il ne sera pas content, fit Ariana en resserrant sa prise sur le plateau. Vous feriez mieux de vous abstenir. Vous savez que Gerhard déteste être traité comme un bébé.

— Pas en bébé, Fräulein Ariana, en soldat. C'est le moins que je puisse faire.

Elle essayait avec entêtement de prendre le plateau.

— Non merci, Fräulein Hedwig. Ses ordres sont formels, il m'a fait promettre d'interdire sa porte à tout le monde.

— Je ne suis pas « tout le monde », protesta la gouvernante, se dressant de toute sa hauteur.

Si en toute autre occasion Ariana eût cédée, elle n'avait en l'occurrence aucune intention de se laisser intimider.

— Bien sûr que vous n'êtes pas « tout le monde », mais vous savez comment il est.

— Apparemment plus difficile qu'il n'en a l'habitude. Je pense que l'armée lui fera du bien.

— Je ne manquerai pas de lui rapporter vos paroles.

Avec un gai sourire, Ariana entra dans la chambre de Gerhard dont elle referma la porte. Posant vite le plateau, elle s'appuya de toutes ses forces contre l'huis au cas où Fräulein Hedwig eût persisté, mais un moment plus tard elle entendit se refermer la porte du petit salon et poussa un soupir de soulagement. Pourvu que son père rentre comme prévu cette nuit. Il lui serait impossible de tenir Hedwig à l'écart beaucoup plus longtemps.

Elle regagna le petit salon et, un peu plus tard, remit les deux plateaux dans le couloir, non sans avoir créé dessus le désordre prouvant qu'on avait fait honneur au petit déjeuner. Elle remercia Anna qui lui portait des serviettes de toilette propres, remercia aussi le Seigneur car Hedwig ne remonta pas avant la fin d'après-midi.

— Comment est-il ?

— Beaucoup mieux. À mon avis il sera debout pour incorporer l'armée demain. Il risque même de faire exploser sa chambre avant son départ. Il a parlé de sortir son matériel de chimie pour un dernier essai.

— Nous avons bien besoin de cela !

La gouvernante fixait Ariana d'un air désapprobateur. L'attitude autoritaire de la jeune fille ne lui plaisait pas beaucoup. À dix-neuf ans, elle était peut-être femme, mais pas aux yeux de Fräulein Hedwig.

— Dites-lui qu'il me doit une explication pour s'être terré de la sorte dans sa chambre, comme un écolier gâté.

— Je n'y manquerai pas, Fräulein Hedwig.

— Je l'espère bien.

Cette fois, la gouvernante repartit vers sa propre chambre,

située au troisième étage. Vingt minutes plus tard, Ariana entendit qu'on frappait avec détermination à la porte du petit salon. S'attendant à trouver Hedwig, elle ouvrit avec un sourire forcé. Mais il s'agissait de Berthold, encore haletant après avoir grimpé les deux étages.

— Le bureau de votre père au téléphone. Apparemment c'est urgent. Voulez-vous descendre ?

Un instant, Ariana hésita : devait-elle quitter son poste de garde ? Cela dit, Hedwig venait de monter, ce qui lui laissait quelques minutes de répit. Emboîtant le pas au majordome, elle alla prendre le combiné téléphonique dans l'alcôve de l'entrée.

— Oui ?

— Fräulein von Gotthard ?

C'était Frau Gebsen, la secrétaire de son père à la banque.

— Moi-même. Quelque chose ne va pas ?

Peut-être avait-elle un message de la part de son père, quelque changement à lui signaler dans leur plan.

— Je ne sais pas... Je suis désolée... Je ne veux pas vous alarmer, mais votre père... J'ai supposé... Il a mentionné une réunion lorsqu'il est parti hier matin. J'en ai conclu qu'il avait rendez-vous avec le ministre des Finances, or je m'aperçois que ce n'était pas le cas.

— En êtes-vous certaine ? Peut-être avait-il une autre réunion. Est-ce très important ?

— Je ne sais pas au juste. Nous avons reçu un appel urgent de Munich, aussi ai-je cherché à le joindre, mais il n'était pas au ministère. D'ailleurs le ministre est absent depuis le début de la semaine.

— Peut-être avez-vous mal compris mon père, suggéra Ariana, le cœur battant. Où est-il actuellement ?

— C'est pour le savoir que je vous téléphonais. Il n'est pas venu ce matin, et s'il n'était pas avec le ministre des Finances, où peut-il être ? Vous ne le savez pas ?

— Non, bien sûr... Sans doute participe-t-il à une autre réunion. Je suis certaine qu'il vous appellera plus tard.

— Mais il n'a pas téléphoné de toute la journée, Fräulein. Et puis...

La secrétaire parut légèrement embarrassée ; Ariana était si jeune...

— Berthold me dit qu'il n'est pas rentré cette nuit...

— Frau Gebsen, puis-je me permettre de vous rappeler que les activités nocturnes de mon père ne vous concernent pas, pas plus qu'elles ne regardent Berthold ou moi-même ?

La voix d'Ariana vibrait de ce qui semblait une indignation légitime quand il s'agissait en vérité de pure crainte.

— Certes, Fräulein. Je vous prie de m'excuser, mais cet appel de Munich... Je m'inquiétais, j'ai redouté qu'il n'ait eu un accident. Ce n'est pas dans ses habitudes de ne pas téléphoner.

— À moins qu'il ne participe à une réunion secrète, Frau Gebsen. Le ministre des Finances n'est pas le seul personnage important que mon père soit amené à rencontrer. Franchement je ne vois pas ce qu'il y a de si grave. Dites simplement à Munich qu'on ne peut joindre Herr von Gotthard actuellement. Dès qu'il sera à la maison, je lui dirai de vous appeler. Je suis sûre que cela ne saurait tarder.

— J'espère que vous avez raison.

— J'en suis certaine.

— Fort bien, priez-le surtout de me téléphoner, s'il vous plaît.

— Soyez sans crainte.

Ariana raccrocha avec précaution et, regagnant l'escalier, espéra que rien ne transparaîtrait de sa terreur. Elle dut faire une pause au premier étage pour reprendre son souffle et, quand elle parvint au deuxième, s'aperçut que la porte du petit salon était entrebâillée. Elle se précipita, pour trouver

Berthold et Hedwig l'air sombre, en conciliabule devant la porte grande ouverte de la chambre de Gerhard.

— Que faites-vous ici ? lança-t-elle, presque dans un cri.

— Où est-il ? articula Hedwig d'un ton accusateur.

Ses yeux étaient froids comme la glace.

— Comment le saurais-je ? Sans doute se cache-t-il quelque part en bas. Je croyais vous avoir instamment demandé de...

— Et où est votre père ? enchaîna Berthold en l'interrompant.

— Pardon ? Les allées et venues de mon père ne me regardent pas, Berthold, et vous non plus.

Mais alors qu'elle leur faisait face, son visage prit une pâleur mortelle. Elle priait pour que sa voix ne tremble point — Hedwig la connaissait si bien.

— Quant à Gerhard, il sera allé je ne sais où. Il était ici la dernière fois que j'ai regardé.

— Quand était-ce ? interrogea Hedwig, le regard soupçonneux. De sa vie, il n'a jamais fait son lit !

— Je l'ai fait pour lui. Et maintenant, si vous voulez tous deux être assez bons pour me laisser, j'aimerais me reposer.

— Certainement, Fräulein.

Berthold s'inclina et fit signe à Hedwig de le suivre hors de la pièce. Lorsqu'ils furent sortis, Ariana se laissa tomber, livide et tremblante, dans le fauteuil préféré de Gerhard. Oh ! Dieu, qu'allait-il se passer maintenant ? Elle pressa les mains sur sa bouche et ferma les yeux, assaillie par une kyrielle d'images terrifiantes et désordonnées... Aucune pourtant n'était aussi terrifiante que ce qui se produisit une demi-heure plus tard quand on frappa durement à la porte.

— Pas maintenant, je me repose.

— Vraiment, Fräulein ? En ce cas, vous excuserez cette intrusion dans vos appartements.

L'homme qui lui avait répondu n'était pas un domestique

mais un sous-lieutenant du Reich. Stupéfaite, elle se leva. L'officier n'était pas seul, constata-t-elle comme il entrait d'un pas assuré dans la pièce : trois soldats arpentaient l'étage. Venaient-ils pour Gerhard ?

— Je crains de devoir vous prier de m'excuser, Fräulein.

— Du tout, lieutenant, assura-t-elle en lissant ses cheveux blonds.

Elle jeta sur ses épaules un chandail de cachemire bleu foncé et tenta d'adopter une attitude nonchalante pour gagner la porte.

— Voulez-vous que nous descendions parler en bas ?

— Certainement, fit le sous-officier. Vous prendrez votre manteau en passant.

— Mon manteau ?

— Oui, le capitaine a estimé que nous en finirions plus vite avec cette affaire si vous veniez le voir à son bureau, plutôt que d'avoir une conversation de salon avec vous ici, autour d'une tasse de thé.

Comme il prononçait ces mots, ses yeux brillèrent d'un éclat déplaisant et Ariana se prit à haïr leur teinte gris métallique. Cet homme était un véritable nazi, depuis les revers de son uniforme jusqu'au tréfonds de son âme.

— Il y a un problème, lieutenant ?

— Peut-être. Vous aurez l'occasion de nous l'expliquer.

Avaient-ils pris Gerhard et son père ? Non, c'était impossible, elle refusait de le croire. Ne laissant rien apparaître de ses inquiétudes, elle suivit l'officier vers l'étage inférieur, et elle comprit soudain. Ils étaient venus l'interroger. Mais ils ne savaient rien. Pas encore. Et elle ne devait rien dire. Sous aucun prétexte.

14

— Et vous disiez que votre père participait à une réunion secrète, Fräulein von Gotthard ? Vraiment ? Comme c'est intéressant. Avec qui ?

Le capitaine Dietrich von Rheinhardt considéra la jeune fille avec intérêt. Un beau brin de fille, selon les mots de Hildebrand avant de la faire entrer. Et du sang-froid avec ça, pour quelqu'un de si jeune. Elle semblait imperturbable, une vraie dame, du sommet de sa tête blonde jusqu'à la pointe de ses pieds chaussés de croco noir.

— Avec qui pensiez-vous qu'il avait rendez-vous ?

L'interrogatoire durait depuis près de deux heures. On l'avait fait descendre de la grosse Mercedes noire sur Königsplatz où se dressaient les six colonnes austères de l'ancien Reichstag, puis rapidement conduite dans le bâtiment jusqu'à cette pièce impressionnante. Le bureau du commandant en avait glacé plus d'un avant elle. Or, elle ne manifestait ni terreur, ni colère, ni exaspération. Poliment, calmement, avec cet art féminin du savoir-vivre qui lui était propre, elle se contentait de répondre aux questions, encore, et encore, et encore.

— Je n'ai aucune idée de l'identité de la personne avec laquelle mon père avait rendez-vous, capitaine. Il ne me fait pas part de ses secrets professionnels.

— Parce que vous pensez qu'il a des secrets ?

— Seulement lorsqu'il œuvre pour le Reich.

— Que c'est joliment dit, commenta l'officier se calant sur son siège et allumant une cigarette. Voulez-vous du thé ?

Un instant, elle brûla de lui rétorquer qu'il s'était refusé à l'interroger dans son salon, autour d'une tasse de thé justement, et que c'était la raison pour laquelle on l'avait conduite ici, mais elle se borna à refuser poliment.

— Un peu de sherry, alors ?

Les aménités restaient vaines ; elle ne pouvait être à l'aise face au portrait de Hitler grandeur nature.

— Non merci, capitaine.

— Donc, ces réunions secrètes de votre père... Parlez-m'en un peu.

— Je n'ai pas dit qu'il avait des réunions secrètes. Je sais simplement que certains soirs il rentre tard.

La fatigue la gagnait et, en dépit de ses efforts, commençait à transparaître.

— Une dame peut-être, Fräulein ?

— Je regrette, capitaine, je n'en sais rien.

— Bien sûr. Il est grossier de ma part de vous le suggérer.

Une lueur hargneuse et malfaisante passa dans les yeux de l'officier.

— Et votre frère, Fräulein ? Lui aussi assiste à des réunions secrètes ?

— Non, évidemment, il a à peine seize ans.

— Mais il ne participe pas plus aux réunions de la jeunesse, n'est-ce pas ? N'est-ce pas, Fräulein ? Serait-il possible, en ce cas, que votre famille n'ait pas pour le Reich la sympathie que nous lui supposions ?

— Certainement pas, capitaine. Mon frère a rencontré de grosses difficultés dans ses études, puis avec son asthme, et bien sûr... depuis la mort de notre mère...

Elle laissa sa phrase en suspens, espérant décourager d'autres questions en ce sens ; ce fut en vain.

— Quand votre mère est-elle morte ?

— Il y a presque dix ans, capitaine.

À cause de gens comme vous.

— Je vois. Il est touchant que le garçon se la rappelle encore. Ce doit être un jeune homme fort sensible.

Ariana hocha la tête, ne sachant que répondre, puis détourna le regard.

— Trop sensible pour l'armée, Fräulein ? Ce pourrait être la raison pour laquelle lui et votre père auraient abandonné leur pays à l'heure où il a besoin d'eux ?

— Impossible. Voyons, s'ils l'avaient fait, pourquoi m'auraient-ils laissée ici ?

— Vous allez me l'expliquer, Fräulein. Et tant que vous y êtes, peut-être me parlerez-vous d'un ami nommé Max. Maximilien Thomas. Un homme qui rendait parfois visite à votre père, ou bien était-ce vous qu'il venait voir ?

— C'était un ami de mon père, de longue date.

— Qui a fui Berlin voilà cinq mois. Curieusement il a disparu la nuit où fut volée l'une des voitures de votre père... que l'on retrouva, évidemment, en parfait état, près de la gare de Berlin. Heureuse coïncidence, bien sûr.

Mon Dieu, ils savaient donc pour Max ? Et ils soupçonnaient son père de complicité ?

— Je ne pense pas que le vol de la voiture ait quoi que ce soit à voir avec Max.

Le capitaine tira longuement sur sa cigarette.

— Revenons-en un peu à votre frère, Fräulein. Où peut-il être, à votre avis ?

Il adoptait ce ton cadencé que l'on prend pour s'adresser à un attardé mental ou un très jeune enfant.

— J'ai appris que ces deux derniers jours vous l'aviez soigné pour un très vilain rhume.

Elle acquiesça.

— Et puis, miraculeusement, alors que vous étiez descendue pour répondre à un coup de téléphone, il s'est volatilisé. Ce qui est fâcheux... Cependant je me demande s'il n'a pas disparu plus tôt. Hier matin, par exemple, à peu près à l'heure où l'on a vu votre père à son bureau pour la dernière fois ? Comment appelez-vous ce genre de coïncidence ?

— Mon frère était à la maison hier, cette nuit et ce matin, dans sa chambre.

— Quelle chance il a d'avoir une sœur dévouée comme vous ! J'ai cru comprendre que vous mettiez à le garder le zèle d'une lionne qui protège ses petits.

Comme il prononçait ces mots, un frisson glacé courut dans le dos d'Ariana. Il n'avait pu apprendre cela que par Hedwig ou Berthold. Une nausée l'envahit quand elle comprit la vérité. Pour la première fois, elle subissait la terrible épreuve des faits. Devant cette trahison, une rage soudaine s'empara d'elle. Mais il lui fallait jouer la comédie, à tout prix.

Le capitaine continuait, implacablement.

— Vous savez, Fräulein, ce que je trouve étonnant, c'est qu'ils semblent s'être enfuis en vous laissant ici, père et frère ensemble, peut-être pour empêcher le garçon de partir à l'armée, ou peut-être dans un but encore plus criminel. Mais quel que soit leur motif, ils vous ont abandonnée, ma chère. Et pourtant vous les protégez. Est-ce parce que vous savez que votre père doit revenir ? Je suppose que oui. Sinon je ne comprends pas votre mauvaise volonté à me répondre.

Le harcèlement commençait d'avoir raison des nerfs d'Ariana et, pour la première fois, elle laissa percer son irritation :

— Cela fait près de deux heures que nous parlons. Simplement, je n'ai pas les réponses aux questions que vous me posez. Vos accusations sont inexactes, et votre thèse selon laquelle mon père et mon frère auraient fui sans moi est ridicule. Pourquoi auraient-ils fait cela ?

— En vérité, chère mademoiselle, je ne pense pas que ce soit le cas. C'est précisément pourquoi nous allons attendre et voir venir. Au retour de votre père, lui et moi discuterons affaires...

— Quel genre d'affaire ? demanda Ariana, dardant un œil soupçonneux sur von Rheinhardt.

— Disons... un petit marché ? Sa charmante fille contre... oh ! laissons tomber les détails. Je serai heureux de m'entendre avec votre père quand il reviendra. Maintenant, Fräulein, si vous voulez bien m'excuser, je vais demander au sous-lieutenant Hildebrand de vous escorter jusqu'à vos appartements.

— Mes appartements ? Je ne rentre pas chez moi ?

Ariana dut lutter pour ne pas se laisser aller à pleurer. Tout en continuant d'arborer son insupportable faux sourire, le capitaine secoua fermement la tête.

— Non, Fräulein, je crains que nous ne préférions vous offrir l'hospitalité, au moins jusqu'au retour de votre père. Vous ne serez pas trop mal dans... euh... la pièce que nous mettons à votre disposition.

— Je comprends.

— Bien. Je ne manquerai pas de complimenter votre père quand je le verrai, si je le vois... Il a une fille charmante, intelligente et extraordinairement bien élevée. Ni larmes ni cris. En fait, j'ai pris grand plaisir à passer ces quelques heures en votre compagnie.

Des heures d'interrogatoire éreintant ! Elle eut envie de le gifler.

Il pressa un bouton de sonnette placé sur le côté de son bureau et tous deux attendirent la venue du sous-lieutenant. Celui-ci tardant, le capitaine sonna de nouveau.

— Notre brave Hildebrand doit être occupé ; je vais trouver quelqu'un d'autre pour vous conduire à vos appartements.

Il en parlait comme d'une suite dans un palace vénitien, mais Ariana savait pertinemment que ce n'était pas dans une chambre d'hôtel qu'on l'emmenait mais dans une cellule. Agacé, le capitaine se dirigea vers la porte à grands pas et jeta un œil dans le couloir. Il était près de sept heures ; apparemment le sous-lieutenant Hildebrand était parti dîner. Le seul officier visible était un homme de haute taille, au visage sévère marqué d'une longue et fine cicatrice sur la joue.

— Von Tripp, où diable sont passés les autres ?

— Sortis manger, je crois. C'est qu'il se faisait tard, ajouta-t-il après avoir consulté la pendule.

— Les porcs. Ils ne pensent qu'à emplir leur estomac. Bon, peu importe, vous êtes là. D'ailleurs, pourquoi n'êtes-vous pas parti avec eux ?

À son expression contrariée, le lieutenant répondit par un petit sourire froid.

— Je suis de service ce soir, mon capitaine.

— Bon, alors emmenez-la en bas.

Il lui désigna la jeune fille que dissimulait en partie la porte de son bureau.

— À vos ordres, mon capitaine.

Le lieutenant se raidit, salua, claqua des talons puis pénétra rapidement dans le bureau.

— Debout.

À son ordre brutal, Ariana sursauta.

— Je vous demande pardon ?

Une lueur mauvaise passa dans les yeux du capitaine von Rheinhardt qui revenait dans la pièce.

— Le lieutenant vous a ordonné de vous lever, Fräulein. Ayez la bonté de lui obéir. Sinon, je crains... oh ! disons que ce serait maladroit de votre part... ajouta-t-il en effleurant la cravache accrochée à sa taille.

Ariana se leva, s'efforçant de refouler les pensées qui lui venaient. Qu'allaient-ils lui faire ? Le grand officier blond qui lui avait parlé si brutalement paraissait terrifiant, plus encore du fait de cette affreuse cicatrice sur sa joue. Il semblait glacial : un automate.

— Passez une bonne soirée, Fräulein, railla von Rheinhardt comme elle quittait la pièce.

Elle ne répondit pas. Dans l'antichambre, le lieutenant lui saisit fermement le bras.

— Vous allez me suivre et faire exactement ce que je vous

dirai, déclara-t-il. Je n'aime pas me quereller avec les prisonniers, encore moins avec les prisonnières. Vous comme moi avons intérêt à ce que vous ne fassiez pas de difficultés.

Sur cet avertissement sévère, il partit à grandes enjambées et Ariana suivit. Il avait été clair : elle était prisonnière. Et soudain elle ne put s'empêcher de se demander si même son père parviendrait à la sortir de là.

Le lieutenant la conduisit le long de deux couloirs puis dans un escalier qui plongeait vers les entrailles du bâtiment ; l'atmosphère se fit tout à coup humide et froide. Ils attendirent devant une lourde porte en fer qu'un homme les eût regardés à travers un guichet puis eût fait signe à un autre qu'il pouvait les laisser passer. La porte fit un bruit horrible en se refermant derrière eux, les verrous claquèrent, et Ariana se trouva entraînée dans un nouvel escalier. Elle avait l'impression qu'on l'emmenait dans les plus sombres geôles d'un château fort ; et quand elle vit où s'achevait le périple, elle comprit que c'était exactement cela.

Le lieutenant ne prononça pas un mot quand une femme sergent vint la fouiller. Ensuite, elle fut jetée dans une cellule et le lieutenant resta auprès de la femme qui verrouillait la porte. Dans les autres cellules, des femmes appelaient, pleuraient ; à un moment elle crut entendre des plaintes d'enfant. Mais pas un visage n'était visible. Les portes étaient en plaques de métal épais percées d'une ouverture grillagée de quelques centimètres carrés. C'était le lieu le plus terrifiant qu'Ariana pût imaginer. Une fois enfermée dans l'obscurité, elle dut lutter pour ne pas hurler et céder à la panique. Grâce au soupçon de lumière qui tombait du judas, elle distingua ce qu'elle prit pour une cuvette de cabinets, avant de découvrir qu'il ne s'agissait que d'un grand pot en métal blanc. Elle était bel et bien prisonnière.

Dans la puanteur ambiante, elle se mit à pleurer doucement,

et bientôt se recroquevilla dans un angle, enfouit sa tête entre ses bras, déchirée par les sanglots.

15

EN QUITTANT la gare de Bâle ce mercredi matin, Walmar von Gotthard regarda prudemment autour de lui avant d'entamer sa longue marche vers Lörrach où il comptait prendre le train pour Berlin. Chacun de ses muscles était douloureux et il se retrouvait au bout du compte aussi crasseux et dépenaillé qu'il avait prétendu l'être un jour plus tôt. Il ressemblait fort peu au banquier qui dirigeait la Tilden, s'asseyait en réunion aux côtés du ministre des Finances et était en effet le banquier le plus éminent de Berlin. On aurait dit un vieillard fatigué qui a parcouru une longue route, et nul n'eût soupçonné qu'il portait sur lui une colossale somme d'argent en billets.

Il atteignit la frontière vers midi sans problème. L'épreuve de force allait commencer : quinze kilomètres à pied jusqu'à Lörrach, distance qu'il avait parcourue avec succès dans le sens inverse six heures seulement auparavant. Viendrait ensuite la partie la plus difficile du périple, le retour à Berlin. Puis il lui faudrait revivre les mêmes terreurs avec Ariana. Mais une fois ses deux enfants à l'abri en Suisse il se moquait de tomber mort au milieu du chemin. Rampant entre les barbelés qu'il avait coupés le matin, il pensa d'ailleurs qu'il aurait de la chance s'il ne s'effrondrait pas bien avant. Pour un homme de son âge, l'aventure avait été éprouvante, mais peu lui importait s'il parvenait à sauver Ariana et Gerhard. Pour eux, il aurait fait tout ce qui était en son pouvoir, et même davantage.

Une fois de plus il s'arrêta, regarda autour de lui, tendit l'oreille. Une fois encore il courut vers le couvert des arbres. Or la chance ne fut pas à ses côtés comme le matin et il perçut bientôt des bruits de pas à quelques mètres de lui. Il tenta de s'enfoncer dans les buissons mais deux soldats le repérèrent aussitôt.

— Tiens, tiens, papy, où est-ce qu'on va comme ça ? Rejoindre l'armée à Berlin ?

Il leur adressa un sourire stupide, feignant l'incompréhension, mais l'un des deux gardes-frontière n'en braqua pas moins son arme vers son cœur.

— Où vas-tu ?

— À Lörrach, articula-t-il avec un lourd accent paysan.

— Pour quoi faire ?

— Ma sœur vit là-bas.

Il sentait son cœur taper sourdement dans sa poitrine.

— Ah oui ? C'est gentil ça.

Continuant de pointer son arme sur sa poitrine, le soldat fit signe à son collègue de le fouiller. Ils lui ouvrirent brusquement la veste et palpèrent ses poches.

— J'ai mes papiers en règle.

— Ah ouais ? Voyons un peu ça.

Il s'apprêtait à les leur donner mais avant d'avoir pu esquisser un geste, le soldat qui le fouillait devina une forme longue et lisse sous le bras droit de Walmar.

— Qu'est-ce que c'est, papy ? On nous cache quelque chose ?

Il partit d'un rire gras et cligna de l'œil à l'intention de son acolyte. Les vieux étaient marrants. Ils se croyaient rusés.

Ils déchirèrent la chemise à présent sale et froissée, sans remarquer la qualité du tissu qu'ils malmenaient. Ils n'avaient aucune raison de soupçonner quoi que ce soit chez ce vieux paysan. Cependant, ce qu'ils découvrirent dans le portefeuille dissimulé les impressionna, car c'était une véritable fortune en petites et grosses coupures, et leurs pupilles se dilatèrent de stupeur à mesure qu'ils comptaient.

— Tu portais ça au Führer ?

Leur plaisanterie les fit beaucoup rire.

Les yeux baissés de crainte qu'ils n'y lisent sa colère, Walmar espéra qu'ils se contenteraient de lui prendre son argent. Mais les deux gardes étaient désormais entraînés aux us et coutumes de la guerre. Après avoir échangé un bref regard, ils firent ce qu'ils devaient faire. Le premier recula tandis que le second tirait. Walmar von Gotthard tomba sans vie dans l'herbe haute.

Le prenant par les pieds, ils le traînèrent dans le buisson le plus touffu, le soulagèrent de ses papiers, de son argent, puis retournèrent dans leur cahute où ils s'assirent pour compter sérieusement leur trésor et jeter les papiers du vieux dans le poêle. Sans prendre la peine de les lire. Peu importait l'identité de leur victime. Sauf pour Gerhard, qui attendait dans une chambre d'hôtel à Zurich. Et pour Ariana, terrifiée dans sa cellule à Berlin.

16

D'UN SIGNE, le lieutenant von Tripp ordonna au geôlier d'ouvrir la cellule d'Ariana. La porte grinça sur ses gonds et les deux hommes se raidirent en sentant l'atroce odeur qui s'échappait de l'intérieur. Il en allait de même pour toutes les cellules, à cause de l'humidité et aussi, bien sûr, du fait que personne ne les nettoyait jamais.

Libérée de l'obscurité, Ariana fut aveuglée. Elle ignorait depuis combien de temps on l'avait enfermée et savait seulement qu'elle avait pleuré la majeure partie du temps. En les entendant venir, cependant, elle s'était empressée de sécher ses larmes et d'essuyer avec le bas de sa combinaison en dentelle les traces de mascara qui avaient marqué son visage. Elle s'était lissé les cheveux d'un geste rapide et avait attendu que la porte s'ouvre. Peut-être y avait-il des nouvelles de son père et de Gerhard ? Elle avait attendu en priant, espérant entendre des voix familières, mais seul le bruit métallique des clefs avait retenti. Elle finit par distinguer la silhouette du grand lieutenant blond qui l'avait conduite en cellule la veille.

— Veuillez sortir, je vous prie. Suivez-moi.

Elle se leva en tremblant, une main contre le mur. Un instant, l'officier faillit venir la soutenir car elle titubait ; elle semblait si petite, si fragile. Néanmoins les yeux qui plongèrent bientôt dans les siens n'étaient pas ceux d'une frêle beauté qui appelle au secours, mais ceux d'une jeune femme déterminée, qui s'accroche à la vie et tente vainement de conserver un semblant de dignité. Son chignon s'était défait et ses cheveux libérés ressemblaient à une gerbe de blé déliée. Sa jupe était fripée mais d'excellente qualité, et malgré l'incroyable puanteur dans laquelle elle avait séjourné durant près de vingt-quatre heures, une fragrance parfumée s'échappait encore de sa chevelure.

— Par ici, je vous prie, Fräulein.

Il s'écarta puis lui emboîta le pas. À la regarder, il se sentait encore plus désolé pour elle que la veille. Elle redressait ses épaules étroites et ses talons claquaient avec détermination dans les escaliers. Une seule fois elle parut faiblir et baissa la tête comme si elle n'avait plus assez de force pour continuer. Il ne dit rien et attendit ; elle repartit bientôt, reconnaissante qu'il ne l'ait pas bousculée ou ne lui eût pas crié d'avancer.

Mais Manfred von Tripp ne ressemblait pas aux autres, même si Ariana l'ignorait. C'était un gentleman, tout comme elle était une dame. Et de ce fait, il ne risquait pas de la malmener, de crier ou de la frapper. Pour cela, beaucoup ne l'aimaient pas. Von Rheinhardt lui-même n'appréciait guère son subordonné.

Comme ils parvenaient au bout du dernier couloir, le lieutenant von Tripp resserra une main ferme sur le bras de la jeune femme pour la diriger vers le bureau où le capitaine attendait, souriant et fumant paresseusement une cigarette, comme la veille. Le lieutenant salua son supérieur rapidement, claqua des talons et s'éloigna.

— Bonjour, Fräulein. Avez-vous passé une agréable soirée ? J'espère que vous n'étiez pas trop... euh... indisposée dans votre... ah... dans vos appartements.

Ariana ne répondit pas.

— Asseyez-vous. Asseyez-vous donc, je vous en prie.

Elle prit place sans un mot et fixa l'officier.

— J'ai le regret de vous annoncer que nous sommes sans nouvelles de votre père. Et je crains fort que mes conjectures ne se soient révélées justes. Votre frère n'est pas réapparu lui non plus, ce qui fait de lui, à partir d'aujourd'hui, un déserteur. Ce qui vous laisse seule, chère Fräulein. Et à notre merci, dois-je ajouter. Peut-être maintenant vous montrerez-vous moins avare de vos secrets.

— Je ne sais rien d'autre que ce que je vous ai dit hier, capitaine.

— Quel malheur pour vous ! En ce cas, Fräulein, je ne perdrai pas votre temps ni le mien à vous interroger. Je vais vous laisser à vous-même, dans votre cellule, jusqu'à ce qu'il y ait du nouveau.

Mon Dieu, combien de temps ? faillit-elle crier, mais rien ne la trahit dans son expression.

Le capitaine se leva, pressa la sonnette, et le lieutenant von Tripp apparut bientôt.

— Où diable est Hildebrand ? Chaque fois que je l'appelle, il est ailleurs.

— Je regrette, mon capitaine. Je crois qu'il est sorti déjeuner.

En vérité Manfred ignorait où se trouvait Hildebrand et s'en fichait éperdument. Hildebrand était toujours à flâner, laissant aux autres le soin de remplir sa fonction.

— Ramenez la prisonnière dans sa cellule. Et dites à Hildebrand que je veux le voir quand il sera de retour.

— Oui, mon capitaine.

Et le lieutenant repartit avec Ariana à qui la routine devenait familière : les couloirs interminables, les marches. Au moins, c'étaient des instants où elle échappait à sa cellule, où elle pouvait respirer, bouger, toucher, voir. Elle aurait préféré marcher dans ces couloirs des heures durant plutôt que de retrouver l'horreur de la minuscule cellule crasseuse.

Dans le deuxième escalier, ils tombèrent nez à nez avec Hildebrand qui sifflotait et affichait un sourire heureux. Surpris, il considéra le lieutenant puis ses yeux détaillèrent avec intérêt Ariana, comme la veille lorsqu'il était entré dans sa chambre chez elle.

— Bon après-midi, Fräulein. Le séjour parmi nous vous plaît ?

Elle ne répondit pas mais le regard qu'elle posa sur lui en disait long sur son mépris. Irrité, Hildebrand sourit à von Tripp.

— Vous la reconduisez ?

Manfred acquiesça avec distance. Il avait mieux à faire que s'entretenir avec Hildebrand, un homme qu'il ne supportait pas — pas plus que la majorité des officiers avec lesquels il travaillait, mais depuis qu'il avait été blessé au front il avait dû s'habituer à ce genre de poste.

— Le capitaine vous demande. Je lui ai dit que vous étiez parti déjeuner.

— En effet, cher Manfred. En effet.

Souriant toujours, Hildebrand salua brièvement et grimpa

l'escalier, non sans jeter par-dessus son épaule un long regard à Ariana. Escortée par von Tripp, la jeune femme continua de s'enfoncer dans les profondeurs du bâtiment et parvint à sa cellule. Quelque part, tout près, une femme hurlait. Ariana ne voulut pas entendre et fut soulagée quand elle put se laisser aller sur le sol de sa cellule.

Trois jours plus tard, elle fit le chemin en sens inverse pour voir le capitaine ; celui-ci lui répéta que ni son père ni son frère n'étaient revenus. À présent, elle ne comprenait plus : soit on lui mentait — ils avaient retrouvé son père et Gerhard —, soit leur fuite et le retour de son père ne s'étaient pas déroulés comme prévu. Si on lui disait la vérité, la disparition de son père était alarmante. Après l'avoir gardée quelques instants dans son bureau, von Rheinhardt la renvoya.

Cette fois ce fut Hildebrand qui la conduisit dans les couloirs, les doigts enfoncés dans sa chair, si haut sur son bras qu'il lui touchait le sein du dos de la main. Il s'adressa à elle en phrases brusques et décousues, comme si elle eût été une bête qu'il fallait malmener un peu, avec des coups si nécessaire, ou le fouet, ainsi qu'il ne manqua pas de la menacer.

Quand ils atteignirent le quartier des femmes, Hildebrand n'attendit pas que la surveillante la fouille et s'en chargea lui-même. Il glissa lentement les mains sur le corps d'Ariana, sur son ventre, ses fesses, sa poitrine. Frémissant de dégoût, elle tenta de se dérober, le fusilla d'un regard haineux, mais il se contenta de rire. La geôlière finit par refermer la porte.

— Bonne nuit, Fräulein, lança-t-il.

Elle écouta ses pas s'éloigner, mais ils s'arrêtèrent à quelques mètres à peine et elle l'entendit interpeller brutalement la surveillante :

— Celle-là. Je ne l'ai pas encore essayée.

Paupières closes, Ariana perçut le bruit des clefs dans la serrure, de la porte qui s'ouvrait, de quelques pas. Un moment après, elle entendit hurler et supplier, le claquement du fouet qui déchire l'air et la chair, enfin le silence, plus de cris, seulement une succession de grognements horribles. Elle n'entendait plus la femme et n'osait songer à ce qu'il lui avait fait. L'avait-il frappée jusqu'à l'inconscience ? Fouettée jusqu'à la mort ? Mais bientôt elle perçut des sanglots sourds et comprit que la femme était vivante.

Appuyée contre le mur de sa minuscule cellule, elle attendit, guettant les pas, redoutant qu'ils ne reviennent à sa porte. Au lieu de cela, ils s'éloignèrent et finirent par s'éteindre. Avec un soupir de soulagement, elle s'assit par terre.

Des jours et des semaines s'écoulèrent, ponctués de visites au capitaine qui lui annonçait qu'on restait sans nouvelles de son père, que celui-ci n'était pas réapparu. À la fin de la troisième semaine, elle était éreintée, sale, affamée, éperdue d'incompréhension. Que s'était-il passé ? Pourquoi son père n'était-il pas venu la rechercher ? Von Rheinhardt lui mentait-il ? Gerhard et son père avaient peut-être été arrêtés. Elle n'osait envisager la pire hypothèse : leur mort.

Ce fut à l'issue de sa dernière entrevue avec le capitaine, au bout de trois semaines, que Hildebrand l'escorta de nouveau en cellule. Jusque-là, ç'avait souvent été le lieutenant, parfois encore un autre soldat.

Mais aujourd'hui c'était lui qui lui serrait le bras pour la conduire dans les profondeurs de la prison. Épuisée, elle trébucha à deux ou trois reprises. Ses cheveux n'étaient plus qu'une masse confuse et informe dans son dos et autour de son visage, sans plus une trace de parfum ; ses ongles étaient cassés. Pour se réchauffer, elle serrait autour d'elle le chandail en cachemire qu'elle avait jeté sur ses épaules avec désinvolture le jour de son arrestation ; sa jupe et son chemisier étaient déchirés, crasseux ; elle avait renoncé à ses bas au bout de quelques jours. Hildebrand observait ces changements avec le regard d'un homme qui évalue du bétail.

Ils tombèrent sur le lieutenant von Tripp dans le dernier

escalier. Celui-ci salua brièvement Hildebrand et son regard évita celui d'Ariana. Il fixait toujours les yeux au-dessus d'elle, comme s'il ne s'intéressait pas à son visage.

— Bonjour, Manfred, lança Hildebrand.

Le lieutenant murmura une vague réponse. Trop épuisée, Ariana ne remarqua pas le regard de connivence que Hildebrand lançait en grimaçant à son collègue. Ce dernier tourna les talons et remonta. Mais une fois dans son bureau, von Tripp sentit la colère le gagner. Hildebrand mettait beaucoup trop longtemps à revenir. Voilà près de vingt minutes qu'il avait accompagné la prisonnière ; il n'y avait aucune raison pour que cela dure à ce point. À moins... L'imbécile. Avait-il idée de qui était le père de la fille, ou de quel monde elle venait ? Ne voyait-il pas que c'était une Allemande, une fille de la bonne société ? Peut-être pouvait-il se conduire de manière ignoble avec certaines autres prisonnières, mais pas avec une fille comme elle. Et d'ailleurs, quelles que soient les victimes, la conduite odieuse de Hildebrand rendait Manfred malade. Sans réfléchir davantage, celui-ci se retrouva dans le couloir et les escaliers, priant pour ne pas arriver trop tard.

Il saisit le trousseau de clefs des mains de la surveillante et lui fit signe de rester assise.

— Hildebrand est encore là-bas ?

La femme en uniforme acquiesça, et Manfred se précipita dans le dernier escalier. Les clefs tintaient dans sa main, ses bottes claquaient bruyamment sur les marches.

Les sons à l'intérieur de la cellule lui révélèrent que Hildebrand s'y trouvait bien. Sans dire un mot, Manfred tourna la clef dans la serrure et ouvrit la porte. Il découvrit Ariana presque nue, serrant autour d'elle ses vêtements en lambeaux, avec du sang qui coulait d'une entaille à la joue. Près d'elle, la figure rouge, les yeux fous, Hildebrand tenait son fouet à la main, de l'autre tirait la chevelure de la jeune fille. Mais à la jupe qui lui couvrait encore les cuisses, à la lueur combative qui brillait encore dans ses yeux, Manfred comprit que le pire n'était pas encore arrivé. Il fut heureux de ne pas avoir attendu plus pour intervenir.

— Sortez, dit-il.

— En quoi ça vous regarde ? brailla Hildebrand. Elle est à nous.

— Pas à « nous ». Elle appartient au Reich, comme vous, comme moi, comme tout le monde.

— Elle est prisonnière, contrairement à nous !

— Ce qui vous donne le droit de la violer ?

Les deux hommes se dévisagèrent avec fureur. Un instant, Ariana, qui s'était tapie dans un coin, pantelante, haletante, se demanda si son assaillant n'allait pas user de son fouet contre son supérieur. Non, il n'était pas fou à ce point.

— Je vous ai dit de sortir, répéta von Tripp. Je vous verrai là-haut.

Hildebrand s'exécuta en grommelant et disparut. Dans la cellule obscure, Ariana et Manfred ne dirent rien pendant un moment. Après avoir essuyé ses larmes et rejeté en arrière sa chevelure, elle essaya de se couvrir plus décemment. Manfred regardait à terre. Lorsqu'il la sentit plus calme, il leva les yeux vers elle, sans éviter cette fois son visage ni le douloureux regard bleu.

— Fräulein von Gotthard... Je suis désolé... J'aurais dû savoir. Je veillerai à ce que cela ne se reproduise plus. Nous ne sommes pas tous ainsi, ajouta-t-il après un silence. Je ne sais vous dire à quel point je regrette.

C'était la vérité. Cet homme de trente-neuf ans avait eu une jeune sœur à peu près de l'âge d'Ariana.

— Comment vous sentez-vous ?

Ils parlaient dans la pénombre percée seulement d'un mince rai de lumière venu du couloir. Manfred lui tendit son mouchoir afin qu'elle essuie le sang qui perlait sur sa joue.

— Je crois que ça va. Merci.

Sa reconnaissance était bien plus grande qu'elle ne le laissait paraître. Elle avait cru que Hildebrand allait la tuer et, quand elle avait compris qu'il s'apprêtait à la violer, elle avait espéré qu'il la tue d'abord.

Manfred la considéra longuement puis soupira. Pour autant qu'il y eût adhéré autrefois, il avait fini par haïr cette guerre. La corruption avait gangrené tout ce en quoi il avait cru, tout ce qu'il avait défendu. C'était comme de voir une femme que l'on a respectée autrefois sombrer dans la déchéance.

— Puis-je faire quelque chose pour vous ?

Serrant son chandail autour d'elle, elle lui sourit, avec ses grands yeux tristes et désespérés.

— Vous avez déjà fait tout ce qui était en votre pouvoir. La seule chose maintenant serait que vous retrouviez mon père.

Et, soudain, elle osa réclamer la vérité :

— Est-il emprisonné lui aussi ?

Lentement, Manfred secoua la tête.

— Nous n'avons aucune nouvelle. Peut-être finira-t-il par revenir. Ne perdez pas espoir, Fräulein. Jamais.

— Non, plus après ce qui vient de se passer, répondit-elle, souriant à nouveau.

Sur un dernier regard grave, il sortit et verrouilla la porte. Dans l'obscurité, Ariana se laissa glisser doucement à terre, songeant à ce qui venait de se passer. Sa haine pour Hildebrand était atténuée par la reconnaissance qu'elle éprouvait pour von Tripp. Ces gens étaient étranges, tous. Jamais elle ne les comprendrait.

Elle ne revit aucun des deux hommes jusqu'à la fin de la semaine suivante. Cela faisait exactement un mois qu'elle était prisonnière. Sa plus grande peur était que son père et Gerhard soient morts. Néanmoins elle refusait cette idée, ne s'autorisait à penser qu'au moment présent. À l'ennemi. À sa vengeance.

Un officier qu'elle n'avait encore jamais vu vint la chercher et la tira brutalement hors de sa cellule. Quand elle trébucha, il la poussa dans les escaliers, l'insulta lorsqu'elle tomba. L'épuisement, la faim, ses jambes engourdies par le manque d'exercice la rendaient quasiment incapable de marcher. La jeune fille qui apparut dans le bureau de Dietrich von Rheinhardt était fort différente de celle qui avait soutenu l'interrogatoire avec sang-froid et assurance seulement un mois plus tôt. Le capitaine la considéra avec un sentiment proche de la répugnance. Pourtant il savait qu'elle n'en demeurait pas moins une jeune fille de bonne famille, intelligente, le cadeau idéal à faire à un homme du Reich. Pas pour lui cependant, il avait d'autres plaisirs, d'autres besoins. Oui, elle ferait un très joli cadeau, même s'il en ignorait encore le destinataire.

Il ne perdit plus son temps en « Fräulein » et autres fioritures.

— Vous ne nous servez plus à rien, déclara-t-il. S'il n'y a personne pour payer la rançon, l'otage ne vaut plus rien. Il n'est qu'un fardeau. Nous n'avons plus aucune raison de vous nourrir et vous abriter. En bref, notre hospitalité touche à son terme.

Donc ils allaient la fusiller, en déduisit Ariana. Peu lui importait désormais. Elle préférait ce destin-là à d'autres. Elle ne voulait pas devenir une prostituée pour les officiers, et n'était plus assez solide pour frotter les parquets. Elle avait perdu sa famille, sa raison de vivre. S'ils la tuaient, tout serait terminé. Elle fut presque soulagée des paroles du capitaine.

Mais von Rheinhardt n'avait pas fini :

— Nous allons vous reconduire chez vous pour une heure. Vous pourrez y prendre quelques affaires, mais rien qui ait de la valeur, ni argent ni bijoux, seulement les effets dont vous pourriez avoir besoin dans l'immédiat.

Ils n'allaient pas la fusiller ? Pourquoi ? Incrédule, elle dévisagea le capitaine.

— Vous vivrez à la caserne, dans le quartier des femmes, et vous travaillerez comme tout le monde. Dans une heure, quelqu'un vous conduira à Grunewald. D'ici là, attendez dans le couloir.

Attendre exposée à la vue de tous, dans son état déplorable ? À moitié nue dans les vêtements que Hildebrand avait achevé de déchirer une semaine auparavant ? Ces hommes étaient de véritables monstres.

— Que va-t-il advenir de la maison de mon père ?

Sa voix n'était plus qu'un coassement rauque, après ce long mois sans personne à qui parler.

Absorbé dans ses papiers, von Reinhardt finit par relever la tête.

— Elle sera occupée par le général Ritter, et son personnel.

Le « personnel » du général consistait en quatre femmes complaisantes qu'il avait soigneusement choisies au cours des cinq années passées.

— Je ne doute pas qu'il sera très heureux là-bas, ajouta le capitaine.

Comme son père, son frère, sa mère l'avaient été autrefois, et elle enfin. Heureux... avant que ces ordures ne viennent briser leurs existences, pour aujourd'hui leur voler la demeure de Grunewald. Des larmes affleurèrent aux paupières d'Ariana. Si seulement les bombes qui pleuvaient durant les raids aériens de plus en plus nombreux pouvaient les tuer tous !

— Ce sera tout. Soyez aux quartiers des femmes à cinq heures cet après-midi. Je précise que cet hébergement n'est pas obligatoire. Vous êtes libre d'opter pour d'autres... euh... dispositions, à l'intérieur des structures de l'armée... évidemment.

Elle comprit. Elle pouvait accepter de devenir la maîtresse du général, auquel cas elle serait autorisée à rester sous son propre toit. L'indignation la faisait encore trembler quand elle s'assit sur le banc de bois dans le couloir. Son unique consolation était de songer qu'à son retour à Grunewald, dans ses habits en lambeaux, avec le visage écorché et tuméfié, crasseuse, affamée, abattue, Hedwig et Berthold verraient ce qu'ils avaient fait. Ils verraient comment était le merveilleux parti qu'ils chérissaient. Ils comprendraient ce que signifiait *Heil Hitler.* Absorbée dans ses réflexions et sa colère, elle ne vit pas von Tripp approcher.

— Fräulein von Gotthard ?

Surprise, elle leva les yeux sur lui. Ils ne s'étaient pas revus depuis le jour où il l'avait sauvée de Hildebrand et de son fouet.

— Je suis chargé de vous emmener chez vous.

Il ne lui souriait pas mais n'évitait plus son regard.

— Dites plutôt, chargé de me conduire à la caserne, lâcha-t-elle, glaciale.

Aussitôt, elle regretta d'avoir dirigé sa rage contre lui qui n'était pas fautif.

— Excusez-moi, souffla-t-elle.

— Le capitaine m'a ordonné de vous emmener à Grunewald pour y prendre vos affaires.

En guise d'assentiment, elle hocha la tête. Ses yeux semblaient trop grands dans son visage amaigri. Comme malgré lui, von Tripp se pencha légèrement et lui demanda doucement :

— Avez-vous déjeuné ?

Déjeuné ? Elle n'avait eu à manger ni ce matin ni la veille au soir. Dans la cellule puante, les repas étaient distribués une fois par jour et ne méritaient guère le nom de déjeuner ou de dîner. De la pâtée pour porcs, quelle que soit l'heure à laquelle elle était servie. Seule la perspective de mourir de faim avait fini pour la contraindre à s'alimenter.

— Je comprends, reprit Manfred devant son absence de réponse. Il est temps d'y aller, ajouta-t-il, austère.

Ariana se leva et le suivit lentement. Durant une minute, ses genoux menacèrent de se dérober sous elle ; le soleil l'aveugla. Mais elle se redressa, inspira profondément, et quand elle se glissa dans la voiture à côté du lieutenant, elle détourna la tête comme pour regarder les bâtiments alignés qui faisaient office de caserne, en vérité pour qu'il ne la vît pas pleurer.

Quand ils eurent roulé quelques instants, Manfred arrêta le véhicule et contempla un moment la nuque de sa passagère. Celle-ci ne prêtait aucune attention à ce grand homme blond au regard gentil et à la fine cicatrice qui évoquait quelque duel entre aristocrates.

— Je reviens tout de suite, Fräulein.

Elle ne répondit rien, laissa aller sa tête contre le dossier et resserra autour d'elle la couverture qu'il lui avait donnée. À nouveau, elle pensait à son père, à Gerhard et se demandait où ils étaient. Voilà un mois qu'elle n'avait pas goûté un tel confort, et elle se moquait bien de ce qui pourrait advenir désormais ; elle était sortie de son horrible cellule.

Von Tripp revint bientôt avec un petit paquet fumant qu'il lui tendit sans prononcer une parole. Il s'agissait de deux grosses saucisses enveloppées dans du papier, accompagnées de moutarde et d'un généreux morceau de pain noir. Ariana regarda le paquet, puis le lieutenant. Quel homme étrange ! Comme elle, il ne se perdait pas en paroles inutiles, et pourtant il était plein d'attentions ; et comme elle encore, il portait un chagrin au fond des yeux, comme s'il endurait toute la douleur du monde, y compris celle d'Ariana.

— J'ai pensé que vous deviez avoir faim.

Elle voulut le remercier de sa gentillesse mais se contenta de hocher la tête et de prendre le paquet. Quoi que fasse cet homme, elle ne pouvait oublier ce qu'il était et ce qu'il faisait. Un officier nazi, qui l'emmenait chez elle chercher ses affaires... Quelles affaires ? Qu'allait-elle emporter ? Et après la guerre, lui rendrait-on sa maison ? Non que cela importe si son père et Gerhard ne revenaient pas. Durant le trajet, réflexions et interrogations se bousculèrent dans son esprit. N'osant dévorer son sandwich de crainte d'être malade si elle engloutissait une nourriture si riche, elle en picorait de petites bouchées.

— C'est près du lac de Grunewald ?

Elle acquiesça. Au fond elle s'étonnait qu'on la laissât retourner chez elle pour quelque raison que ce fût. Comme il était curieux qu'on l'ait si soudainement libérée. Et atroce que la maison fût entre leurs mains désormais. Les objets d'art, l'argenterie, les bijoux qu'ils trouveraient, jusqu'à ses fourrures qui iraient aux maîtresses du général, sans compter les automobiles de son père... Voilà des semaines déjà qu'ils s'étaient approprié l'argent et les placements du banquier. Au fond ils n'étaient pas mécontents des profits tirés de cette affaire. Quant à Ariana, elle représentait un « plus », deux mains pour accomplir le travail qu'on lui demanderait, à moins bien sûr qu'elle soit offerte à quelqu'un. Elle savait ce qui l'attendait mais préférait mourir plutôt que de devenir la maîtresse d'un nazi, ou passer le restant de sa vie dans leurs infâmes casernes.

— C'est là, un peu plus loin sur la gauche.

Une fois de plus, elle se détourna pour dissimuler ses larmes. Elle approchait de chez elle... la maison dont elle avait désespérément rêvé durant les heures noires passées dans sa cellule, la maison où elle avait ri et joué avec Gerhard, où elle avait attendu le retour de son père le soir, où elle avait écouté des histoires des heures durant, quand Fräulein Hedwig leur faisait la lecture devant le feu, où elle avait cherché à apercevoir sa mère voilà si longtemps... la maison qu'elle avait perdue. Et qui revenait aux nazis. Elle lança un regard haineux à l'homme en uniforme à ses côtés. Il était l'un d'eux. Il était tout ce qu'ils représentaient : terreur, mort, destructions, viols. Peu lui importait qu'il lui ait acheté à manger et l'ait sauvée de Hildebrand. Il était un maillon de cette chaîne terrifiante. Que l'occasion s'en présente et il agirait comme les autres.

— C'est là, oui ici, fit-elle en pointant le doigt après la dernière courbe de la route.

Ralentissant, von Tripp considéra gravement la demeure. Il eût aimé lui dire que l'endroit était charmant, que lui aussi avait autrefois habité une maison semblable. Que son épouse et ses enfants étaient morts dans cette maison au cours des bombardements, que lui non plus, désormais, n'avait plus nulle part où aller. Le château qui avait appartenu à ses parents avait été « emprunté » par un général au tout début de la guerre, laissant ses parents sans toit jusqu'à ce qu'ils rejoignent sa femme et ses deux enfants. Tous s'en étaient allés maintenant. Morts sous les bombes des Alliés. Le général habitait toujours le château familial, à l'abri, comme l'eussent été ses enfants si ses parents avaient pu rester chez eux.

Les pneus de la Mercedes crissèrent dans l'allée de graviers, produisant le son qu'Ariana avait entendu des milliers de fois. Qu'elle ferme les yeux et l'on serait dimanche, lorsque, après l'église, son père, Gerhard et elle revenaient d'un tour du lac en auto. Elle ne serait plus assise aux côtés d'un étranger, dans des haillons qui avaient été sa robe. Berthold serait au garde-à-vous. Elle servirait le thé...

— ... plus jamais... murmura-t-elle pour elle seule en descendant de voiture.

Et elle leva les yeux vers la demeure tant aimée.

— Vous avez une demi-heure.

Manfred lui rappela à contrecœur qu'il leur fallait retourner à la caserne, selon les ordres stricts de von Rheinhardt. Le capitaine avait été clair : ils avaient déjà perdu assez de temps avec cette fille.

— Et surveillez-la surtout !

Au cas où elle tenterait d'emporter quelque objet précieux.

Mais il était possible aussi qu'il existât des cachettes bien dissimulées, des portes dérobées ; tout ce que découvrirait von Tripp serait bienvenu. Ils avaient déjà inspecté la maison de fond en comble, cependant il était possible qu'Ariana les conduisît à d'autres secrets que ceux qu'ils avaient d'ores et déjà découverts.

Après une hésitation, la jeune fille pressa la sonnette, se demandant si elle allait voir apparaître Berthold. Or ce fut l'aide de camp du général qui vint ouvrir. Il ressemblait fort au lieutenant, mais avec une expression plus dure quand ses yeux s'abaissèrent sur la fille en haillons. Les deux soldats se saluèrent et von Tripp expliqua la cause de leur présence :

— Fräulein von Gotthard vient chercher quelques vêtements.

S'ensuivit un bref échange entre les deux hommes.

— Il n'y a plus grand-chose, vous savez, précisa l'aide de camp.

À l'attention de Manfred, non à celle d'Ariana qui le dévisageait, bouleversée. Plus grand-chose ? Sur quatre armoires pleines ? Quelle cupidité était la leur, et quelle rapidité dans l'âpreté !

— Je n'ai pas besoin de grand-chose, rétorqua-t-elle.

Ses yeux lançaient des éclairs de colère quand elle franchit le seuil. Tout semblait pareil et pourtant différent. Les meubles occupaient les mêmes places, néanmoins l'atmosphère de la maison s'était métamorphosée. Plus de visages ni de sons familiers. Disparus la démarche traînante de Berthold, le boitillement prononcé d'Anna, les cavalcades de Gerhard qui ne pouvait fermer une porte sans la claquer, le bruit régulier des pas de son père sur le marbre de l'entrée. La jeune fille s'attendait à voir Hedwig — après le service qu'elle avait rendu au parti, sans doute la gouvernante avait-elle été autorisée à rester en poste —, or elle ne reconnut pas le visage familier parmi ceux qui la regardèrent monter les escaliers. Des uniformes allaient et venaient depuis le grand bureau, d'autres plus nombreux attendaient devant la porte du grand salon. Des ordonnances transportaient des plateaux de schnaps et de café, et il y avait beaucoup de femmes de chambre inconnues. C'était comme de revenir dans une autre vie, quand tous ceux que l'on connaissait sont morts depuis longtemps et qu'une nouvelle génération a repeuplé tous les lieux que l'on avait autrefois chéris. La main d'Ariana caressa la rampe familière tandis qu'elle se hâtait vers les étages, discrètement suivie par le lieutenant von Tripp.

Un instant elle marqua un arrêt sur le palier du premier et fixa la porte de la chambre paternelle. Oh ! que leur était-il arrivé ?

— C'est ici, Fräulein ? questionna la voix douce de von Tripp.

— Pardon ?

Elle se tourna vivement vers lui, comme si elle venait de découvrir un intrus sous son toit.

— C'est dans cette pièce que vous devez prendre vos affaires ?

— Je... ma chambre est au second. Mais je repasserai par ici tout à l'heure.

Elle venait de se souvenir. Mais peut-être était-il trop tard. Le livre pouvait être déjà parti. Ou pas. Mais cela ne lui importait plus vraiment désormais. Ayant perdu Gerhard et son père, puis la maison, elle avait tout perdu.

— Très bien. Nous n'avons guère de temps, Fräulein...

Elle monta rapidement vers la pièce où s'était dévoilée la trahison de Hedwig, franchit le seuil qu'avait passé le sous-lieutenant Hildebrand de sa démarche arrogante, pénétrant dans son domaine alors qu'elle faisait des vœux pour le retour de son père. Elle ouvrit la porte de sa chambre, évitant de regarder vers celle de Gerhard. L'heure n'était pas à la nostalgie.

Au bout d'un moment, elle ressortit pour aller chercher une valise dans un débarras au troisième, à l'étage des domestiques, et ce fut là qu'elle la vit, la traîtresse, qui se pressait tête baissée vers sa propre chambre. Elle se précipita vers la gouvernante qui battait en retraite.

— Hedwig ! hurla-t-elle.

La vieille femme s'arrêta puis repartit à toutes jambes, sans se retourner vers celle qu'elle avait élevée depuis sa naissance.

— Ne pouvez-vous me regarder ? Vous avez donc si peur ?

La voix d'Ariana était maintenant une caresse venimeuse, une invitation à boire le poison, un poignard dissimulé dans la fourrure. La gouvernante s'immobilisa puis fit lentement volte-face.

— Oui, Fräulein Ariana ?

Elle s'efforçait au calme mais ses yeux étaient pleins de crainte, et ses mains tremblaient autour de la pile de linge qu'elle emportait à raccommoder chez elle.

— Vous cousez donc pour eux maintenant ? Ils doivent vous en être reconnaissants. Comme nous l'étions. Dites, Hedwig...

C'en était fini des « Fräulein », du respect. Ariana gardait les poings serrés.

— Dites-moi... après avoir cousu pour eux, après avoir élevé leurs enfants si jamais ils en ont, les trahirez-vous à leur tour ?

— Je ne vous ai pas trahie, Fräulein von Gotthard.

— Oh, là là ! que de cérémonies ! C'est donc Berthold, et non vous, qui a appelé la police ?

— C'est votre père qui vous a trahie, Fräulein. Il n'aurait pas dû s'enfuir et Gerhard aurait eu la chance de servir son pays. Il a eu tort de partir.

— Qui êtes-vous pour en juger ?

— Je suis allemande. Nous devons tous nous juger mutuellement.

C'était donc cela. Frère contre frère.

— C'est notre devoir, et notre privilège, de nous surveiller les uns les autres et de veiller à ce que l'Allemagne ne soit pas détruite.

— L'Allemagne est déjà morte, lança Ariana, grâce à des gens tels que vous. Vos pareils ont détruit mon père, mon frère et mon pays...

Elle se tenait immobile, le visage baigné de larmes, et sa voix n'était plus qu'un murmure quand elle ajouta :

— Et je vous hais tous.

Tournant le dos à la vieille gouvernante, elle fonça dans le débarras pour y prendre la valise qui abriterait ses quelques biens. Silencieux, von Tripp la suivit quand elle regagna sa chambre. Il alluma une cigarette tout en la regardant empiler chandails, jupes, chemisiers, lingerie et chemises de nuit, ainsi que quelques paires de chaussures solides. Dans la valise, il n'y eut pas de place pour les extravagances vestimentaires. Il n'y avait plus de fantaisies dans la vie d'Ariana von Gotthard.

Pourtant ce qu'elle emportait était d'une finesse, d'une qualité qui ne convenait guère à la vie de caserne, qu'il s'agisse des jupes qu'elle avait portées durant ses études, ou des chaussures qu'elle mettait pour aller voir Gerhard jouer au polo ou pour se promener avec son père autour du lac. Comme elle rangeait dans la valise une brosse à cheveux en ivoire et argent, elle jeta un œil en direction de von Tripp.

— Vous croyez que j'ai le droit ? C'est la seule que j'aie.

Manfred parut momentanément embarrassé puis haussa les épaules. Dès l'instant où elle avait pénétré dans la maison, il avait été évident qu'elle évoluait dans son domaine. Elle se mouvait avec une assurance et une autorité qui donnaient envie de s'incliner légèrement devant elle et de s'écarter de son passage. Il en avait été de même pour lui. Bien que plus petite, leur maison fonctionnait avec plus de domestiques encore. Elle avait d'abord appartenu au père de sa femme pour, à la mort de celui-ci deux ans après leur mariage, devenir leur. Un bel ajout au château dont il devait hériter à la mort de ses parents. Le mode de vie d'Ariana ne lui était donc pas étranger, pas plus que le destin qui la chassait de chez elle. Il entendait encore les pleurs de sa mère lorsqu'elle avait appris qu'il lui faudrait céder le château pour la durée de la guerre.

— Et comment savoir s'ils nous le rendront ? avait-elle sangloté.

À présent tous étaient morts. Et le château appartiendrait à Manfred quand les nazis le quitteraient à la fin de la guerre. Une date indéterminée. D'ailleurs Manfred ne s'en souciait plus guère. Il n'avait plus personne auprès de qui rentrer. Plus de foyer où rêver de revenir. Pas sans sa femme, Marianna, pas sans les enfants... Évoquer les disparus lui fut insupportable tandis qu'il regardait Ariana ajouter une paire de chaussures de marche à son bagage.

— Vous avez l'intention de partir en excursion, Fräulein von Gotthard ?

Il sourit pour chasser sa souffrance. Elle s'équipait d'affaires solides, sans raffinement.

— Vous imaginez-vous que je vais nettoyer les salles de bains en robe du soir ? C'est ce que font les femmes nazies ? rétorqua la jeune fille.

Ses yeux brillèrent d'un éclat sarcastique comme elle mettait un nouveau chandail en cachemire sur la pile.

— J'ignorais qu'elles faisaient tant de chichis.

— Sans doute que non, mais je doute fort que le capitaine ait l'intention de vous faire frotter les parquets jusqu'à la fin de la guerre. Votre père avait des amis, qui vous inviteront. D'autres officiers...

Le regard dur comme pierre, elle l'interrompit :

— Comme le sous-lieutenant Hildebrand, lieutenant ?

Un silence pesant suivit cette remarque.

— Excusez-moi, murmura Ariana en se détournant.

— Je comprends. Seulement, je pensais...

Elle était si jeune, si jolie ; les occasions ne lui manqueraient pas d'échapper aux corvées du ménage. Mais elle avait raison, il le savait. Elle ferait mieux de se cacher à la caserne. Il y en aurait d'autres comme Hildebrand. Encore plus à présent qu'elle était libre. Maintenant ils la verraient frotter les cuivres, ratisser les feuilles, nettoyer les sanitaires... ils verraient ses immenses yeux bleus, le visage de camée, les mains fines... Et ils la voudraient. Elle serait désormais disponible pour tous. Rien ne pourrait les arrêter. Elle serait sans défense, pas autant que lorsqu'elle croupissait dans la cellule fétide mais presque. Elle appartenait au IIIe Reich, au même titre qu'un objet, un lit ou un fauteuil, et celui qui le désirerait pourrait user d'elle en conséquence. Il s'en trouverait au moins un pour la vouloir. Cette pensée écœura Manfred.

— Vous avez peut-être raison, fit-il.

Et il n'ajouta rien. Ariana boucla sa valise avant de la poser à terre. Sur le lit elle avait laissé une jupe de gros tweed brun, un chandail de la même couleur, un manteau chaud, de la lingerie et une paire de chaussures en daim à talons plats.

— Ai-je le temps de me changer ?

Sur son accord, elle s'éclipsa. Théoriquement il était censé ne pas la quitter des yeux. Ç'eût été en respectant ce genre d'ordre au pied de la lettre qu'un Hildebrand l'eût contrainte à se déshabiller devant lui, mais Manfred von Tripp ne se livrait pas à ce genre de jeu.

Elle ressortit de la salle de bains toute de brun vêtue, la blondeur de sa chevelure étant la seule touche de couleur à ce sombre portrait. Quand elle enfila son manteau, Manfred dut se retenir pour ne pas l'aider. Il était pénible, embarrassant de se tenir auprès d'elle de la sorte, comme de lui laisser porter sa valise. Cette attitude — qu'on l'avait obligé à adopter — allait à l'encontre de tout ce qu'on lui avait appris, de tout ce qu'il éprouvait à l'égard de cette inconnue fragile et menue qui quittait définitivement sa demeure. Mais, déjà, il lui avait acheté à manger et l'avait sauvée d'un viol. Il ne pouvait guère plus, pas pour l'instant.

Au premier étage, elle regarda à nouveau la porte de son père puis le lieutenant.

— J'aimerais...

— Qu'est-ce que c'est ? s'enquit-il, sourcils froncés.

— Le bureau de mon père.

Ciel ! Qu'allait-elle chercher là-bas ? De l'argent caché ? Quelque trésor ? Un pistolet qu'elle pourrait braquer sur la tempe d'un agresseur, peut-être même sur la sienne lorsqu'ils auraient regagné Berlin ?

— Est-ce purement sentimental ? Fräulein, cette pièce abrite désormais le bureau du général... Je dois absolument...

— S'il vous plaît.

Confronté à sa faiblesse, à sa solitude, il ne put se résoudre à lui opposer un refus et, avec un soupir, ouvrit prudemment la porte. Une ordonnance se trouvait à l'intérieur, en train de préparer un uniforme pour le général.

— Il y a quelqu'un avec vous ? interrogea Manfred.

— Non, lieutenant.

— Merci, nous ne restons qu'un instant.

Ariana se dirigea d'un pas vif vers le bureau mais ne toucha rien puis, avec lenteur, gagna la fenêtre pour contempler le lac. Elle se rappelait son père, debout à cette même place, lorsqu'il lui avait parlé de Max, qu'il lui avait révélé la vérité sur sa mère. Puis la dernière fois, la veille de son départ avec Gerhard. Si elle avait pu savoir qu'ils se sépareraient pour toujours...

— Fräulein...

Le regard rivé sur le lac bleuté, elle feignit de ne pas entendre.

— Il est temps de partir, ajouta von Tripp.

Comme elle s'apprêtait à le suivre, elle se souvint de la raison pour laquelle elle avait désiré entrer. Le livre.

Elle considéra les rayonnages comme au hasard, sachant pertinemment où se trouvait l'ouvrage qu'elle souhaitait prendre. Le lieutenant la regardait, avec l'espoir qu'elle ne tenterait aucun geste désespéré qui l'obligerait à la dénoncer ou la rendrait à sa cellule. Mais elle se contentait d'effleurer le dos de quelques livres reliés en cuir.

— Je peux en emporter un ?

— Je suppose que oui.

C'était sans conséquence et il avait hâte de regagner son bureau à Berlin.

— Mais dépêchez-vous. Voilà près d'une heure que nous sommes ici.

— Oui, pardonnez-moi... Je prends celui-ci.

Après avoir examiné trois ou quatre volumes, elle avait arrêté son choix sur le théâtre de Shakespeare, traduit en allemand. Manfred considéra le titre, hocha la tête puis ouvrit la porte.

— Après vous, Fräulein.

— Merci, lieutenant.

La tête haute, elle sortit dans le couloir, priant pour que son expression victorieuse ne la trahisse pas. Dans le livre reposait le seul trésor qui lui restait : la chevalière incrustée de diamants et la bague de fiançailles montée d'une émeraude. Elle glissa le volume dans la poche profonde de son manteau en tweed brun, où nul ne le verrait, où elle ne risquerait pas d'égarer son dernier bien. Les bagues de sa mère et le livre de son père, voilà tout ce qu'elle conservait de sa vie passée. Mille souvenirs l'assaillirent tandis qu'elle traversait le hall.

La valise heurtait lourdement ses jambes, faisant d'elle une exilée là où elle avait été autrefois maîtresse. Soudain, une porte s'ouvrit sur sa droite et un uniforme bardé de médailles apparut.

— Fräulein von Gotthard, quel plaisir de vous voir !

Elle dévisagea l'homme avec étonnement, trop surprise pour être dégoûtée. C'était le vieux général Ritter, qui régnait maintenant en maître sur la demeure de son père. Il lui offrit son bras, comme s'il la rencontrait pour prendre le thé.

— Comment allez-vous ?

Elle répondit machinalement et l'officier s'empressa de lui prendre la main, plongeant dans les yeux bleus puis souriant comme à une pensée des plus plaisantes.

— Je suis très heureux de vous revoir.

Elle ne répondit pas. Il pouvait se montrer heureux, se dit-elle avec amertume. N'était-il pas le fier occupant de leur demeure ?

— Cela remonte à tellement longtemps.

— Vraiment ? répliqua-t-elle, ne se rappelant pas l'avoir déjà rencontré.

— Oui, je crois que la dernière fois que nous nous sommes vus, vous aviez... oh... environ seize ans... lors d'un bal à l'Opéra. Vous étiez ravissante, précisa-t-il, les yeux brillants.

Un instant, Ariana parut absente. Son premier bal... Où elle avait rencontré cet officier qui lui plaisait tant... Et père n'avait guère apprécié ce... comment s'appelait-il, déjà ?

— Vous ne devez pas vous en souvenir, reprit Ritter. C'était il y a trois ans à peu près.

Elle s'attendait presque à ce qu'il lui pince la joue et le dégoût la saisit. Mais elle fut heureuse d'avoir reçu une éducation qui lui permettait de feindre et de subir. Finalement, elle avait une dette envers Hedwig.

— Oui, je m'en souviens, répondit-elle d'un ton morne.

— Ah oui ? se rengorgea le général, aux anges. Oh ! il faudra que vous veniez ici de temps en temps. Peut-être à l'occasion d'une petite réception.

Sa voix était mielleuse et Ariana en éprouva une nausée subite. Plutôt mourir que de revenir en hôte dans une maison qui avait été la sienne. À mesure qu'elle entrevoyait ce que serait son destin, la mort lui devenait de plus en plus attrayante. Elle ne répondit pas et ses yeux bleus ne regardaient plus le général quand il tendit la main pour lui toucher le bras.

— Oui, oui, j'espère bien que nous vous reverrons ici. Nous allons donner de nombreuses petites fêtes, Fräulein. Vous vous devez d'y assister. Après tout, c'était votre maison.

Elle l'est encore, ignoble personnage ! Réprimant son envie de lui hurler ces mots à la figure, elle abaissa les yeux afin de ne rien montrer de la rage qui bouillonnait dans son cœur.

— Merci.

Le général regarda von Tripp d'un air significatif avant d'adresser un signe vague à l'aide de camp qui se tenait derrière lui.

— Pensez à appeler von Rheinhardt pour lui dire... que... enfin... lui transmettre une... invitation pour Fräulein von Gotthard. Évidemment si elle n'est pas déjà... conviée ailleurs.

Cette fois, il serait prudent. La dernière fille qu'il avait ajoutée à son cheptel, il l'avait soufflée au nez d'un autre général. L'incident avait causé plus de remous que la fille n'en méritait. Et bien que celle-ci soit jolie, il avait déjà assez de soucis sur les bras. Une gentille petite pucelle ne comptait pas parmi ses priorités. Néanmoins, il serait content de l'avoir, en plus des autres. Il lui adressa un dernier sourire, salua et disparut.

La valise était sur la banquette arrière. Bien qu'elle gardât la tête haute, Ariana pleurait, sans plus se soucier de cacher ses larmes au lieutenant. Qu'il voie au contraire. Que tous voient ce qu'elle éprouvait par leur faute. Ce qu'elle ne remarqua pas en revanche, alors qu'elle jetait un dernier coup d'œil à sa maison, ce fut que des larmes brillaient aussi dans les yeux de Manfred von Tripp. Le lieutenant n'avait que trop compris le message sibyllin du général. Ariana von Gotthard allait venir fleurir le harem du vieux libidineux. À moins que quelqu'un ne la réclame d'abord.

17

TARD cet après-midi-là, von Rheinhardt fit irruption dans le bureau de Manfred et darda sur son subordonné un regard irrité.

— C'est terminé avec la fille ?

— Oui, mon capitaine.

— Vous l'avez conduite à Grunewald pour qu'elle prenne ses affaires ?

— Oui, mon capitaine.

— Jolie maison, hein ? Le général a de la chance. Il ne me déplairait pas d'en avoir une pareille.

Pourtant il n'était pas logé à si mauvaise enseigne. Sa famille jouissait d'une vue sur le lac, le château de Charlottenburg ayant eu l'honneur d'être réquisitionné pour son usage personnel.

Il continua d'entretenir Manfred sur d'autres sujets. Hildebrand ne cessait de répondre au téléphone. De temps en temps, Manfred se surprenait à se demander s'il s'agissait cette fois de l'aide de camp du général Ritter réclamant la fille. Aussitôt il s'obligeait à n'y plus penser. En quoi cela le concernait-il ? Elle n'était rien pour lui, juste une jeune femme précipitée dans une époque brutale, qui avait perdu famille et foyer. Et alors ? Des milliers d'autres subissaient le même sort. Et si elle était assez attirante pour retenir l'attention d'un général, elle devrait apprendre à s'adapter à ce genre de situation. C'était une chose que de la protéger d'un sous-officier qui voulait la violer dans sa cellule, une autre de la dérober à un général. Il n'en tirerait que des ennuis.

Depuis le début des hostilités, Manfred von Tripp avait prudemment évité tout problème avec ses supérieurs et les autres officiers. Il n'approuvait pas cette guerre mais il servait son pays. Allemand avant tout, il avait chèrement payé les ambitions du Reich. Mais il ne s'insurgeait pas : il se taisait, il endurait. Un jour ce serait fini, il retournerait sur la terre de ses pères, reprendrait possession du château. Château qu'il souhaitait restaurer dans sa splendeur médiévale, dont il voulait louer les fermes, pour rendre vie à la campagne alentour. Là-bas il se souviendrait de Marianna, de son petit garçon et de sa petite fille, de ses parents. Il ne demandait qu'à rester vivant. Il n'attendait rien d'autre, rien des nazis, ni butin ni médaille, ni or ni argent. Ce qu'il avait désiré, ce qu'il avait chéri était mort.

Ce qui le troublait pourtant, tandis qu'il restait assis à son bureau à tendre l'oreille, c'était qu'elle fût si jeune, si innocente. En un certain sens leurs vies se ressemblaient maintenant, mais il avait trente-neuf ans et elle dix-neuf. Il avait tout perdu mais ne s'était jamais trouvé dans le dénuement qu'elle connaissait. S'il avait souffert le martyre, il n'avait pas connu la peur et la solitude qu'elle endurait... De plus Manfred avait entendu les histoires qui couraient sur le genre d'amusement auquel se livrait le vieux général. Un peu de perversion, un peu de brutalité, un peu de fouet, un peu... Y penser le rendait malade. Qu'avaient-ils tous ? Qu'arrivait-il aux hommes qui faisaient la guerre ? Dieu, il était las de cela. Las de tout.

Quand le capitaine eut quitté le bureau, il jeta sa plume sur la table et se cala sur son siège en soupirant. Ce fut alors qu'arriva l'appel du général, de son aide de camp plus exactement, qui parla à Hildebrand. Celui-ci raccrocha le combiné en ricanant, après avoir noté que le capitaine von Rheinhardt devait rappeler le quartier de Ritter le lendemain matin.

— Pour une fille. Fichtre, ce type va finir la guerre avec sa propre armée... une armée de femmes !

— Son aide de camp a-t-il nommé la fille ?

Le sous-lieutenant répondit par la négative.

— Il a dit qu'il s'arrangerait avec le capitaine. À moins qu'il soit trop tard, a précisé l'aide de camp. D'après le général, la friandise ne va pas rester longtemps dans la vitrine du pâtissier. Peut-être n'y est-elle déjà plus. Connaissant Ritter, souhaitons-lui d'être déjà casée. Je me demande qui c'est, cette fois.

— Allez savoir.

Après l'appel téléphonique, Manfred ne cessa de s'agiter sur son siège. Hildebrand s'étant absenté jusqu'au lendemain, il resta deux heures encore, assis à son bureau, incapable de chasser de son esprit et l'image de la jeune fille et les propos du sous-lieutenant. Le général voulait Ariana... à moins que la friandise ne soit plus chez le pâtissier... Il resta ainsi, comme paralysé, puis, pris d'une soudaine hâte, attrapa son pardessus, éteignit les lampes et dévala les escaliers.

18

À LA caserne, le lieutenant Manfred von Tripp trouva aisément Ariana von Gotthard. Il avait pensé la demander au bureau mais cette démarche ne s'avéra pas nécessaire. La jeune fille était dehors en train de ramasser les feuilles pour les porter à grandes brassées dans un bidon, après quoi elle devrait les brûler. De toute évidence, c'était la première fois de sa vie qu'elle se livrait à un quelconque labeur manuel.

— Fräulein von Gotthard.

Il arborait une attitude sévère, épaules et tête bien droites, tel un homme qui s'apprête à faire une déclaration capitale ; Ariana l'eût-elle mieux connu, elle eût discerné la peur qui brillait dans son regard. Ce n'était pas le cas. Elle ne connaissait pas du tout Manfred von Tripp.

— Oui, lieutenant ? articula-t-elle d'un ton las, chassant de son visage une longue mèche blonde.

Sans doute s'imagina-t-elle qu'il venait lui donner de nouveaux ordres. Elle avait nettoyé à fond deux salles de bains, lavé les plateaux du mess, transporté des boîtes du dernier étage jusqu'au rez-de-chaussée, et maintenant les feuilles mortes. Son après-midi n'avait pas été particulièrement oisif.

— Ayez la gentillesse d'aller chercher votre bagage.

— Mon quoi ? demanda-t-elle sans comprendre.

— Votre valise.

— Je n'ai pas le droit de la garder ?

Quelqu'un allait-il la lui prendre pour en avoir admiré le cuir et la façon ? Elle conservait sur elle, dans son manteau, le petit volume de Shakespeare avec son compartiment secret. Lorsqu'il lui avait fallu le laisser dans sa chambre, elle l'avait dissimulé dans un ballot de linge sous le lit : le seul endroit auquel elle ait pensé dans sa précipitation avant qu'on lui assigne des tâches. La surveillante, une forte femme dotée d'une voix de sergent instructeur, l'avait terrorisée tout l'après-midi.

— On réclame ma valise maintenant ? fit-elle avec un franc mépris. Eh bien, qu'ils la prennent. Je ne bougerai pas d'ici avant un moment.

— Vous m'avez mal compris, reprit Manfred d'une voix aimable qui contrastait avec l'hostilité d'Ariana.

Elle ne devait pas oublier que c'était l'homme qui l'avait secourue face à Hildebrand, et non se contenter de l'assimiler à tous les autres. Mais lui aussi faisait partie intégrante de son cauchemar et elle ne parvenait pas à le distinguer de ses pareils. Elle ne croyait plus en rien ni en personne. Pas même en ce grand officier tranquille qui en ce moment la considérait avec gentillesse mais fermeté.

— Vous faites erreur, Fräulein. En fait, vous partez ailleurs.

D'abord elle le dévisagea avec une terreur soudaine. Qu'allait-il arriver encore ? Allait-on l'interner dans un camp ? Puis elle éprouva une joie violente... Oh ! était-ce possible ?

— Ils ont retrouvé mon père ?

Elle lut la réponse dans le regard consterné de von Tripp.

— Je suis désolé, Fräulein.

Pour avoir vu la terreur sur son visage, il adoptait une voix plus douce.

— Vous serez à l'abri.

Pour un temps, tout au moins. Ce qui n'était pas négligeable en cette période de trouble. D'ailleurs, qui pouvait se prétendre à l'abri ? Depuis un an les bombes ne cessaient de pleuvoir.

— Que voulez-vous dire, à l'abri ?

Les mains cramponnées à son râteau, elle le scrutait avec crainte, suspicion.

— Faites-moi confiance et allez chercher votre valise. Je vous attends dans le grand hall.

Mais il avait beau tenter de la rassurer, elle continuait de le considérer avec terreur et désespoir.

— Que vais-je dire à la surveillante ? Je n'ai pas terminé ici.

— Je lui expliquerai.

Sur un hochement de tête, Ariana entra dans le bâtiment, et Manfred la suivit des yeux en se demandant bien ce qu'il faisait. Était-il aussi fou que le général ? Non, rien de comparable, se dit-il. Il n'agissait que pour la protéger. Pourtant lui aussi subissait son charme. Il n'était pas insensible à la beauté que voilaient ces vêtements grossiers et cette détresse. Il en faudrait peu pour rendre à ce diamant son ancien éclat, mais ce n'était pas là son but, ce n'était pas la raison pour laquelle il l'emmenait à Wannsee ce soir. Il l'emmenait pour la sauver du général, faire disparaître la friandise qu'elle représentait. À Wannsee, Ariana von Gotthard serait à l'abri.

Il expliqua brièvement à la surveillante que la jeune fille était transférée, insinuant subtilement qu'il s'agissait plus d'un caprice individuel que d'une décision militaire. La surveillante comprit parfaitement. La plupart des filles du genre d'Ariana étaient emmenées par des officiers en l'espace de quelques jours. Seules les laides restaient pour la seconder, et dès qu'elle avait vu Ariana elle avait subodoré que cela ne durerait pas. À dire vrai, c'était aussi bien. Une fille trop menue, trop délicate pour abattre tant de travail. Elle salua le lieutenant et désigna une autre victime pour aller ramasser les feuilles.

Moins de dix minutes plus tard, Ariana était de retour dans le hall, la main crispée sur sa valise. Sans un mot, Manfred tourna les talons et sortit rapidement du bâtiment en s'attendant à ce qu'elle le suive, ce qu'elle fit. Il ouvrit la porte de sa Mercedes, casa la valise à l'arrière du véhicule. Lorsqu'il s'installa au volant, Manfred von Tripp paraissait satisfait pour la première fois depuis longtemps.

Ariana ne comprenait toujours pas de quoi il retournait et, durant le trajet, regarda la ville avec curiosité. Au bout d'une vingtaine de minutes, elle s'aperçut qu'ils roulaient en direction de Wannsee. Avant qu'ils n'atteignent la demeure de Manfred, elle avait compris. Voilà pourquoi il l'avait sauvée ce soir-là dans sa cellule. Se servait-il du fouet lui aussi ? La cicatrice qu'il portait au visage lui venait-elle de là ?

Quelques instants plus tard, il se garait devant une petite maison, convenable et sans prétention. À l'intérieur, tout était noir. Manfred fit signe à sa passagère de descendre et attrapa la valise sur le siège arrière tandis qu'elle marchait vers la porte d'entrée, le dos raide, évitant de croiser son regard. Il avait arrangé les choses de façon charmante ; apparemment, il se l'était appropriée. Pour de bon, s'interrogea Ariana, ou seulement pour la nuit ?

Il déverrouilla la porte, fit signe à la jeune fille d'entrer et la suivit à l'intérieur où il fit jouer l'interrupteur électrique. La femme de ménage étant venue le matin, l'ordre et la propreté régnaient dans le salon dépourvu d'apparat mais que les livres et les plantes, ainsi que le tas de bûches près de la cheminée, rendaient chaleureux. Il y avait des photographies, de ses enfants principalement, et un journal plié sur le bureau. Les grandes portes-fenêtres donnaient sur un jardin encore fleuri, tout comme celles du petit fumoir et de la minuscule et accueillante salle à manger. Un étroit escalier en bois, habillé d'un tapis maintenant usé, partait vers l'étage au plafond bas.

Comme s'il s'attendait à ce qu'elle comprît ses intentions, Manfred passait sans mot dire d'une pièce à l'autre, ouvrant toutes les portes. Au pied de l'escalier, il parut hésiter un instant et plongea son regard dans les yeux courroucés de la jeune fille. Elle n'avait quitté ni son manteau ni ses gants ; ses cheveux s'échappaient en boucles dorées de son chignon serré. Sa valise était restée près de la porte d'entrée.

— Je vous accompagne là-haut, déclara doucement Manfred.

Et il lui fit signe de le précéder car il la devinait trop craintive, trop en colère pour vouloir la perdre de vue. Il la considérait comme une enfant imprévisible.

Deux portes seulement ouvraient sur le palier. Portes menaçantes pour la jeune fille qui les fixa avec terreur. Puis ses yeux immenses se portèrent sur les mains de Manfred, ensuite sur son visage.

— Venez, fit-il.

C'est en vain qu'il adoptait un ton rassurant : elle était apeurée. Comment lui expliquer la raison de son acte ? Mais il ne doutait pas qu'elle finirait par comprendre.

Il ouvrit la porte de sa chambre, pièce à l'aménagement sobre où dominaient les tons bleus et bruns. Rien n'était bien luxueux dans la demeure, mais ce confort était précisément ce qu'il cherchait quand il avait décidé de trouver à se loger à Berlin. Ici, il pouvait échapper à tout, s'installer tranquillement devant le feu le soir, fumer, lire. Or au lieu d'apprécier le décor inoffensif, Ariana ouvrait des yeux ronds et demeurait là, les bras ballants.

— C'est ma chambre.

— Oui, acquiesça-t-elle en le dévisageant avec une horreur impuissante.

Il passa devant elle, alla ouvrir l'autre porte qu'elle avait supposé être celle d'un placard et disparut à l'intérieur.

— Par ici, je vous prie, invita-t-il.

Tremblante, elle le suivit pour découvrir qu'il s'agissait en fait d'une autre pièce pourvue d'un lit, d'un fauteuil, d'une table, d'un tout petit bureau ; la chambre eût mieux convenu à un enfant, cependant ses coquets rideaux et le couvre-lit, dont les roses imprimées étaient assorties au papier peint, avaient quelque chose de rassurant.

— Et voici *votre* chambre, Fräulein.

Il la regardait gentiment mais s'aperçut qu'elle ne comprenait toujours pas. Son regard dégageait la même souffrance.

— Pourquoi ne pas vous asseoir, Fräulein von Gotthard ? Vous avez l'air épuisée.

Elle s'assit au bord du lit, toute raide.

— Je vous dois une explication car, apparemment, vous ne comprenez pas.

Soudain il n'était plus le sévère officier qui l'avait maintes fois conduite le long des couloirs et dans les escaliers interminables ; il ressemblait au genre d'homme qui rentre chez lui le soir, dîne, s'installe devant le feu de cheminée et s'endort sur son journal tant il est fatigué. Néanmoins, la jeune fille restait sur sa réserve craintive.

— Je vous ai amenée ici car j'ai pensé que vous couriez un danger.

Sans hâte, il se cala dans le fauteuil et pria pour qu'Ariana se détende. Il était impossible de lui parler tant qu'elle s'entêtait dans cette attitude.

— Vous êtes une très jolie femme, Fräulein von Gotthard, une très jolie jeune fille devrais-je dire. Quel âge avez-vous ? Dix-neuf ans je crois ?

— C'est exact, souffla-t-elle.

— Bon, pour certains c'est sans aucune importance...

Le sourire de Manfred céda un moment la place à la gravité.

— Comme notre ami Hildebrand, par exemple, qui se ficherait que vous ayez douze ans. Puis il y en a d'autres...

Si vous étiez un peu plus âgée, si vous aviez un peu vécu avant que le malheur ne s'abatte sur vous, vous sauriez à peu près vous défendre. Il se rembrunit sous le regard d'Ariana. Il avait davantage l'air d'un père que d'un homme qui s'apprêtait à la mettre dans son lit et à la violer. Lui la revoyait en train de ramasser les feuilles mortes ; une gamine, à qui l'on aurait à peine donné quatorze ans.

— Est-ce que vous comprenez, Fräulein ?

— Non, monsieur.

Elle était livide, ses yeux lui mangeaient le visage. Envolée la jeune femme qui avait tenté de tenir tête à von Rheinhardt au début. Ce n'était plus une femme, mais une enfant.

— Bon. Il se trouve que j'ai appris ce soir que vous risquiez d'être... euh... envoyée auprès du général.

Un nouvel éclair de terreur passa dans le regard d'Ariana mais Manfred prévint toute réaction en levant la main.

— J'ai estimé que ce serait démarrer votre vie d'adulte sous des auspices peu favorables. Aussi vous ai-je amenée ici, Fräulein.

— Vont-ils m'emmener chez lui demain ?

Elle le dévisageait avec appréhension et il s'efforçait de ne pas remarquer l'or parfait de sa chevelure.

— Vraisemblablement non. Le général ne se donne jamais beaucoup de mal pour quoi que ce soit. Si vous étiez restée à la caserne, il vous aurait fait venir à Grunewald, mais puisque vous êtes partie, vous n'avez rien à craindre. Ai-je eu tort ? Auriez-vous accepté de le rejoindre afin de revenir sous votre toit ?

Ariana secoua tristement la tête.

— Je n'aurais pas supporté de voir ma maison occupée par des étrangers et... je préférerais mourir plutôt qu'être à lui, conclut-elle en bredouillant.

Manfred ne put s'empêcher de rire en voyant son regard critique, comme si elle cherchait à deviner ce qu'elle gagnait au change. Il devina fort bien ce qu'elle pensait. Du moins avait-elle compris qu'il n'allait pas se jeter sur elle pour lui arracher ses vêtements.

— L'arrangement vous convient-il, Fräulein ?

— Sans doute.

S'attendait-il à ce qu'elle le remercie de la prendre pour maîtresse au lieu de la livrer au général ?

— Je suis désolé que ce genre de chose se produise. Cette guerre a été affreuse... pour nous tous, dit-il pensivement. Venez que je vous montre la cuisine.

Quand il l'interrogea sur ses talents de cuisinière, elle répondit avec un sourire :

— Je n'ai jamais cuisiné. Ce n'était pas nécessaire.

Chez elle, il y avait toujours eu des domestiques pour cela.

— Peu importe, je vous apprendrai. Je ne vous ferai pas ramasser les feuilles mortes ni récurer les toilettes — une femme de ménage s'en occupe —, mais j'apprécierais fort que vous prépariez les repas en contrepartie de notre arrangement. Vous en croyez-vous capable ?

Ariana se sentit tout à coup terriblement lasse. Désormais elle était sa concubine, son esclave.

— Je suppose que oui, fit-elle dans un soupir. Et pour la lessive ?

— Vous ne vous occuperez que de votre propre linge. Cela et la cuisine.

C'était un faible prix à payer pour sa sécurité. La cuisine, et devenir sa maîtresse. Voilà le marché tel qu'elle le comprenait.

Elle se tint sagement auprès de lui tandis qu'il lui apprenait à préparer les œufs, griller le pain, cuire carottes et pommes de terre. Ensuite, il la laissa faire la vaisselle. Elle l'entendit mettre du bois dans la cheminée et allumer le feu, puis elle le vit s'asseoir paisiblement à son bureau pour écrire. De temps à autre, il contemplait la photographie de l'un des enfants, puis il baissait de nouveau la tête et sa plume se remettait à courir sur le papier.

— Aimeriez-vous un thé, monsieur ?

Elle se fit l'effet d'être dans la peau d'une de ses anciennes servantes mais, se rappelant qu'elle n'avait quitté que ce matin l'affreuse cellule, elle éprouva une gratitude soudaine à se trouver dans la maison du lieutenant.

— Monsieur ?

— Oui, Ariana ?

Aussitôt il s'empourpra légèrement. C'était la première fois qu'il l'appelait par son prénom. Mais il avait l'esprit ailleurs. Elle ne sut trop s'il avait dit Ariana ou Marianna.

— Pardonnez-moi, fit-il.

— C'est sans gravité. Je vous demandais si vous désiriez un thé.

— Oui, merci.

Il aurait préféré du café mais c'était devenu un luxe quasiment impossible à obtenir.

— Et vous, vous en prenez ?

Elle n'avait pas osé se servir une tasse du précieux breuvage mais, à la requête de Manfred, courut dans la cuisine se chercher une tasse. Pendant un moment, elle se contenta de humer le contenu de sa tasse. Voilà un mois qu'elle rêvait de ce genre de douceur.

— Je vous remercie.

Comment sonnait son rire ? s'interrogea Manfred. L'entendrait-il jamais ? À deux reprises dans la soirée, elle lui avait adressé son éblouissant sourire. La regarder lui déchirait le cœur. Elle restait si désespérément grave, si malheureuse, les yeux et le visage marqués par ses récentes épreuves. Comme elle détaillait la pièce autour d'elle, son regard s'arrêta sur les photographies.

— Vos enfants, lieutenant ?

Elle l'observait avec curiosité. En réponse à sa question, Manfred se contenta d'acquiescer puis lui suggéra de se resservir une tasse de thé. Pendant ce temps, il alluma sa pipe et étira ses longues jambes devant le feu.

Ils demeurèrent ainsi jusqu'à près de onze heures, sans beaucoup parler, Ariana s'accoutumant lentement à son nouvel environnement, le lieutenant goûtant la présence d'un autre être de chair et de sang sous son toit. Maintenant il laissait son regard revenir sur elle et il l'observait qui contemplait le feu, rêveuse, comme enfuie vers un passé révolu. À onze heures, il se leva et entreprit d'éteindre les lampes.

— Je dois me lever tôt demain matin.

Comme à un signal, Ariana se leva aussi, apeurée à nouveau. Qu'allait-il se passer à présent ? L'instant qu'elle avait redouté toute la soirée était arrivé.

Manfred attendit qu'elle eût quitté la pièce puis la suivit. Quand ils furent à l'étage, il hésita longuement avant de lui tendre la main, avec un faible sourire. Elle le dévisagea avec stupéfaction avant de songer à tendre la main en retour.

— Je souhaite, Fräulein, que nous soyons amis un jour. Vous n'êtes pas prisonnière ici, vous savez. Cela m'a simplement paru la solution la plus sage... pour votre sécurité. J'espère que vous comprenez.

Progressivement, la peur d'Ariana se dissipa et elle finit par lui sourire.

— Vous voulez dire...

— Oui, c'est ce que je veux dire.

À la douceur du regard de Manfred, elle comprit que c'était un homme bon.

— Pensiez-vous vraiment que j'allais me substituer au général ? Ne trouvez-vous pas que c'eût été un peu injuste et lâche ? Je vous l'ai dit, vous n'êtes pas ma prisonnière. D'ailleurs... ajouta-t-il en s'inclinant fort courtoisement, je vous considère comme mon invitée. Bonne nuit, Fräulein.

Stupéfaite, Ariana ne sut que répondre. Il entra dans sa chambre et referma doucement sa porte ; elle gagna l'autre côté du palier.

19

— Eh bien, où diable est-elle passée ? s'exclama von Rheinhardt, en fixant Hildebrand avec exaspération. Von Tripp a dit l'avoir conduite à la caserne hier. Avez-vous demandé à la surveillante ?

— Non, elle n'était pas dans son bureau.

— Retournez-y. J'ai mieux à faire que de me soucier de ce genre de bagatelle.

Hildebrand revint trouver le capitaine une heure plus tard

tandis que von Tripp s'acquittait des tâches qu'il n'avait pu terminer la veille.

— Qu'a-t-elle dit ? lança le capitaine au sous-lieutenant depuis son bureau.

Rien ne tournait rond pour lui aujourd'hui ; il se moquait comme d'une guigne du général et de la gamine von Gotthard. Ils en avaient terminé avec elle ; son sort désormais ne l'intéressait plus. Si le général Ritter en pinçait pour elle, qu'il se débrouille tout seul. Qu'il envoie son aide de camp la chercher.

— Elle est partie, annonça Hildebrand.

— Comment ça « partie » ? s'écria von Rheinhardt, furieux. Vous voulez dire qu'elle s'est enfuie ?

— Du tout, mon capitaine. Quelqu'un l'a emmenée. Un officier, d'après la surveillante, mais elle ne sait pas de qui il s'agit.

— Avez-vous consulté le registre ?

— Non. Dois-je y retourner ?

— Laissez tomber. Si elle est partie, elle est partie. Il en trouvera dix autres la semaine prochaine. Et la passade lui aurait peut-être coûté trop cher. Il est possible, quoique improbable, que son père réapparaisse un jour. Alors, imaginez si Ritter l'avait prise dans son harem !

Von Rheinhardt leva les yeux au ciel et Hildebrand se mit à rire.

— Vous pensez vraiment que son père est encore en vie ? s'enquit le sous-lieutenant avec intérêt.

— Non, lâcha le capitaine.

Et avec un haussement d'épaules, il renvoya son subordonné au travail. Tard dans l'après-midi, le capitaine se rendit lui-même à la caserne afin d'avoir une petite conversation avec la surveillante. Elle lui montra le registre des sorties et von Rheinhardt obtint alors l'information qu'il était venu chercher. Le nom inscrit sur le livre l'intrigua et le rendit songeur à la fois. Apparemment, von Tripp avait fini par reprendre goût à la vie. Longtemps il avait soupçonné que le lieutenant ne se remettrait jamais de la perte de sa femme et de ses enfants, ni de la blessure qu'il avait subie au Noël précédent. L'homme avait paru renoncer à la vie. Renfermé dans sa coquille, il ne participait jamais à aucune réjouissance. Mais peut-être à présent... intéressant... Le capitaine s'en était vaguement douté, voilà pourquoi il s'était rendu à la caserne. Peu de choses échappaient à sa vigilance.

— Von Tripp ?

— Mon capitaine ?

Manfred leva un regard surpris sur von Rheinhardt car il ne l'avait pas vu entrer. Pas plus qu'il ne l'avait vu sortir une demi-heure auparavant, occupé qu'il était à rechercher des dossiers mal rangés.

— J'ai à vous parler dans mon bureau, lieutenant.

Manfred le suivit, légèrement mal à l'aise. Son supérieur alla droit au but.

— Manfred, il se trouve que j'ai consulté par hasard le registre à la caserne.

Tous deux savaient pertinemment que le capitaine ne faisait jamais rien « par hasard ».

— Ah ?

— Oui, « ah ». Elle est avec vous ?

— En effet, reconnut Manfred.

— Puis-je vous demander pourquoi ?

— Je la voulais, mon capitaine.

Von Rheinhardt ne se formalisait pas de ce genre de réponse crue.

— Je peux vous comprendre, évidemment, mais saviez-vous que le général la voulait, lui aussi ?

— Non, mon capitaine, rétorqua Manfred. Non, je l'ignorais. Bien que nous ayons brièvement croisé le général dans la maison de Grunewald hier. Mais il n'a pas paru...

— C'est bon, c'est bon, peu importe.

Les deux hommes se regardèrent durant un long moment.

— Je pourrais vous obliger à la céder à Ritter, vous le savez, reprit von Rheinhardt.

— J'espère que vous n'en ferez rien, mon capitaine.

Cette fois, le silence entre eux fut bien plus long.

— Non, je ne le ferai pas, von Tripp, conclut von Rheinhardt. Il est plaisant de vous voir revenir à la vie, ajouta-t-il avec un large sourire. Voilà des mois que je vous serine que c'est ce dont vous avez besoin.

— Oui, mon capitaine.

Bien qu'il sourît en retour, Manfred avait envie de gifler son supérieur.

— Je vous remercie, mon capitaine.

— De rien. Pour une fois que Ritter a ce qu'il mérite... continua-t-il en pouffant. Il est le plus vieux de nous tous et c'est toujours lui qui prend les filles les plus jeunes. Ne vous faites aucun souci, j'en trouverai une autre à lui envoyer, qui le rendra heureux durant quelques semaines.

Avec un rire entendu, il congédia Manfred.

Voilà... il avait gagné, et par la grâce du capitaine en fin de compte. Il poussa un long soupir de soulagement en regagnant son bureau et s'aperçut alors qu'il était l'heure de rentrer chez lui.

— Lieutenant ?

La jeune fille apparut dans l'entrée, le visage auréolé de ses jolis cheveux dorés souplement rassemblés en chignon ; dans la pénombre, ses grands yeux bleus cherchaient nerveusement à identifier l'arrivant.

— Bonsoir, Ariana.

Il paraissait terriblement distant tandis qu'elle se tenait devant lui, inquiète et sans défense.

— Est-ce que..., balbutia-t-elle, une lueur de crainte dans le regard.

— Tout est arrangé, lui annonça Manfred.

— Étaient-ils très en colère ?

Les yeux bleus semblaient plus grands encore qu'à l'ordinaire, comme si toutes ses terreurs du mois écoulé s'y étaient condensées. Il savait combien elle était courageuse, il l'avait vu maintes fois, mais aujourd'hui elle ne paraissait plus qu'une enfant sans défense.

— Tout va bien, je vous le répète. Vous resterez à l'abri ici.

Elle n'osa lui demander pour combien de temps.

— Merci, souffla-t-elle. Voulez-vous du thé ?

— Oui. Si vous en prenez aussi, ajouta-t-il.

Sur un acquiescement muet, elle disparut dans la cuisine. Un moment plus tard elle revenait avec un plateau supportant deux tasses fumantes. En vérité, elle s'était déjà accordé une tasse de thé dans l'après-midi alors qu'elle errait sans but dans le salon, regardant les livres, songeant de nouveau à son père et à Gerhard. À peine si elle pouvait cesser de penser à eux. D'ailleurs l'inquiétude et la peine se reflétaient encore dans ses yeux. L'observant avec douceur, Manfred reposa sa tasse. Il se sentait incapable de lui prodiguer des paroles réconfortantes, ne sachant que trop ce que pesait le fardeau du deuil. Il prit l'une de ses pipes.

— Qu'avez-vous fait aujourd'hui, Fräulein ?

— Je... rien... j'ai un peu regardé vos livres.

Il se remémora la magnifique bibliothèque qu'il avait vue chez elle la veille, et celle qu'il possédait chez lui voilà bien longtemps. Cette pensée le décida. Prudemment, son regard chercha celui d'Ariana alors qu'il allumait sa pipe.

— C'est une belle maison, Fräulein.

Elle comprit sur-le-champ de quelle demeure il parlait.

— Je vous remercie.

— Un jour, elle vous reviendra. La guerre ne peut durer toujours. Mes parents se sont vu confisquer leur maison, eux aussi.

— Oui ? fit Ariana, son intérêt éveillé. Où était-ce, lieutenant ?

— Aux environs de Dresde. Elle n'a pas été touchée par les bombardements, ajouta-t-il en réponse à la question muette qui avait passé dans les yeux d'Ariana.

Le château était intact... mais tout le reste... tous les autres... tout le monde... les enfants, Théodore et Tatiana... Marianna, sa femme... ses parents, sa sœur, tous... disparus. Comme le père et le frère d'Ariana. Car il était certain qu'ils avaient disparu. À jamais.

— Quelle chance pour vous.

D'abord surpris, il se souvint qu'ils étaient en train de parler de la propriété familiale.

— Oui.

— Et votre famille ?

— Ils n'ont pas eu autant de chance, murmura-t-il.

Ariana attendit, sans briser le silence qui s'était installé.

— Mes enfants... mon épouse... et mes parents...

Il se leva, marcha vers la cheminée, n'offrant plus que son dos à la jeune fille.

— ... tous ont été tués.

— Je suis profondément désolée, murmura-t-elle.

— Autant que je le suis pour vous, Fräulein, dit-il en se retournant vers elle.

Ils demeurèrent longtemps sans bouger, leurs regards rivés l'un à l'autre.

— Est-ce que... articula difficilement Ariana. Est-ce qu'on a reçu des nouvelles ?

Manfred secoua lentement la tête. Il était temps pour elle de faire face à la réalité. Il avait senti que, au fond de son cœur, dans son esprit, elle refusait d'admettre la vérité.

— Je ne pense pas, Fräulein... que votre père vous ait laissée... oubliée. D'après ce que j'ai entendu dire, ce n'était pas ce genre d'homme.

— Je le sais, reconnut-elle d'une voix sourde. Il a dû leur arriver quelque chose.

Aussitôt, elle leva vers lui un regard où brillait une lueur de défi.

— Je les retrouverai après... après la guerre.

Le regard de Manfred se voila de tristesse.

— Je ne le crois pas, Fräulein. Vous devez le comprendre maintenant. L'espoir, le faux espoir, peut être une chose très cruelle.

— Vous savez donc quelque chose ? fit-elle, le cœur battant à tout rompre.

— Rien. Mais... Mon Dieu, réfléchissez. Il est parti pour éviter à votre frère d'intégrer l'armée, n'est-ce pas ?

Elle ne répondit pas. Peut-être ne s'agissait-il que d'une ruse cruelle pour l'amener enfin à trahir son père. Non, elle ne dirait rien. Pas même à cet homme auquel elle n'était pas loin d'accorder sa confiance.

— Bien, ne dites rien. Mais c'est ce que j'en ai déduit. C'est ce que j'aurais fait, ajouta-t-il au grand étonnement d'Ariana. Ce que tout homme sain d'esprit aurait fait pour sauver son fils. Mais sans doute avait-il prévu de revenir pour vous, Ariana. La mort seule a pu l'en empêcher. La sienne et celle de votre frère. Il n'y avait pas moyen de passer en Suisse, pas moyen de revenir. Je suis certain que les gardes-frontière les ont pris. Forcément.

— Et je ne l'aurais pas su ?

Deux larmes roulaient à présent sur les joues d'Ariana ; sa voix n'était plus qu'un chuchotement.

— Pas obligatoirement. Les patrouilles frontalières ne sont pas recrutées parmi nos meilleurs éléments. S'ils les ont tués, ce qui doit être le cas, ils ont dû se contenter de se débarrasser des corps. Je...

Il s'interrompit, embarrassé.

— J'ai tenté de faire quelques recherches, mais je n'ai rien appris, Fräulein. Aussi je pense que vous devez admettre la vérité. Ils ne reviendront pas. Ils sont certainement morts.

La tête baissée, Ariana se détourna lentement et il ne vit plus que ses épaules secouées de sanglots. Sans bruit il quitta la pièce. Un peu plus tard, elle l'entendit entrer dans sa chambre. Elle pleura longuement, puis s'étendit sur le divan et laissa libre cours à sa peine. Pour la première fois depuis le début du cauchemar, elle se laissait aller. Et quand la tourmente fut passée, elle en demeura tout hébétée.

Elle ne revit pas Manfred avant le lendemain matin, et alors elle évita son regard. Elle ne voulait pas voir sa pitié, sa compassion, sa propre peine — la sienne lui suffisait.

Maintes fois, au fil des semaines qui suivirent, Ariana le vit contempler les portraits des enfants, et à chaque fois la douleur lui oppressait le cœur ; elle songeait à Gerhard, à son père, sachant qu'elle ne les reverrait jamais. Et au long de ses après-midi solitaires dans le salon, les visages souriants des enfants de Manfred la hantaient, comme s'ils lui reprochaient d'être là, auprès de leur père, quand eux-mêmes n'y reviendraient plus.

Parfois elle leur en voulait de la fixer de la sorte, la fillette avec ses nattes et ses nœuds de satin blanc, le garçon avec ses cheveux blonds et raides, ses grands yeux clairs dans un visage éclaboussé de taches de rousseur... Théodore... Ce qu'elle leur reprochait le plus, c'était de faire du lieutenant un être humain, de le rendre plus réel. Chose qu'elle refusait. Elle ne voulait ni le connaître ni se soucier de lui. En dépit de ce qu'il lui avait déclaré en l'amenant à Wannsee, il était son geôlier. Elle refusait de le voir sous un autre éclairage. Elle ne voulait rien connaître de ses rêves, de ses espoirs, de ses chagrins, pas plus qu'elle ne souhaitait lui confier les siens. Il n'avait pas le droit de savoir à quel point sa souffrance était profonde. Déjà, il savait trop de choses de sa vie, de sa douleur, de sa vulnérabilité. Il l'avait vue à la merci de Hildebrand dans la cellule, il l'avait vue dire adieu à sa maison. Il en savait trop, et il n'avait pas le droit d'en savoir tant. Personne. Plus jamais elle ne partagerait quoi que ce soit avec quiconque. Manfred devinait en elle cette réserve farouche. Assis soir après soir devant la cheminée, une pipe à la main, il ne parlait que fort peu à cette jeune fille qui se tenait auprès de lui, perdue dans ses pensées, emmurée dans sa peine.

Il y avait trois semaines qu'elle habitait chez lui quand un soir, brusquement, il reposa sa pipe et se leva.

— Aimeriez-vous faire une promenade, Fräulein ?

— Maintenant ?

Elle parut surprise, un peu effrayée. Était-ce un piège ? Où voulait-il l'emmener, et pour quelle raison ? Son expression peina Manfred, qui ne prit que trop la mesure de sa crainte, de sa méfiance, après tous ces jours tranquilles. Il eût fallu une vie entière pour gommer le souvenir de sa captivité. Tout comme il lui faudrait une vie, à lui, pour oublier ce qu'il avait vu lors de son retour chez lui, quand il avait fouillé les ruines de sa maison... Les poupées écrasées sous les madriers et les plâtres, les bibelots en argent, dont Marianna avait été si fière, cabossés, défigurés... ternis... comme ses bijoux... comme leurs rêves. Il chassa ces pensées.

— Vous n'aimeriez pas prendre un peu d'exercice ?

Il savait qu'elle ne s'était jamais aventurée au-delà du jardin tant sa peur était encore vive.

— Et s'il y a un raid aérien ?

— Nous courrons vers l'abri le plus proche. N'ayez crainte, vous serez en sécurité avec moi.

Elle se sentait ridicule de discuter avec lui : il avait la voix sourde et calme, le regard si doux. Elle acquiesça. Depuis près d'un mois qu'elle demeurait chez Manfred, elle avait à peine osé faire quelques pas dehors, encore en proie à toutes sortes de terreurs. Ce soir seulement, Manfred comprenait à quel point elle était effrayée. Il la regarda mettre son manteau, avec ce regard — Ariana ne pouvait le savoir — qu'il avait autrefois pour la petite Tatiana quand elle avait peur.

— L'air nous fera du bien à tous les deux, dit-il.

Toute la soirée, il avait bataillé contre ses pensées. Cela lui arrivait de plus en plus fréquemment. Il ne pensait pas seulement aux enfants, à ses parents, à son épouse... non, il songeait à autre chose désormais... à Ariana, et ces pensées-là le taraudaient de plus en plus souvent.

— Prête ?

Un peu hagarde, elle le suivit dans la nuit froide et, d'autorité, il glissa la main gantée de la jeune fille au creux de son bras. Ensuite il feignit de ne pas remarquer qu'elle se cramponnait de plus en plus fermement à sa manche à mesure qu'ils avançaient.

— C'est beau, n'est-ce pas ? fit Ariana.

Les yeux levés vers le ciel, elle souriait. Et c'était si rare et si bouleversant qu'il sourit en retour.

— Oui, c'est beau, répondit-il. Et vous voyez, pas d'alerte.

Une demi-heure plus tard néanmoins, alors qu'ils reprenaient le chemin de la maison, les sirènes se mirent à mugir, et les gens sortirent se réfugier dans les abris les plus proches. Manfred saisit la jeune fille par les épaules et l'entraîna à la suite des autres.

Ariana courait, certes, mais dans le fond de son cœur elle se moquait de son sort. Elle n'avait plus de raison de vivre.

Dans l'abri, des femmes pleuraient, des bébés hurlaient, des enfants jouaient. Les adultes étaient toujours plus effrayés que les petits, car ces derniers avaient grandi avec la guerre. L'un bâillait, deux autres fredonnaient une petite chanson, alors que le hurlement des sirènes se prolongeait au-dehors et qu'on entendait tomber les bombes dans le lointain. Au milieu de tout cela, Manfred observait Ariana, son visage paisible, ses yeux tristes ; sans réfléchir, il lui prit la main. Elle ne dit rien, se contenta de tenir cette grande main douce et de regarder toute cette vie qui continuait autour d'elle, se demandant pourquoi ils vivaient tous, pourquoi ils s'entêtaient.

— Je crois que c'est fini, Fräulein.

Il continuait de l'appeler ainsi la plupart du temps. Une fois au grand air, ils rentrèrent rapidement : Manfred avait hâte à présent qu'elle soit en sécurité chez lui. Dans l'entrée, ils demeurèrent un moment face à face, silencieux, à se dévisager avec quelque chose de différent dans le regard. Mais Manfred se contenta de la saluer en silence avant d'aller se coucher.

20

DEBOUT sur une chaise, Ariana s'efforçait désespérément d'attraper une boîte sur l'étagère la plus haute quand Manfred rentra le lendemain soir. Dès qu'il l'aperçut il la rejoignit, saisit la boîte, la lui tendit puis, sans y penser, prit la jeune fille par la taille pour la remettre à terre. Elle rougit légèrement et le remercia, avant de préparer leur thé quotidien. Pourtant, elle éprouvait à son tour un sentiment différent. Une sorte de courant qui n'existait pas auparavant, ou qui existait mais à l'état latent, passait maintenant entre ces deux êtres blessés. Quand elle tendit sa tasse de thé à Manfred, elle avait oublié le sucre et, de nouveau, ses joues s'empourprèrent.

À table, tous deux restèrent silencieux et tendus. Après dîner, Manfred proposa une autre promenade, et celle-ci se déroula sans heurt. Le raid aérien n'eut lieu que plus tard dans la nuit. Tous deux se levèrent très vite mais il était déjà trop tard pour courir à l'abri, aussi trouvèrent-ils refuge dans la cave, engoncés dans leurs peignoirs et chaussés de gros souliers. Manfred conservait une valise de vêtements dans le sous-sol, au cas où il aurait à partir rapidement. Il s'aperçut à cette occasion qu'il n'avait pas proposé à Ariana d'apporter quelques-uns de ses effets. Comme il le lui suggérait, la jeune fille eut un haussement d'épaules dans la semi-obscurité.

— Vous n'avez pas envie de vivre, Ariana ? interrogea-t-il.

— Pourquoi le devrais-je ?

— Parce que vous êtes jeune. Votre vie reste à bâtir. Tout sera possible pour vous quand cette guerre sera terminée.

— Est-ce tellement important ? répliqua Ariana, nullement convaincue.

Elle se remémorait son regard lorsqu'il contemplait les portraits de ses enfants et de sa femme.

— Parce que, vous, vous avez envie de vivre ? reprit-elle.

— Plus qu'avant, oui, avoua-t-il d'une voix sourde. Comme ce sera le cas pour vous, plus tard.

— Pourquoi ? Plus rien ne compte désormais. Et tout cela ne finira jamais.

Ensemble, ils prêtaient l'oreille au sifflement lointain des bombes, mais elle ne semblait pas effrayée, seulement désespérément triste. Elle aurait voulu que les bombes tuent tous les nazis. Alors elle aurait été libre — ou morte.

— Si, ça finira un jour, Ariana. Je vous le promets.

La voix de Manfred était douce dans la pénombre et, comme la veille, il prit la main de la jeune femme dans la sienne. Cette fois, elle en éprouva un émoi qui la traversa tout entière. Il lui tint la main longtemps, avant de l'attirer vers lui. Elle fut incapable de résister à son geste, d'ailleurs elle n'avait pas envie de le repousser. Il l'enveloppa dans une étreinte puissante, et c'était comme si elle avait toujours désiré cet instant. La bouche de Manfred prit doucement la sienne. Le fracas des bombes se tut ; elle n'entendit plus que le battement du sang dans ses oreilles. Il la serrait, l'embrassait, la caressait... Le souffle court, elle recula. Il se fit entre eux un silence embarrassé.

— Je suis désolé... désolé, Ariana... Je n'aurais pas dû...

Manfred fut surpris quand elle le fit taire d'un baiser, avant de quitter la cave pour monter à sa chambre.

Le lendemain matin, aucun d'eux ne fit allusion au soir précédent. Mais à mesure que les jours passaient, l'attirance qu'ils avaient l'un pour l'autre s'accentuait et ils avaient de plus en plus de mal à y résister. Jusqu'au matin où Ariana en s'éveillant découvrit Manfred dans sa chambre.

— Manfred ? fit-elle encore ensommeillée, l'appelant sans s'en rendre compte par son prénom pour la première fois. Quelque chose ne va pas ?

Secouant la tête, il approcha du lit. Il portait une robe de chambre en soie bleu sombre sur un pyjama de soie, bleu également. Sur le moment, Ariana ne comprit pas, puis, soudain, la lumière se fit. Elle réalisa qu'elle était tombée amoureuse de son ravisseur, le lieutenant Manfred von Tripp, et le désirait ardemment. De son côté, tout en la contemplant avec amour et tristesse, il se dit qu'il avait commis une erreur terrible. Sans un mot, sans la laisser parler, il tourna les talons et gagna la porte.

— Manfred, que faites-vous... ? Qu'est-ce que...

Il la regarda.

— Je regrette... Je n'aurais pas dû.. Je ne sais pas ce qui...

Elle lui tendit les bras. Non pas comme une enfant, mais comme une femme. Un sourire éclaira le visage de Manfred tandis qu'il revenait lentement vers elle.

— Non, Ariana, vous n'êtes encore qu'une enfant. Je... Je

ne sais pas ce qui m'a pris. J'étais au lit, à songer à vous depuis des heures et... je crois que j'ai un peu perdu la tête.

Sans hâte, Ariana se leva, le regard fixé sur lui, et se tint debout, attendant qu'il la rejoigne, attendant qu'il comprenne. Elle était bouleversante dans sa chemise de nuit de flanelle blanche, avec son pâle sourire.

— Ariana ? souffla Manfred, incrédule.

En un rien de temps il fut contre elle, la prit dans ses bras, leurs bouches se trouvèrent. Elle se lova contre lui.

— Je vous aime, Manfred.

Elle n'en avait rien su avant de prononcer les mots, avant de se presser contre ce cœur qui s'affolait, et c'était pourtant son véritable sentiment. Ils s'allongèrent et Manfred la prit avec la tendresse d'un homme très amoureux. Il l'aima doucement, savamment, longuement.

Jusqu'à Noël, Manfred et Ariana furent parfaitement heureux. La jeune femme passait ses journées dans la maison et dans le jardin, à ranger et à lire ; le soir ils dînaient en tête à tête, se délassaient un peu devant le feu puis gagnaient la chambre bien vite. Là, Manfred l'initiait tendrement aux plaisirs de l'amour. Ils s'aimaient de manière profonde, romantique ; malgré la perte de son père et de Gerhard, Ariana n'avait jamais été aussi heureuse. Quant à Manfred, il était revenu dans le monde des vivants, avec une joie et un humour nouveaux. Ceux qui l'avaient connu après la mort des siens avaient peine à croire qu'il s'agissait du même homme. Leur bonheur était total et seule l'approche de Noël les inquiéta un peu, Noël qui ramenait les fantômes du passé, ceux qui n'étaient plus là pour partager le nouveau bonheur du jeune couple.

— Qu'allons-nous faire pour Noël ? Je n'ai pas envie que nous restions à nous morfondre sur ce qui n'est plus.

Manfred s'était exprimé avec sagesse alors qu'ils prenaient

leur thé du matin au lit. Aujourd'hui, c'est lui qui avait monté le plateau du petit déjeuner.

— Je tiens à célébrer ce que nous avons, reprit-il, et non à pleurer sur ce que nous n'avons pas. À ce propos, qu'est-ce qui te ferait plaisir ?

Il restait encore deux semaines avant Noël, mais depuis huit jours déjà le temps s'était mis au froid sec et mordant.

Ariana lui sourit, une caresse au fond des yeux.

— Tu sais ce que je voudrais pour Noël, Manfred ?

— Dis-moi.

Lorsqu'elle était ainsi, l'or de sa chevelure éparpillé sur les oreillers, sa délicate poitrine dénudée, le regard brillant d'une invitation à l'amour, il avait du mal à résister à son désir.

— Je voudrais un bébé. Ton bébé.

Durant un moment, Manfred se tut. Plus d'une fois cette pensée lui avait traversé l'esprit.

— Tu es sérieuse, Ariana ?

Elle était si jeune. Tant de choses pouvaient changer. Et après la guerre... Il n'aimait pas y songer mais, une fois la guerre finie, quand elle ne serait plus obligée de vivre sous sa protection, peut-être qu'il se présenterait un homme plus jeune et... Il détestait envisager cette perspective.

— Très sérieuse, mon amour, fit Ariana avec gravité. Rien ne me ferait plus grand plaisir que d'avoir un fils de toi.

Il la serra contre lui un long moment, incapable de parler. Lui aussi c'était ce qu'il désirait. Un jour. Mais pas encore. Pas dans cette période terrible.

— Ariana, ma chérie, je te promets que...

Il l'écarta un peu de lui pour la dévisager tendrement.

— ... que dès la fin de la guerre nous aurons un bébé.

— C'est une vraie promesse ?

Elle souriait de bonheur.

— Une promesse solennelle.

Se serrant contre lui, elle partit du rire cristallin qu'il adorait.

— Alors je ne désire rien d'autre pour Noël.

Sa joie était contagieuse et Manfred joignit son rire au sien.

— Mais tu ne peux pas l'avoir tout de suite ! Rien d'autre ne te ferait plaisir ?

— Non. Sauf...

Le dire l'embarrassait. Parler d'avoir un bébé était une chose, faire une demande en mariage à un homme en était une autre. Aussi elle tourna autour du pot, le taquina jusqu'à ce que Manfred menace de lui faire avouer son secret le soir même. Pour sa part, il avait des pensées similaires. Il ne désirait rien de plus au monde que d'épouser Ariana mais il voulait attendre la paix. La guerre ne serait pas éternelle et il était important pour lui de se marier dans le château de ses ancêtres.

Pour les cadeaux aussi tous deux avaient réfléchi sans rien dire et, le matin de Noël, une demi-douzaine de paquets les attendait sous le sapin. L'un contenait un chandail qu'Ariana avait tricoté pour Manfred, un autre un recueil de poèmes qu'elle avait écrits pour lui, le troisième une boîte de ses biscuits préférés, qu'elle avait mis plusieurs matinées à cuisiner avant de les réussir exactement comme il les aimait. Manfred fut ému aux larmes en voyant tout le mal qu'elle s'était donné pour lui faire plaisir.

À ses côtés, la jeune femme contemplait avec bonheur les paquets qui lui étaient destinés, les effleurant l'un après l'autre sans se décider.

— Lequel dois-je ouvrir en premier ?

— Le plus gros.

En fait il en avait caché deux autres de grande taille dans le placard de l'entrée mais il n'avait pas voulu la submerger d'un seul coup. Le premier paquet révéla une robe du soir à dos nu d'un bleu électrique. Après des semaines de jupes sévères, de lourds souliers et de gros chandails, Ariana cria de joie devant l'élégance et la beauté de la robe.

— Oh, Manfred, je la mettrai ce soir pour dîner !

C'était bien ce qu'il avait espéré. Dans le deuxième paquet, elle découvrit un beau collier d'aigues-marines assorti à la robe ; dans le troisième une paire d'escarpins argentés. Parée de tous ces atours, Ariana s'allongea sur leur lit, sirota son thé comme du champagne et se mit à chanter. Manfred riait avec elle en allant chercher les autres cadeaux : une robe de cachemire blanc ainsi qu'une plus sobre en lainage noir. Il lui avait également acheté une paire de chaussures noires, un sac en croco noir et un manteau en lainage très sobre. Elle essaya le tout, débordante de joie et de reconnaissance.

— Comme je vais être élégante, Manfred !

Elle l'étreignit avec ferveur et tous deux se mirent à rire à nouveau.

— Tu es déjà élégante !

Elle portait le collier d'aigues-marines, les escarpins argentés et le manteau de lainage noir sur ses sous-vêtements de dentelle blanche.

— Je dirai même que tu es sensationnelle ! Sauf qu'il manque une chose...

Plongeant la main dans la poche de sa robe de chambre, il en tira le dernier cadeau, celui qui tenait dans une toute petite boîte. Il lança l'écrin à Ariana et la regarda, un sourire aux lèvres.

— Qu'est-ce que c'est ?

— Ouvre.

Elle ouvrit donc, avec précaution, et quand le bijou apparut ses yeux brillèrent de la joie de celle qui se sait aimée. La ravissante bague de fiançailles venait de chez Louis Werner sur le Kurfürstendamm.

— Oh ! Manfred, tu es fou !

— Tu crois ? J'ai pensé que si tu voulais un enfant, il serait préférable que nous nous fiancions d'abord.

— Oh ! Manfred, elle est tellement belle !

— Comme toi.

Il glissa le diamant au doigt de la jeune femme, qui souriait avec béatitude en contemplant le merveilleux bijou, dans l'accoutrement saugrenu qu'elle s'était constitué parmi l'avalanche de cadeaux dont il l'avait couverte.

— Je voudrais que nous puissions sortir, déclara-t-elle en s'appuyant sur un coude. Pour que je puisse montrer tout ce que j'ai reçu.

Jusque-là, ils s'étaient contentés de promenades dans Wannsee ou les alentours qui fourmillaient de petits lacs. Et si parfois ils allaient déjeuner au restaurant, ils avaient surtout vécu en ermites, heureux de leur solitude à deux. Or, tous ces présents réveillaient soudain chez Ariana un désir de renouer avec le monde.

— Tu aimerais vraiment ? s'enquit Manfred, circonspect.

— Oh oui !

— Il y a un bal ce soir.

— Où cela ?

En fait il y en avait plusieurs : Dietrich von Rheinhardt recevait ; le général Ritter donnait une réception dans l'ancienne maison d'Ariana ; une fête avait lieu au quartier général ; deux autres étaient organisées par des officiers. Ils pouvaient aller à l'une ou à l'autre, sauf à la soirée donnée par Ritter, que Manfred préférait éviter.

— Je porterai ma robe bleue, mon collier d'aigues-marines... et ma bague de fiançailles, rêva Ariana à voix haute.

Son sourire radieux se figea lorsqu'elle se rappela tout à coup un secret qu'elle avait toujours caché à Manfred.

— Manfred ? dit-elle d'un ton hésitant.

— Quoi, mon amour ? Quelque chose t'ennuie ? demanda-t-il, surpris par sa soudaine gravité.

— Serais-tu fâché si je te montrais quelque chose ?

Cette question ingénue fit sourire Manfred.

— Comment le savoir tant que tu ne me l'as pas montré ?

— Mais si tu te fâches ?

— Je me contrôlerai.

Elle alla dans son ancienne chambre pour revenir bientôt avec le livre de son père.

— Tu vas me lire du Shakespeare maintenant ? Le matin de Noël ?

— Non, sois un peu sérieux, Manfred. Voilà... Il faut que je te dise. Tu te rappelles le jour où tu m'as emmenée à Grunewald, quand j'ai emporté le livre de papa. Eh bien, au moment de partir avec Gerhard, mon père...

Ses yeux se voilèrent à ce souvenir. Voilà longtemps qu'elle avait tout raconté à Manfred et, le livre entre les mains, elle continua :

— Mon père me les a laissées, au cas où j'en aurais besoin, si les choses tournaient mal. Elles appartenaient à ma mère...

Sans plus d'explications, elle ouvrit le compartiment secret et montra les deux bagues, la chevalière incrustée de diamants ainsi que l'émeraude. Elle n'avait pas osé prendre le minuscule pistolet que son père lui avait donné. Au moment d'emporter le livre, elle avait prudemment repoussé l'arme au fond de l'étagère ; si on l'avait surprise en train de cacher une arme, elle aurait été exécutée sur-le-champ.

Ne s'attendant pas du tout à cela, Manfred étouffa une exclamation.

— Mon Dieu, Ariana ! Quelqu'un sait qu'elles sont en ta possession ?

Ariana fit non de la tête.

— Elles doivent valoir une fortune.

— Je ne sais pas. Papa disait qu'elles me seraient utiles, que je pourrais les vendre.

— Ariana, tu vas cacher à nouveau ce livre. Si quelque

chose tourne mal, si la guerre s'achève par notre défaite, ces bagues pourraient bien te sauver la vie, ou te conduire là où tu seras libre.

— Tu parles comme si tu allais m'abandonner, murmura tristement Ariana.

— Bien sûr que non, mais tout peut arriver. Nous risquons d'être séparés à un moment donné.

Il pouvait même être tué, mais il n'eut pas le cœur d'évoquer cette éventualité un matin de Noël.

— Conserve-les bien. Et puisque vous avez tant de talent pour garder les secrets, Fräulein von Gotthard..., poursuivit-il, une moqueuse lueur de reproche au fond des yeux, il faut que vous sachiez ceci...

Sur ces mots, il ouvrit un tiroir, derrière lequel il montra à la jeune femme l'endroit où il avait dissimulé de l'argent et un petit pistolet.

— Si jamais tu en as besoin, tu sauras que c'est là. Veux-tu mettre les bagues avec ?

Elle acquiesça. Ils déposèrent les bijoux de Cassandra et refermèrent le tiroir. Après quoi la jeune femme se plongea à nouveau dans la contemplation de sa bague de fiançailles. En ce matin de Noël 1944, Ariana Alexandra von Gotthard s'était fiancée au lieutenant Manfred Robert von Tripp.

21

Leur soirée débuta à l'Opéra sur l'avenue Unter den Linden qu'Ariana aimait tant, avec sa longue et gracieuse perspective bordée de tilleuls qu'interrompait seulement la porte de Brandebourg.

Ce fut avec amour que Manfred regarda sa compagne descendre de voiture, vêtue de sa longue robe bleue, le collier d'aigues-marines étincelant à son cou. Pour la première fois depuis des mois, Ariana portait des vêtements semblables à ceux d'autrefois et il lui était doux pour un soir d'oublier les tragédies de l'année écoulée.

Elle se cramponna au bras de Manfred pour traverser la mer d'uniformes, jusqu'à ceux du plus haut rang que le lieutenant devait saluer. Manfred la présenta très officiellement à deux généraux, plusieurs capitaines ainsi qu'une poignée de colonels ; en toute circonstance la dignité de la jeune femme l'emplit de fierté. C'était la première fois qu'elle subissait l'examen minutieux de la moitié des premiers officiers du Reich et elle n'ignorait pas que tous étaient intrigués par cette princesse captive. Seul Manfred devina à quel point elle était effrayée lorsqu'il sentit sa main trembler dans la sienne au moment où il l'emmenait vers la piste de danse.

— Tout va bien, ma chérie, tu es en sécurité avec moi.

Il lui souriait tendrement ; le menton d'Ariana se redressa quelque peu.

— J'ai l'impression qu'ils me fixent tous.

— Parce que tu es adorable, c'est tout.

Et pourtant, alors même qu'elle valsait dans les bras de celui qu'elle aimait, elle savait qu'elle ne se sentirait jamais entièrement en sûreté. Ces gens-là étaient capables de tout : lui prendre à nouveau sa maison, tuer Manfred, l'enfermer dans une cellule. Mais ces pensées étaient absurdes en ce soir de Noël où elle dansait avec Manfred ; et le souvenir qui lui revint subitement fit briller son regard.

— Tu sais, c'est ici que je suis venue à mon premier bal ! Avec mon père.

Comme elle avait été agitée ce soir-là, et si intimidée !

— Aha, devrais-je être jaloux, Fräulein ?

— Certainement pas, je n'avais que seize ans, rétorqua-t-elle avec une autorité qui fit rire Manfred.

— Bien sûr, je suis idiot, Ariana. Tu es tellement plus vieille maintenant.

Elle l'était en effet, de bien des façons, et ne ressemblait plus à la jeune fille qui, trois ans seulement auparavant, avait tourbillonné dans cette même salle, vêtue d'organdi blanc, des fleurs dans les cheveux. Cela lui paraissait vieux de mille ans. Comme elle songeait à ce passé, quelqu'un les prit en photo. Surprise, elle sursauta.

— Qu'était-ce ? demanda-t-elle à Manfred.

— On nous a photographiés, Ariana. Cela te gêne ?

Il était habituel de collectionner les photos des officiers avec leurs femmes, lors de chaque réception, de chaque bal. Les photographies paraissaient dans la presse, étaient affichées dans les mess ; on en tirait plusieurs exemplaires pour la famille.

— Cela te gêne ? répéta Manfred.

Pendant un court instant, le regard de Manfred refléta son désappointement. Six mois plus tôt, il eût été atterré de se faire prendre en photo avec n'importe quelle femme, mais aujourd'hui il était heureux de se faire immortaliser auprès d'elle, comme si voir leurs deux visages côte à côte sur du papier rendait plus réelle leur histoire. Comprenant l'expression de son regard, Ariana inclina la tête avec un petit sourire.

— Nullement, fit-elle. Seulement j'ai été surprise. Pourrai-je voir les photographies ?

Ils restèrent au bal de l'Opéra durant plus d'une heure après quoi, ayant jeté un œil à sa montre, Manfred murmura quelques mots à l'oreille de sa compagne et alla chercher son manteau. L'Opéra ne devait être que leur première halte de la soirée, la plus importante restant à venir. Manfred avait préféré qu'Ariana s'habitue aux uniformes, aux coups d'œil intrigués, aux éclairs aveuglants des flashes, car à la prochaine étape, quand il la présenterait comme sa fiancée, elle serait encore plus sous le feu des regards. De plus, le bruit courait que Hitler serait présent.

Dès leur arrivée au château, Manfred repéra la Mercedes 500K noire de Hitler. Des dizaines de gardes spéciaux cernaient le palais. Une fois dans l'ancienne salle du trône, toute en miroirs, dorures et marqueteries, Ariana crispa sa main sur le bras de son compagnon. Doucement, il la tapota en lui adressant un sourire confiant. Il fit les présentations d'usage avançant sans hâte dans la marée d'uniformes pour saluer les généraux accompagnés de leur épouse ou de leur maîtresse. Voir Ariana incliner chaque fois légèrement la tête et tendre gracieusement la main lui gonflait le cœur. À la fin, ils se trouvèrent devant un visage familier, et le général Ritter s'empara de la jeune main délicate.

— Ah, Fräulein von Gotthard... Quelle agréable surprise !

La dévorant des yeux, il ne manqua pas de lancer à Manfred une rapide œillade désapprobatrice.

— Bonsoir, lieutenant...

Manfred s'inclina et claqua des talons.

— Cela vous plairait-il de nous rejoindre plus tard, Fräulein ? reprit Ritter. Je donne un petit souper chez moi.

Chez lui ! Voyant la colère s'allumer dans le regard d'Ariana, Manfred accentua la pression sur sa main gauche et mit celle-ci sur son bras, afin que le général vît la bague surmontée d'un diamant.

— Je regrette, mon général, répondit-il d'un ton suave, ma fiancée et moi-même avons pris d'autres dispositions pour la soirée, mais peut-être une autre fois... ?

— Bien sûr, lieutenant. Votre fiancée, dites-vous ?

Bien qu'il s'adressât à Manfred, le général ne quittait pas Ariana des yeux, la déshabillant du regard. Bien qu'elle en tremblât, elle feignit de ne rien remarquer. Et cette fois, ce fut elle qui répondit à la place de son compagnon, d'un ton poli mais glacé.

— Oui, général, nous sommes fiancés maintenant.

— Que c'est gentil, commenta le vieillard avec une moue désagréable. Votre père serait très heureux.

Pas aussi heureux qu'il ne le serait de vous avoir sous son toit, cher général... sale ordure.

Alors qu'elle lui souriait, elle avait envie de le gifler.

— En ce cas, acceptez mes félicitations...

Manfred s'inclina une nouvelle fois et Ariana hocha la tête.

— Je crois que nous nous en sommes bien sortis, chuchota-t-elle en s'éloignant au bras de Manfred.

— Oui, il me semble, acquiesça-t-il.

Il était amusé et, en même temps, terriblement amoureux d'elle. Sortir avec elle était un pur délice.

— Tu t'amuses, Ariana ? s'enquit-il d'une voix où se mêlaient l'inquiétude et l'orgueil de l'avoir à ses côtés.

— Beaucoup.

— Parfait. En ce cas, nous irons faire des emplettes lundi.

— Pourquoi cela, grands dieux ? Tu m'as offert trois robes et un manteau ce matin... puis un collier... des chaussures... un sac... et une bague de fiançailles.

Telle une enfant, elle récapitulait ses bonheurs en comptant sur ses doigts.

— Et alors, Fräulein ? Je crois qu'il est temps que nous sortions un peu, vous et moi.

À peine avait-il prononcé ces mots qu'un silence étrange tomba sur l'assemblée, et dans le lointain l'on entendit siffler les bombes. Même la nuit de Noël, la guerre ne lâchait pas prise, et Manfred se demanda quels monuments, quelles maisons avaient été détruits, quels enfants venaient de trouver la mort. Cependant le raid ne dura pas, personne n'eut à gagner les abris souterrains, et la musique reprit. Tout le monde recommença à danser, en faisant semblant de croire que ce Noël était pareil à tous les autres. Et pourtant, les bombardements étaient quasi quotidiens. Depuis près d'un an, les Berlinois allaient se coucher tout habillés, la valise au pied du lit, prêts à courir aux abris où beaucoup d'entre eux passaient la presque totalité de leurs nuits. Les Alliés accentuaient leur pression et cela effrayait Manfred. Si Berlin devait s'effondrer sous les bombes ? S'il devait arriver quelque chose à Ariana avant la fin de la guerre ? Près de lui, la jeune femme devina sur-le-champ ses pensées et lui serra la main, plongeant dans les siens ses beaux yeux bleus qui voulaient le rassurer, souriant de sa bouche douce et sensuelle.

— Ne t'inquiète pas, Manfred, souffla-t-elle. Tout ira bien.

Il lui rendit son sourire.

— Lundi, nous irons faire des courses, affirma-t-il.

— D'accord, si cela doit te faire plaisir.

Puis aussitôt, Ariana se dressa sur la pointe des pieds pour lui chuchoter à l'oreille :

— Si nous rentrions à la maison maintenant ?

— Déjà ?

Aussitôt la surprise de Manfred céda sous un nouveau sourire.

— N'avez-vous pas honte, Fräulein ? glissa-t-il à son tour à l'oreille de sa petite princesse.

— Nullement. Je préfère de beaucoup être à la maison avec toi que d'attendre ici pour voir le Führer.

Mais à cet instant Manfred posa un doigt sur ses lèvres.

Ils le virent qui pénétrait dans la salle entouré d'une cohorte de partisans, petit homme aux cheveux et à la moustache noirs, d'aspect ordinaire, et pourtant il y eut comme un courant électrique qui parcourut la salle. Ariana devina les corps qui se raidissaient, perçut les voix qui se faisaient plus aiguës, et soudain les saluts au Führer se déchaînèrent. Stupéfaite, elle regarda s'enflammer la foule des hommes en uniformes et des femmes qui devenaient hystériques. Manfred et elle restèrent jusqu'à ce que la folie s'apaise et que les gens retrouvent leur calme. Sans hâte, le couple se fraya un chemin dans la foule. Mais près de la porte, quelqu'un toucha Ariana, à peine un effleurement sur son bras, et comme elle se retournait elle découvrit Manfred au garde-à-vous, le bras droit tendu en avant. Elle s'aperçut alors que c'était Hitler qui l'avait touchée, et qui, avec un sourire bienveillant, passait à présent son chemin, comme s'il venait d'accorder une bénédiction. Très vite, les deux jeunes gens gagnèrent la sortie. Durant un long moment aucun d'eux ne souffla mot mais, une fois à l'abri de la voiture, la jeune femme s'y risqua :

— Ils sont quasiment devenus fous, Manfred.

— Je sais. Comme chaque fois. Tu ne l'avais jamais vu en personne ?

— Non. Papa refusait de me mêler à tout cela.

Aussitôt elle regretta des paroles que Manfred risquait d'interpréter comme un reproche à son endroit. Mais il la comprit à demi-mot.

— Il avait raison. Et ton frère ?

— Il l'a tenu à l'écart autant que possible. Mais je pense qu'il avait d'autres craintes pour moi.

— À juste titre.

Manfred roula quelques minutes avant de reprendre la conversation.

— Sais-tu ce qui est prévu à la fête du général Ritter ce soir ? Il y aura des danseuses nues et des travestis pour divertir les invités. D'après Hildebrand, Ritter adore ce genre de réjouissance.

Une expression de dégoût passa sur les traits de Manfred.

— Qu'est-ce que des travestis, et qu'ont donc de spécial ces danseuses pour se mettre nues ? interrogea Ariana avec une curiosité d'enfant.

— Oh ! mon innocente chérie, je t'aime !

À des moments tels que celui-là, il se rappelait qu'elle n'avait que cinq ans de plus que n'en aurait eu son fils aîné.

— Les danseuses en question sont non seulement nues,

mais évoluent de façon plus que suggestive devant les invités. Quant aux travestis, ce sont des hommes qui se déguisent en femme, généralement en tenue de soirée. Ils dansent, chantent et peuvent, eux aussi, être assez suggestifs.

Ariana riait.

— Ne sont-ils pas terriblement drôles ?

— Parfois, mais généralement non, répondit Manfred avec un haussement d'épaules. Ritter ne choisit pas ceux qui sont « amusants » mais ceux qui sont bons. Et lorsqu'ils ont terminé leur prestation, chacun...

Tout à coup, il se rappela à qui il s'adressait.

— Peu importe, Ariana. Il ne s'agit que de divertissements assez répugnants. Je ne veux pas te mêler à cela.

Ces derniers temps, ces débauches s'étaient multipliées. Pas seulement dans la demeure qu'occupait Ritter à Grunewald ; d'autres se laissaient aller aux mêmes excès. À croire qu'au fil des jours, avec la guerre qui resserrait de plus en plus son étau, on s'autorisait les comportements les plus choquants, et cette attitude allait en empirant. Manfred ne souhaitait pas introduire la jeune fille dans ces milieux. Pourtant, l'avoir emmenée au bal ce soir lui avait rappelé le plaisir qu'il y avait à sortir dans le monde avec une jolie femme à son bras, à déambuler sous les regards admiratifs, à la découvrir éblouissante à sa manière si particulière. Si leur solitude à Wannsee n'en devenait que plus précieuse, il aimait également l'idée de sortir avec elle.

— Tu n'es pas déçu de ne pas être allé aux autres réceptions de ce soir, Manfred ?

Tout à son bonheur, il répondit par la négative.

— Il s'en donnait une au Pavillon d'été de Charlottenburg qui risquait d'être assez plaisante. Mais à dire vrai, celle qui nous attend à Wannsee est encore plus séduisante.

Il posa un regard amoureux sur sa compagne et tous deux se sourirent.

Très vite ils gravirent l'escalier et tombèrent avec joie dans les bras l'un de l'autre, au milieu du grand lit.

Le lendemain matin, au petit déjeuner, Ariana était pensive. Ce jour-là, Manfred n'allait pas travailler.

Ils partirent se promener longuement au parc de Tiergarten où, à force de persuasion, Manfred la convainquit d'essayer des patins à glace. Tous deux glissèrent en riant au milieu des jolies femmes et des hommes en uniformes. Malgré la présence de ces derniers, il était difficile de croire que l'on était en guerre.

Ensuite Manfred emmena Ariana dans un café sur le Kurfürstendamm. Immanquablement l'artère rappelait à Ariana les Champs-Élysées qu'elle avait vus lors d'un bref séjour à Paris avec Gerhard et son père, avant la guerre. Ils s'assirent parmi les quelques artistes et écrivains qui restaient encore à Berlin. Là encore, les uniformes abondaient mais l'atmosphère restait chaleureuse et la jeune femme soupira d'aise dans le café douillet.

— Fatiguée, ma chérie ?

Tout à coup ils perçurent au loin les hurlements et sifflements des bombes. Ils quittèrent rapidement leur table et s'empressèrent de regagner leur véhicule.

Comme ils roulaient vers Wannsee, Ariana se serra contre son compagnon et posa la main sur son bras.

— Vois-tu cette église, Manfred ?

Elle pointa l'index et Manfred reconnut l'église commémorative de l'empereur Guillaume Ier qui gardait l'entrée du Kurfürstendamm.

— Oui ? Aurais-tu soudain l'âme religieuse ?

La plaisanterie les fit tous deux sourire.

— Je voulais seulement te dire que c'est l'église où je désire t'épouser un jour.

— L'église du Kaiser Wilhelm ?

— Oui, affirma-t-elle, contemplant à nouveau sa bague de fiançailles.

Tendrement, Manfred lui enlaça les épaules.

— Je m'en souviendrai, mon amour. Tu es heureuse ?

Il cherchait à distinguer ses traits dans l'obscurité. Les bombardements avaient cessé, du moins pour un moment.

— Je n'ai jamais été plus heureuse de ma vie.

Et lorsqu'ils obtinrent les photographies du bal de Noël à l'Opéra, il n'était pas difficile de voir qu'elle avait énoncé la vérité en avouant son bonheur. Son visage rayonnait ; elle portait la tête haute, et ses yeux étincelaient d'amour alors qu'elle regardait un Manfred en uniforme d'apparat, qui fixait l'objectif avec une indéniable fierté.

22

À LA FIN de la semaine de Noël, sur l'insistance de Manfred qui souhaitait offrir de nouveaux vêtements à Ariana, ils allèrent faire des courses chez Grunfeld, au centre de Berlin. Le capitaine von Rheinhardt tenait fort à ce que son lieutenant sorte de son isolement pour se joindre à ses camarades du Reich.

— Était-il fâché ? demanda Ariana inquiète.

Ils roulaient vers le cœur de Berlin et Manfred tapota la main de la jeune femme.

— Non, mais je suppose que ma vie d'ermite doit cesser. Nous ne sommes pas tenus de sortir tous les soirs, mais cela ne nous empêche pas d'accepter quelques invitations à dîner. Tu t'en sens capable ?

— Absolument. Irons-nous voir les travestis du général Ritter ?

Face à son expression espiègle, il ne put retenir un rire.

— Ariana, franchement !

Trois heures plus tard, ils ressortaient du magasin, croulant sous des paquets qu'ils eurent du mal à faire tenir dans la voiture : un nouveau manteau, une petite veste, une demi-douzaine de ravissantes robes en lainage, trois robes longues et une robe de bal, ainsi qu'un adorable petit tailleur du soir dont la coupe évoquait un smoking pour homme, sinon qu'au lieu d'un pantalon il s'agissait d'une jupe étroite fendue sur un côté. Enfin, en souvenir de sa mère, Ariana emportait une longue robe moulante en lamé doré.

— Mon Dieu, Manfred, quand porterai-je tout cela ?

Manfred l'avait gâtée plus que de raison. Il avait l'impression d'avoir de nouveau une épouse, une femme à chérir et à combler, à habiller, à protéger, à distraire. Désormais ils n'étaient plus des étrangers l'un pour l'autre, et Ariana se sentait plus à l'aise avec lui qu'elle ne l'avait jamais été avec quiconque.

Les occasions d'arborer sa nouvelle garde-robe ne lui manquèrent pas. Ils assistèrent à plusieurs concerts, à une réception officielle donnée en l'honneur du Parlement et des officiers en poste à Berlin ; il y eut également une réception au château de Bellevue et quelques dîners intimes dans les environs de Wannsee où quelques officiers étaient allés chercher une existence plus tranquille qu'au cœur de la ville. Peu à peu il fut admis de voir toujours Manfred avec Ariana, tout comme il fut convenu qu'ils se marieraient à la fin de la guerre.

— Pour l'amour du ciel, pourquoi attendre ? Pourquoi ne pas te marier maintenant ? s'enquit un jour un lieutenant ami de Manfred, entraînant celui-ci à l'écart lors d'un dîner.

Manfred soupira en regardant la simple chevalière en or qu'il portait à la main gauche.

— Elle est si jeune, Johann. C'est encore une enfant. Et

puis, nous vivons une époque particulière. Je veux la laisser prendre sa décision lorsque tout sera de nouveau normal. Si tant est que nous revivions jamais normalement...

— Tu as raison, Manfred, les temps sont durs. C'est justement pour cette raison que tu serais plus avisé d'épouser Ariana tout de suite.

Et il baissa la voix pour ajouter :

— Nous ne tiendrons pas éternellement, tu sais.

— Les Américains ?

— Les Russes m'inquiètent davantage, fit Johann. S'ils arrivent ici les premiers, nous sommes morts. Dieu sait ce qu'ils nous feront, et si jamais nous y survivons, ils risquent de tous nous envoyer en camps, et à ce moment-là, vous n'aurez une maigre chance de rester ensemble que si vous êtes mari et femme. Et puis, sur le plan pratique, les Américains peuvent se montrer moins durs avec elle si elle est l'épouse légitime d'un officier de l'armée allemande plutôt qu'une concubine.

— Tu penses que la fin est si proche que cela ?

Il s'ensuivit un bref silence et Johann évita le regard de son camarade.

— Sans doute, Manfred. Et je pense même que c'est l'avis des proches du Führer.

— À ton avis, combien de temps pouvons-nous encore tenir ?

Johann haussa les épaules.

— Deux mois... trois... peut-être quatre à condition d'un miracle. Mais c'est quasiment la fin. L'Allemagne ne sera plus jamais celle que toi et moi avons connue.

Manfred hocha la tête. À ses yeux, voilà longtemps que l'Allemagne n'était plus le pays qu'il avait autrefois chéri. Peut-être, à présent, si les Alliés ne la détruisaient pas entièrement, aurait-elle la possibilité de renaître.

Dans les jours qui suivirent cette conversation, Manfred

prit discrètement ses renseignements. Tous les hommes de sa connaissance quelque peu influents corroborèrent les dires de Johann. La chute de Berlin était inéluctable, on en ignorait seulement la date. Manfred se rendit alors compte que des décisions s'imposaient et qu'il devait agir.

Après quelques recherches, il trouva ce qu'il recherchait en priorité. Quand il l'amena à Ariana deux jours plus tard, la jeune fille cria de joie.

— Oh, Manfred, je l'adore ! Mais ne vas-tu pas garder la Mercedes ?

C'était une affreuse Volkswagen grise, vieille de trois ans maintenant, mais le vendeur avait affirmé à Manfred que c'était une voiture fiable et pratique ; lui n'en avait plus l'usage pour la bonne raison qu'il avait perdu les deux jambes lors d'un bombardement l'année passée — Manfred ne révéla pas ce détail à Ariana et se contenta de lui ouvrir la portière afin qu'elle s'installe à l'intérieur.

— Si, je conserve la Mercedes. Celle-ci est pour toi, Ariana.

Quand ils eurent fait le tour du quartier, il fut satisfait de voir que la jeune femme se tirait très honorablement de la conduite de la voiture. Voilà un mois qu'il lui apprenait à conduire la Mercedes mais la Volkswagen était bien plus facile à manier. Comme il paraissait soucieux quand ils s'arrêtèrent devant leur maison, Ariana lui caressa la main.

— Pourquoi as-tu acheté cette voiture, Manfred ?

Si elle soupçonnait la vérité, elle tenait à l'entendre de sa bouche. Allaient-ils partir ? S'enfuir ?

Manfred tourna vers elle un regard douloureux et inquiet.

— Ariana, je crois que la guerre va bientôt s'achever, ce qui sera un soulagement pour tout le monde.

Avant de poursuivre, il l'attira dans ses bras et la serra avec force.

— Mais avant qu'elle ne finisse, ma chérie, les choses risquent de devenir très dures pour nous. Berlin sera peut-être pris. L'armée de Hitler ne lâchera pas facilement. Ce ne sera pas un nouvel Anschluss, ou comme quand nous avons envahi la France. Les Allemands se battront jusqu'à la mort, comme le feront les Américains et les Russes... Cette dernière bataille sera peut-être la plus sanglante de la guerre.

— Mais nous serons ensemble ici, Manfred, à l'abri.

Elle détestait cette peur qu'elle sentait à présent chez lui.

— Peut-être que oui, et peut-être que non. En tout cas, je ne veux pas courir ce risque. S'il se passe quoi que ce soit, si la ville tombe et est occupée, s'il m'arrive quelque chose, je veux que tu prennes cette voiture et que tu t'en ailles. Aussi loin que possible.

Sa détermination provoqua une horreur soudaine dans le regard d'Ariana.

— Quand tu ne pourras plus avancer en voiture, laisse-la et continue à pied.

— Et je te quitterais ? Es-tu fou ? Où irais-je ?

— N'importe où, là où tu pourras aller. La frontière la plus proche. Peut-être en Alsace, et de là, tu passeras en France. Si nécessaire, tu diras aux Américains que tu es alsacienne.

— Au diable les Américains, Manfred. Et toi ?

— Je te suivrai, et je te retrouverai. Une fois que j'aurai réglé certaines choses ici. Je ne peux pas m'enfuir, Ariana. J'ai un devoir à remplir. Quoi qu'il se passe... je reste un officier.

Éperdue, Ariana secoua la tête, puis se cramponna à lui et l'étreignit plus fiévreusement qu'elle ne l'avait jamais fait.

— Je ne te laisserai pas, Manfred. Jamais. Tant pis s'ils me tuent, et je me fiche que tout Berlin s'écroule autour de moi, je ne te quitterai jamais. Je resterai avec toi jusqu'au bout, et ils nous prendront ensemble.

— Reste calme, souffla Manfred en la serrant contre lui.

Il n'ignorait pas que ses paroles l'effrayaient, mais il avait dû se résoudre à lui parler. Trois mois s'étaient écoulés depuis

Noël et la situation s'était beaucoup détériorée. Début mars, Britanniques et Canadiens avaient atteint le Rhin ; maintenant, les Américains se trouvaient à Coblence et à Sarrebruck.

— Mais puisque tu refuses de me quitter...

Il lui adressa un tendre sourire. Il s'était décidé à suivre le conseil de Johann car il était possible que leur union légale influât dans le bon sens pour la sécurité d'Ariana, et il tenait à ne plus perdre de temps.

— Puisque vous êtes si désespérément entêtée, jeune demoiselle, et puisqu'il semble que nous soyons embarqués sur le même bateau pour de bon... Croyez-vous que je parviendrai à vous persuader de m'épouser ?

— Tout de suite ? s'exclama Ariana, bouleversée.

Elle savait combien il avait tenu à attendre mais un sourire se dessina sur ses lèvres comme il acquiesçait, et elle se fondit dans l'éclat de son regard.

— Oui, maintenant. J'ai hâte que tu sois ma femme.

— Hourra !

Tout à son bonheur, elle le serra très fort en riant.

— Et nous pourrons avoir un bébé tout de suite ?

— Ariana, ma chérie... ne serait-il pas plus sage d'attendre la fin de la guerre ? Ou crains-tu que je sois alors un trop vieux papa ? Est-ce la raison pour laquelle tu es si pressée, petite fille ?

Devant son sourire aimant, elle secoua énergiquement la tête.

— Tu ne seras jamais trop vieux, Manfred. Jamais.

Elle se lova dans ses bras et ferma les yeux.

— Je t'aimerai toujours, mon amour, jusqu'à la fin de mes jours.

— Moi aussi, je t'aimerai toujours, murmura Manfred.

Et en prononçant ces mots, il priait pour que tous deux survivent à ce qui allait advenir.

23

DIX JOURS plus tard, le premier samedi d'avril, Ariana remontait lentement l'allée de l'église du Kaiser Wilhelm, à l'écart du Kurfürstendamm, au bras de Manfred Robert von Tripp. Il n'y avait personne pour la conduire à l'autel, ni parents ni demoiselles d'honneur. Seulement elle et Manfred, avec Johann pour témoin.

Tandis qu'elle avançait vers le vieux prêtre qui les attendait devant l'autel, Manfred sentait la légère pression de sa main sur son bras. Elle portait un sobre tailleur blanc qui mettait en valeur la finesse de sa silhouette. Elle avait rassemblé sa chevelure dorée en un souple rouleau qui lui encadrait le visage et derrière lequel elle avait savamment fixé une voilette. Ce jour-là, Manfred la trouvait plus jolie que jamais. Par miracle, il était parvenu à trouver des gardénias blancs ; elle en arborait deux sur son revers, un autre dans sa coiffure. Et puis, pour ce grand jour, elle avait passé à sa main droite la chevalière incrustée de diamants de sa mère ; sa bague de fiançailles brillait à sa main gauche.

L'alliance que Manfred avait achetée chez le joaillier Louis Werner était un étroit anneau d'or. À la fin de la cérémonie, il le lui glissa au doigt avant de l'embrasser avec un soulagement intense. C'était fini, ils étaient mariés. Désormais Ariana s'appelait Frau Manfred Robert von Tripp et, quoi qu'il arrive à Berlin, ce nom lui apporterait une certaine protection. Ce fut seulement lorsque la cérémonie fut achevée qu'il pensa à sa première épouse, Marianna. Mais son lien avec Marianna semblait avoir fait partie d'une autre vie. Il se sentait uni à Ariana comme il ne l'avait jamais été, et plonger dans les grands yeux bleus lui disait qu'il en allait de même pour elle.

— Je t'aime, ma chérie.

Il le lui dit sourdement au moment où ils montaient en voiture. Un sourire radieux éclaira le visage d'Ariana. Jamais ils n'avaient connu un tel bonheur. Sur un dernier signe à Johann, ils s'éloignèrent en direction du Kurfürstendamm, vers le restaurant où Manfred avait promis de la conduire pour leur « repas de noces », avant de rentrer à la maison. À l'instant où ils atteignaient le Kurfürstendamm, Ariana jeta un ultime regard à l'église par-dessus son épaule, puis se retourna. Ce fut alors que se produisit un fracas inouï, une explosion terrible tout autour d'eux. Terrifiée, Ariana s'accrocha au bras de son mari et tourna la tête à temps pour voir l'église voler en éclats. Manfred qui écrasait l'accélérateur lui ordonna de se recroqueviller sur le plancher du véhicule, de crainte que des débris atteignent le pare-brise.

— Non, ne te redresse pas, Ariana !

Il conduisait à grandes embardées pour éviter les piétons et les véhicules de pompiers qui arrivaient à toute allure. Sur le coup, Ariana avait été trop choquée pour réagir mais, dès qu'elle comprit qu'ils venaient d'échapper de justesse à la mort, elle se mit à pleurer doucement. Manfred ne ralentit qu'une fois arrivé près de Charlottenburg. Quand il eut immobilisé la voiture, il ouvrit les bras à la jeune femme et la pressa contre lui.

— Oh ! ma chérie, je suis désolé...

— Manfred... Nous aurions pu... l'église.

D'énormes sanglots la secouaient.

— Tout va bien, mon amour, c'est fini... C'est fini... Ariana...

— Et Johann ? Crois-tu que...

— Je suis certain qu'il se trouvait aussi loin que nous quand cela s'est produit.

En son for intérieur, Manfred était loin d'éprouver la certitude qu'il affichait et, lorsqu'il remit la voiture en route quelques instants plus tard, il ressentit une fatigue terrible. Il était désespérément las de cette guerre. Les êtres, les lieux que l'on aimait, les maisons, les monuments, les villes... dévastés.

Ariana tremblait ; les gardénias dégageaient leur étrange fragrance et Manfred songea que ce parfum lui rappellerait à jamais ce soir-là, le soir de leur mariage, quand ils avaient échappé à la mort. En arrivant il eut subitement envie de pleurer, de soulagement, d'épuisement, de terreur, d'inquiétude pour cette femme belle et frêle qu'il venait d'épouser. Mais au lieu de verser des larmes, il la pressa contre lui, l'enleva dans ses bras pour lui faire passer le seuil de leur demeure et l'emmena dans leur chambre à l'étage où, ne pensant qu'à eux, ils abandonnèrent tout souci, toute pensée, toute réserve, toute précaution, pour ne faire qu'un.

24

— As-tu revu Johann ? s'inquiéta Ariana lorsque Manfred revint le lendemain.

— Oui, il va bien.

Il avait répondu très vite, redoutant qu'elle ne devine son mensonge. Johann était mort devant l'église la veille au soir. Une heure durant, Manfred était resté à trembler dans son bureau, incapable d'admettre qu'une nouvelle fois, un être qu'il chérissait avait disparu. Avec un soupir, il se laissa lourdement tomber dans son fauteuil favori.

— Ariana, il faut que je te parle sérieusement.

Elle aurait aimé plaisanter, balayer de son regard un peu de cette gravité qu'elle y lisait, mais elle comprit que cela n'était pas possible.

— Qu'y a-t-il, Manfred ?

— J'ai tout mis en ordre, afin que tu saches quoi faire si les choses tournent mal. Je veux que tu sois prête à toute éventualité. Surtout, Ariana... je suis très sérieux... tu dois m'écouter.

— D'accord, j'écoute.

— Tu sais où je cache l'argent et le pistolet dans notre chambre. S'il arrive quelque chose de terrible, tu les prendras, ainsi que les bagues de ta mère, et tu t'en iras.

— Où donc ? fit-elle, bouleversée.

— En direction de la frontière. Il y a une carte dans la Volkswagen. Et je tiens à ce que le réservoir soit toujours plein. Je garde un bidon en réserve dans le garage. Avant de partir, tu le mettras dans la voiture.

Elle détestait entendre ses instructions. Elle n'irait jamais nulle part. Jamais elle ne le quitterait.

— Qu'est-ce que tu imagines, Manfred ? Que je m'en irai en te laissant ?

— Il se peut que tu y sois contrainte. Si ta vie est en jeu, je veux que tu t'en ailles. Tu n'as pas idée de ce que sera la ville si elle est envahie par les Alliés. Elle sera mise à sac, pillée, il y aura des meurtres, des viols.

— Tu parles comme si nous étions au Moyen Âge.

— Ce sera la période la plus noire que connaîtra ce pays, Ariana, et si, pour une raison quelconque, je suis dans l'impossibilité de te rejoindre, tu te retrouveras sans recours. Je peux me retrouver coincé au bureau, par exemple, pendant des semaines... ou des jours tout au moins.

— Et tu crois qu'ils me laisseront partir dans cette petite voiture ridicule, avec les bagues de ma mère et ton arme ? Manfred, ne sois pas stupide !

— Toi, ne sois pas stupide, bon sang ! Écoute-moi ! J'exige que tu partes en voiture, le plus loin possible. Ensuite tu t'en débarrasseras. Cours, marche, rampe, vole une bicyclette, cache-toi dans les buissons, mais quitte l'Allemagne. Les Alliés sont à l'ouest d'ici, tu seras plus en sécurité en France. Tu arriveras à passer à travers leurs lignes. À mon avis, il n'est plus possible de rejoindre la Suisse, donc tu essaieras d'arriver à Paris.

— Paris ? répéta-t-elle, atterrée. C'est à mille kilomètres !

— Je sais. Peu importe le temps que tu mettras pour y parvenir, mais il le faut. J'ai un ami à Paris, avec lequel j'ai fait mes études.

Prenant un bloc de papier, il y inscrivit soigneusement un nom.

— Qu'est-ce qui te fait croire qu'il y est toujours ?

— D'après ce que je sais, il y demeure encore. Il a eu la polio étant enfant, la guerre l'a donc relativement épargné. Si quelqu'un peut t'aider, c'est lui. Il aura à cœur de s'occuper de toi jusqu'à ce que je puisse te rejoindre. Reste à Paris si c'est ce qu'il te dit de faire, sinon va où il te dira d'aller. Je lui fais entière confiance.

Il tendit à Ariana la feuille de papier où il avait inscrit le nom. Jean-Pierre de Saint-Marne.

— Et ensuite ? murmura-t-elle.

— Tu m'attendras. Je ne serai pas long. Promis, ajouta-t-il avec un doux sourire.

Ses traits retrouvèrent aussitôt leur gravité.

— Mais à partir de maintenant, je tiens à ce que tu sois prête à tout moment. Le pistolet, les bagues, l'argent, l'adresse de Saint-Marne, quelques vêtements chauds, des provisions et le bidon d'essence plein, dans la voiture.

— Bien, mon lieutenant.

Mutine, elle esquissa un salut militaire mais Manfred n'était pas d'humeur à rire.

— J'espère que nous n'aurons jamais besoin de mettre ce plan à exécution, Ariana.

— Moi aussi, soupira-t-elle, tout sourire envolé. Après la

guerre, j'essaierai de retrouver mon frère, ajouta-t-elle après un silence.

Elle s'entêtait à croire que Gerhard avait quitté le pays sain et sauf. Si, avec le recul, elle avait fini par comprendre que son père était sans doute mort, elle conservait l'espoir que son frère s'en était sorti.

— Nous ferons de notre mieux, acquiesça Manfred.

Le reste de la soirée se déroula paisiblement. Le lendemain, ils allèrent se promener sur la plage la plus proche, au bord de la Havel. En été, la plage de Wannsee comptait parmi les plus fréquentées des environs de Berlin. À présent, elle s'étirait, déserte et désolée devant eux.

— Tout sera peut-être fini l'été prochain, et nous reviendrons nous prélasser ici.

Ariana se cramponnait à l'espoir.

Manfred se pencha pour ramasser un coquillage qu'il lui tendit. Elle le caressa ; il était joli et doux, exactement du même bleu-gris que les yeux de Manfred.

— J'espère bien que c'est ce que nous ferons, Ariana.

— Et nous pourrons aller voir ton château ?

— S'il m'est rendu d'ici là, répondit-il, amusé. Cela te ferait plaisir ?

— Énormément.

— Parfait. En ce cas, nous irons.

Cela devenait un jeu entre eux. Comme s'ils pouvaient hâter la fin de la guerre et le véritable début de leur existence à deux, chasser le cauchemar, simplement en évoquant ce qu'ils feraient « après ».

Le jour suivant, fidèle à la promesse faite à Manfred avant qu'il parte, Ariana rassembla ce qu'il jugeait indispensable dans le cas où elle devrait partir, puis elle sortit afin de vérifier que le réservoir de la Volkswagen était plein.

L'étau se resserrait autour de Berlin. Le jour où Ariana perçut le grondement lointain des armes, elle se blottit dans un fauteuil et attendit en tremblant le retour de son mari, refusant de toutes ses forces d'admettre que les sombres prévisions de celui-ci étaient en train de se réaliser.

Un après-midi, des bombes tombèrent sur la ville. Manfred rentra tôt. Comme d'habitude, durant les raids aériens, elle attendait dans la cave avec un poste de radio et un livre.

— Que s'est-il passé ? Ils disent à la radio...

— Ne t'occupe pas de ce qu'on raconte à la radio. Es-tu prête, Ariana ?

— Oui, acquiesça-t-elle, terrifiée.

— Je dois rejoindre les autres ce soir. On réquisitionne tous les hommes disponibles pour défendre le bâtiment. Je ne sais pas quand je reviendrai. Tu vas être une grande fille maintenant. Attends ici, mais s'ils prennent la ville, rappelle-toi tout ce que je t'ai dit.

— Comment est-ce que je sortirai s'ils prennent la ville ?

— Tu y arriveras. Ils laisseront passer les civils, surtout les femmes et les enfants.

— Et toi ?

— Je te retrouverai quand tout sera terminé.

Après avoir consulté sa montre, Manfred remonta afin de rassembler lui aussi quelques affaires. Ensuite il redescendit lentement à la cave.

— Je dois y aller.

Ils s'étreignirent sans mot dire, longuement, et Ariana brûlait de le supplier de rester. Au diable Hitler, l'armée, au diable tout ça ! S'il pouvait rester ici avec elle, à l'abri tous les deux.

— Manfred...

À la panique qui sourdait dans sa voix, Manfred devina ce qui allait venir ; il la fit taire d'un tendre et long baiser.

— Ne dis rien, mon amour. Je dois y aller maintenant, mais je serai de retour le plus vite possible.

Des larmes coulaient sur le visage d'Ariana lorsqu'elle

remonta l'escalier avec lui et l'accompagna jusqu'à la Mercedes. Il lui essuya doucement la joue.

— Ne pleure pas, ma chérie. Je m'en sortirai, je te le promets.

Elle se jeta à son cou.

— S'il t'arrive quelque chose, je mourrai.

— Il ne m'arrivera rien, promis.

Souriant malgré son chagrin, Manfred ôta la chevalière qu'il portait au doigt, la mit dans la paume d'Ariana, referma ses doigts dessus.

— Prends-en soin pour moi jusqu'à mon retour.

Ils se séparèrent sur un ultime baiser et la jeune femme regarda la voiture s'éloigner sur la route, en direction de Berlin.

Jour après jour, elle écouta les commentaires radiophoniques. La bataille faisait rage aux quatre coins de la capitale. La nuit du 23 avril, elle apprit que tous les secteurs étaient occupés, Grunewald aussi bien que Wannsee. Pour sa part, elle n'avait pas quitté la cave depuis des jours. Elle avait entendu des tirs, des explosions et n'avait pas osé monter au rez-de-chaussée. Elle savait que les Russes avançaient sur la Schönhauser Allee jusqu'à la Stargarder Strasse. En revanche, elle ignorait que partout dans Berlin des gens comme elle se cachaient dans les caves, sans rien à manger et dans des conditions épouvantables. Aucun plan n'avait été prévu pour évacuer la population. Les enfants étaient condamnés au même sort que leurs parents, piégés tels des rats, attendant l'inéluctable. Personne ne savait que le haut commandement avait déjà fui Berlin.

La nuit du 1er mai, la mort de Hitler fut annoncée à la radio, nouvelle que la population reçut avec stupeur, terrée dans les trous obscurs, sous les bâtiments, tandis que les combats se déchaînaient au-dessus, que la ville brûlait. Lorsque la mort de Hitler fut rendue publique, la radio diffusa la

Septième Symphonie de Bruckner. Cachée dans sa cave, cernée par le vacarme assourdi des tirs de mitraille et des explosions, Ariana se souvint d'être allée écouter cette symphonie à l'Opéra avec Gerhard et son père, des années auparavant. À présent, elle attendait sans bouger que tout cesse, se demandant où se trouvait Manfred dans Berlin bombardé. Plus tard cette même nuit, elle apprit que Goebbels s'était suicidé avec toute sa famille, empoisonnant ses six enfants.

Le 2 mai, l'ordre de cessez-le-feu fut diffusé sur les ondes en trois langues. Elle ne le comprit pas en russe, et en allemand la chose lui parut invraisemblable, mais lorsqu'une voix à l'accent américain annonça dans un allemand hésitant que tout était fini, elle comprit enfin. Néanmoins, elle percevait encore le bruit des armes dans le lointain, et autour d'elle à Wannsee les combats continuaient. Plus rien ne venait du ciel ; on se battait dans les rues, des pillards attaquaient les maisons. À Wannsee, la bataille fit rage encore pendant trois jours, puis il se fit un silence irréel. Pour la première fois depuis des semaines, il n'y eut plus aucun bruit, hormis quelques tirs sporadiques qui ne rendaient le silence que plus épais. Seule dans sa maison, Ariana attendit, écouta, alors que le soleil se levait sur l'étrange immobilité du 5 mai.

Dès qu'il fit grand jour, elle décida de partir à la recherche de Manfred. Si la ville était prise, elle devait savoir où se trouvait son mari. Il n'avait plus à défendre le Reich.

Pour la première fois depuis des jours, elle gravit les escaliers vers sa chambre, s'habilla d'une vilaine jupe chaude, de chaussettes de laine, de grosses chaussures, d'un chandail et d'une veste dans la poche de laquelle elle glissa l'arme de Manfred, dissimulée sous un gant. Elle n'avait besoin de rien d'autre. Elle partait seulement chercher Manfred. Si elle ne le trouvait pas, elle reviendrait à la maison pour l'attendre. Quand elle fut dehors, pour la première fois depuis des années lui sembla-t-il, elle aspira intensément l'air que saturait pourtant une âcre odeur de fumée. Elle s'installa dans la petite Volkswagen et démarra.

En vingt minutes seulement elle atteignit le cœur de la ville, et là le spectacle la laissa pantelante. Les rues n'étaient plus que ruines et décombres, et il n'était plus possible de passer. Au premier regard, on aurait dit qu'il ne restait rien. Un examen plus attentif révélait quelques immeubles encore debout, mais aucun n'était sorti indemne de la bataille qui avait duré plusieurs jours. D'abord incrédule, Ariana finit par comprendre qu'elle n'irait pas plus loin en voiture. Elle recula et alla se garer dans une ruelle écartée, dissimulant son véhicule du mieux qu'elle put. Elle empocha ses clefs, vérifia la présence de son pistolet, noua plus étroitement son foulard et partit. Sa seule obsession était de trouver Manfred.

En route, elle croisa des colonnes de soldats soviétiques. Ici et là, quelques Berlinois curieux regardaient défiler les troupes, quand ils ne se préparaient pas à fuir la ville. Ce ne fut que plus tard, alors qu'elle approchait du bâtiment, qu'elle vit des hommes en uniformes allemands, groupés les uns aux côtés des autres, sales, épuisés, qui attendaient que des camions viennent les chercher, sous la bonne garde d'autres soldats qui, s'ils pointaient leurs armes vers eux, semblaient tout aussi crasseux et fatigués. Tout en trébuchant sur les trottoirs défoncés, Ariana prit conscience de la violence de la bataille. Voilà donc le sort réservé à son pays, voilà ce que le nazisme leur avait apporté en fin de compte. Sur plus de cinq mille soldats qui avaient tenté de défendre le bastion du Reich, la moitié étaient morts. Comme la jeune femme hésitait sur la direction à prendre, un nouveau groupe de soldats allemands passa et Ariana étouffa une exclamation en reconnaissant Hildebrand parmi les prisonniers. Il avait un œil tuméfié, autour de la tête un bandage plein de sang, un uniforme déchiré, une expression stupide dans le regard. Agitant le bras pour attirer son attention, elle courut vers lui. Il saurait sûrement où était Manfred. Mais tout de suite, deux Russes lui firent barrage en croisant leurs fusils. Elle les supplia de la laisser passer ; ils se montrèrent inébranlables. Alors elle cria le nom de Hildebrand, à pleins poumons.

— Où est Manfred ?... Hildebrand... Hildebrand... Hildebrand ! Où est...

Les yeux du sous-lieutenant se portèrent sur sa gauche. Elle suivit son regard ; ce qu'elle découvrit lui fut insupportable : un amas de corps brisés et sans vie, qu'on avait entassés là avant de venir les prendre en camions. Les uniformes n'étaient plus reconnaissables, les visages figés dans un rictus de mort. Ariana marcha lentement vers le charnier, et là, comme si elle savait déjà où elle le trouverait, elle reconnut presque tout de suite le visage familier.

Son cœur comprit avant son cerveau. Elle demeura clouée sur place, incrédule, la bouche ouverte sur un cri qui ne sortait pas. Même le planton ne parvint pas à la faire bouger. Elle s'agenouilla auprès de Manfred et essuya la poussière sur son visage.

Elle resta recroquevillée près de lui durant près d'une heure. Après un ultime baiser sur les yeux endormis, une dernière caresse sur le visage aimé, elle partit en courant. Elle courut, courut, vers la ruelle où elle avait laissé sa petite voiture. Quand elle y parvint, deux hommes l'avaient précédée, qui tentaient de faire démarrer le véhicule. Les yeux étrécis, la voix tremblante, elle sortit son petit pistolet et le pointa sur ses compatriotes. Quand ils se furent écartés, les mains levées, elle s'installa au volant, verrouilla les portières, fit vrombir le moteur et partit en marche arrière.

Désormais, elle n'avait plus rien à perdre... plus de raison de vivre... et tandis qu'elle roulait, elle put voir les pillards. Il s'agissait d'Allemands, de soldats et même parfois de Russes. Sa ville allait souffrir encore. Elle n'avait pas peur d'être tuée. Peu lui importait de vivre ou mourir. Mais elle avait promis à Manfred d'essayer de se mettre à l'abri. Au nom de cette promesse, elle tenterait de s'en aller.

Elle revint à Wannsee aussi vite que possible, mit dans la voiture les quelques provisions qu'elle avait préparées. Des pommes de terre cuites, un peu de pain, de la viande bouillie. Puis elle prit le paquet qui contenait l'argent, l'adresse du Français, le livre qui dissimulait ses deux bagues. Sa bague de fiançailles, elle la gardait au doigt, avec son alliance et la chevalière de Manfred. Qu'on essaie de les lui prendre, elle se battrait à mort. Le regard dur, la bouche résolue, elle glissa le pistolet dans sa ceinture et, une fois de plus, fit démarrer la voiture. Lorsque son regard se tourna vers la maison où Manfred l'avait amenée, de lourds sanglots désespérés la déchirèrent. Il était parti, l'homme qui l'avait sauvée... parti à jamais. Elle crut succomber à la douleur violente qui la submergea. Parmi ses quelques papiers, elle avait glissé la seule lettre qu'il lui eût adressée, une lettre d'amour pleine de tendresse et de promesses, écrite après leur première étreinte. Elle emportait aussi quelques photographies : la première réception à laquelle ils avaient assisté ensemble à l'Opéra, puis le bal au château, quelques autres au Tiergarten, et même les portraits des enfants et de l'épouse disparus. Elle ne laisserait personne se les approprier. Ils étaient à elle, comme le resterait Manfred, toute sa vie.

25

AVEC des milliers d'autres gens qui fuyaient à pied, à bicyclette, plus rarement en voiture, Ariana quitta l'agglomération berlinoise pour se diriger vers l'ouest. Les vainqueurs ne tentèrent pas d'arrêter les femmes, les enfants ou les vieillards qui désertaient leur ville telles des bêtes effrayées. Ne pouvant supporter les souffrances auxquelles elle assistait, Ariana s'arrêta maintes fois pour donner un coup de main ici ou là, avant de comprendre qu'elle devait cesser : chaque fois, on essayait de lui prendre son véhicule. Pour finir, elle accepta d'embarquer deux vieilles femmes qui se montrèrent silencieuses et reconnaissantes. Habitantes de Dahlem, elles n'aspiraient qu'à quitter la ville. Leur magasin sur le Kurfürstendamm avait été détruit tôt ce matin, leurs époux étaient morts, elles craignaient pour leur vie.

— Les Russes vont tous nous tuer, Fräulein, déclara en pleurant la plus âgée.

Si Ariana n'en croyait rien, elle était trop lasse pour discuter. Trop peinée pour parler. Car si on avait voulu les tuer, les occasions ne manquaient pas sur la route de l'exode. Le trajet fut affreusement lent mais la jeune femme réussit à rejoindre des routes secondaires qu'elle connaissait et put enfin atteindre Kassel, à quelque trois cents kilomètres de Berlin, où elle se trouva à court de carburant.

Voilà longtemps qu'elle avait laissé ses passagères à Kalbe où les deux femmes avaient été accueillies chez des cousins. En les observant, Ariana avait éprouvé un pincement d'envie. Contrairement à ces deux femmes, elle n'avait plus personne au monde. Après les avoir quittées, elle avait roulé sans penser, jusqu'à ce que la voiture s'arrête. À l'arrière, le bidon d'essence était vide. Elle se trouvait à mi-chemin entre Berlin et Sarrebruck, où Manfred lui avait conseillé de tenter de passer la frontière. Il lui restait plus de trois cents kilomètres avant d'y parvenir. Elle songea à la marée humaine quittant Berlin. Elle n'était qu'un visage dans la multitude, fuyant vers nulle part, sans amis, sans biens, sans point de chute. Refoulant ses larmes dans un ultime regard pour la petite voiture grise qui avait représenté son salut, elle ajusta son bagage sur son épaule et entreprit sa longue marche vers la France.

Il lui fallut deux jours pour parcourir les soixante-dix kilomètres jusqu'à Marbourg, où un vieux médecin de campagne la prit dans sa voiture jusqu'à Mayence. Ils parlèrent un peu durant les trois heures qui leur furent nécessaires pour couvrir les cent trente kilomètres. À Mayence, le médecin considéra sa passagère avec bonté et lui proposa de la conduire à Neunkirchen — c'était sur son chemin après tout. Elle accepta, reconnaissante.

À Neunkirchen, elle le remercia, le dévisagea sans le voir vraiment, eut envie d'en dire plus, mais au cours des heures interminables de voiture, de marche, de voiture encore, quelque chose s'était cristallisé au fond d'elle-même : un sentiment de perte irréparable, un profond désespoir. Elle ne savait plus trop pourquoi elle fuyait, sinon parce que Manfred le lui avait ordonné et qu'elle était son épouse. Il lui avait dit d'aller à Paris, alors elle y allait. Peut-être l'ami de Paris aurait-il les réponses ; peut-être lui annoncerait-il que ce qu'elle avait vu à l'aube trois jours plus tôt avait été un mensonge. Peut-être Manfred l'attendrait-il là-bas, à Paris.

— Fräulein ?

Bien qu'il eût remarqué son alliance, le vieil homme avait peine à la croire mariée tant elle paraissait jeune. Peut-être ne portait-elle cet anneau que pour se protéger. Quoique cela ne la protégerait pas des soldats ; et avec lui, elle n'avait rien à craindre. Il lui sourit tandis qu'elle ramassait son ballot sur le siège arrière.

— Merci, monsieur.

Et elle le regarda longtemps, sans expression.

— Tout ira bien ?

Elle hocha la tête.

— Voulez-vous que je passe vous prendre d'ici quelques jours ? Je retourne à Marbourg.

Non, elle ne ferait pas le chemin en sens inverse. Pour elle c'était un aller simple, un voyage sans retour, ses yeux portaient encore le chagrin des derniers adieux.

— Je vais auprès de ma mère, mentit-elle. Merci.

Ne se fiant à personne, pas même à ce vieil homme, elle n'osa pas révéler qu'elle tentait de quitter le pays.

— *Bitte.*

Poliment elle lui serra la main puis regarda le véhicule s'éloigner. Il lui restait maintenant à parcourir trente kilomètres jusqu'à Sarrebruck, puis encore quinze jusqu'à la frontière française. Cette fois, malheureusement, il n'y eut pas de bon vieillard pour l'emmener en voiture et elle marcha avec peine, les jambes douloureuses, épuisée, glacée, affamée. À deux reprises elle rencontra des paysans apeurés ; le premier lui donna deux pommes, le second se contenta de secouer la tête. Enfin, elle atteignit la frontière, elle avait réussi... Il lui suffisait de ramper sous les barbelés, ce qu'elle fit lentement, le cœur affolé, craignant qu'on ne la voie et qu'une balle ne l'atteigne. Mais la guerre paraissait bel et bien terminée ; personne ne se souciait qu'une jeune fille crasseuse, harassée, aux vêtements sales, rampe sous les fils de fer barbelés, s'égratignant tout le corps. Une fois passée, elle promena un œil hagard autour d'elle, puis s'allongea pour se reposer.

Six heures plus tard, elle était réveillée par les cloches d'une église qui carillonnaient. Son corps n'était que douleurs et courbatures. Ayant vécu sous la douillette aile paternelle à Grunewald puis sous la protection de Manfred, elle n'était nullement préparée à ce genre d'équipée. Elle se remit en marche, mais tomba évanouie sur la route au bout d'une demi-heure. Deux heures après, la vieille femme qui la découvrit la crut morte. Seule la légère palpitation de son cœur sous le chandail détrompa la paysanne qui se précipita chez elle demander de l'aide à sa belle-fille ; ensemble, les deux femmes portèrent l'inconnue sous leur toit. Elles la touchèrent, la palpèrent, la soutinrent enfin quand elle reprit conscience et qu'elle se mit à vomir horriblement. La fièvre s'était emparée d'elle et ne la quitta pas de deux jours. Parfois ses hôtesses songeaient qu'elle allait mourir, là, dans leur maison. La vieille savait seulement qu'elle était allemande, car elle avait découvert sur elle le pistolet de marque germanique ainsi que des marks. Néanmoins, elle n'en tint pas rigueur à la malade ; son propre fils s'était engagé au service des nazis à Vichy, quatre ans plus tôt. En période de guerre, chacun faisait ce qu'il jugeait bon de faire, et si cette fille était en fuite, la vieille ne refuserait pas de l'aider. Après tout, la guerre était finie. Les deux femmes soignèrent Ariana encore deux jours car elle continuait de vomir ; ensuite elle se déclara d'attaque pour repartir. Elle parlait un très bon français, car elle avait une excellente maîtrise de cette langue, et on aurait pu la croire native de Strasbourg.

— Vous allez loin ? interrogea la vieille qui la scrutait.

— À Paris.

— C'est à plus de trois cent cinquante kilomètres. Vous ne pouvez pas marcher tout ce chemin, pas dans l'état où vous êtes.

Ariana montrait des signes de malnutrition. Elle pensait avoir subi une commotion en tombant, sinon elle n'eût pas vomi si violemment ni éprouvé cette douleur dans les yeux après sa chute. Elle semblait de dix ans plus âgée que lorsqu'elle avait entrepris son périple.

— Je peux essayer. Quelqu'un me prendra peut-être en voiture.

— Avec quelle voiture ? Les Allemands nous les ont toutes prises, ainsi que tous nos camions. Ce qu'ils avaient laissé, les Américains l'ont emporté. Ils sont stationnés à Nancy, et je peux vous affirmer qu'en chemin ils ont réquisitionné tout ce qui roulait.

Mais la belle-fille se rappela alors que le vieux curé partait à Metz à la nuit tombante. Il utilisait un cheval et une carriole ; avec un peu de chance, il l'emmènerait.

Le vieux prêtre accepta. Ils atteignirent Metz au matin. Après de longues heures à cahoter dans la campagne, Ariana était de nouveau affreusement malade. Trop malade pour manger, pour bouger ; il le fallait pourtant. Il restait soixante-dix kilomètres, jusqu'à Bar-le-Duc. Elle reprit la route, à pied, priant pour que passe un véhicule. Elle avait parcouru six kilomètres quand sa prière fut exaucée : un homme arrivait, en charrette à cheval. Un homme ni vieux ni jeune, ni amical ni hostile. Ariana lui fit signe de s'arrêter, lui offrit de l'argent français et monta dans la charrette. Des heures durant elle resta assise à côté de lui, sous le soleil printanier ; son conducteur gardait le silence, le cheval avançait péniblement. Le soleil se couchait quand l'homme immobilisa son véhicule.

— Sommes-nous à Bar-le-Duc ? demanda Ariana, surprise.

— Non, mais je suis fatigué. La bête aussi.

Elle aussi était épuisée, mais elle avait hâte de repartir.

— Je me repose un moment avant de continuer, dit l'homme. Cela vous va ?

En l'occurrence elle n'avait guère le choix. Il avait déjà étalé sa veste sur le sol et s'apprêtait à dévorer du pain accompagné de fromage. Il mangea avec autant d'appétit que de grossièreté, sans rien offrir à Ariana qui se sentait trop lasse et trop mal en point pour avaler quoi que ce fût, encore moins le regarder. Elle se coucha dans l'herbe, à quelque distance de lui, la tête appuyée sur son précieux ballot, et elle ferma les yeux. Sous elle, l'herbe était douce et chaude du soleil de mai qui avait brillé toute la journée ; elle était près de s'assoupir. Ce fut alors qu'elle sentit la main de l'homme sur sa jambe. Il la saisit brusquement, s'écrasa sur elle tout en lui remontant sa jupe, lui tirant sa culotte. Stupéfaite elle le repoussa, se mit à lutter farouchement, le giflant de ses deux mains. Il n'était que force et brutalité. À l'instant où il allait la pénétrer, un cri retentit, suivi d'un coup de feu qui déchira l'air. Dans un sursaut, l'homme se redressa, atterré, et Ariana en profita pour bondir sur ses pieds. Elle s'éloigna en titubant. Prise d'un vertige soudain, elle allait tomber quand deux mains solides la saisirent sous les bras pour l'installer doucement dans l'herbe.

— Vous allez bien ?

Elle hocha la tête qu'elle gardait baissée, pour ne pas voir le visage de son interlocuteur ni qu'il vît le sien. Son sauveur s'adressait à elle en anglais ; elle comprit qu'elle était tombée aux mains d'un Américain. Pensant qu'elle ne l'avait pas compris, l'homme se mit à lui parler dans un français hésitant. Quand elle finit par le regarder, elle réprima un sourire tant il lui semblait drôle qu'il la crût française.

— Merci.

Il avait un visage avenant, des cheveux châtains sous son casque. Plus loin, trois autres soldats attendaient près d'une Jeep.

— Il vous a fait du mal ? questionna-t-il.

Elle fit signe que non. Sans autre forme de procès le jeune Américain leva le bras et frappa le Français en pleine figure. Il en avait assez : on les accusait toujours de viol quand ces fils de garce violaient leurs propres femmes. Justice faite, il tourna les yeux vers la frêle jeune fille qui se relevait et secouait les brins d'herbe qui s'étaient pris dans ses jolis cheveux d'or.

— Vous avez besoin qu'on vous conduise quelque part ?

— Oui, répondit-elle avec un faible sourire. À Paris.

— Châlons-sur-Marne, ça ira ? C'est à cent soixante kilomètres de Paris. En ville je trouverai quelqu'un qui vous emmènera.

Était-il possible qu'il pût l'aider à atteindre Paris ? Elle le dévisagea ; des larmes coulaient sur ses joues.

— OK ? C'est bien pour vous ?

Il avait des yeux gentils et son sourire s'élargit quand elle répondit oui.

— Alors, venez, reprit-il.

Elle le suivit vers la Jeep.

Durant le trajet, les quatre jeunes soldats se montrèrent exubérants et joyeux, tout en considérant avec curiosité leur passagère silencieuse, écrasée entre deux d'entre eux. Du regard, ils caressaient la chevelure dorée, le visage aux traits délicats, les yeux tristes puis, sur un haussement d'épaules, se remettaient à bavarder, quand ils n'entonnaient pas une chanson grivoise. Celui qui avait sauvé la jeune femme des assauts du Français portait le nom de Henderson inscrit sur la poche de son treillis et ce fut lui encore qui, une heure après leur arrivée à Châlons, trouva deux autres soldats pour emmener Ariana à Paris.

— Tout ira bien avec eux, miss, la rassura-t-il dans son français hésitant, en lui tendant la main.

— Je vous remercie, monsieur.

— De rien.

Elle se détourna pour suivre les deux soldats. Ceux-là allaient à Paris en mission, apparemment pour porter un message à un colonel, de la part d'un autre colonel — les deux officiers communiquaient entre eux par porteurs au moins trois fois par jour. Or ce n'était pas à ses supérieurs que songeait Henderson, mais à l'expression de désespoir qui dévorait le pâle visage blond, expression fréquente en temps de guerre. Il avait appris aussi autre chose en détaillant les yeux bleus profondément enfoncés, la peau tirée sur les os, les cernes violacés. Cette fille était malade à crever.

26

LES DEUX jeunes soldats américains se rendaient rue de la Pompe et demandèrent à Ariana si elle savait où aller. Elle prit le papier que Manfred lui avait donné. Saint-Marne demeurait rue de Varenne.

— Je crois que c'est sur la rive gauche, mais je n'en suis pas certaine.

C'était bien le cas. Si Paris portait aussi quelques stigmates de la guerre, ce n'était pas aussi terrible qu'à Berlin. Plus que des bombes, la ville avait souffert, sous l'occupation allemande, de pillage.

Un vieil homme à bicyclette leur indiqua le chemin de la rue de Varenne et les deux Américains offrirent à la jeune femme de l'y conduire. Ariana revoyait Paris pour la première fois depuis qu'elle y était venue, enfant, avec son père et son frère mais, trop lasse pour admirer les beautés de la ville, elle ferma les yeux pour ne les rouvrir qu'une fois la jeep arrêtée. Il lui fallait descendre, quand elle aurait mille fois préféré dormir sur le siège arrière. Son voyage depuis Berlin avait duré neuf jours et voilà qu'elle se retrouvait à Paris sans trop savoir pourquoi elle y était venue ni à quoi ressemblerait cet homme chez qui elle se rendait. Peut-être était-il mort. Il lui semblait que tout le monde l'était. Debout devant l'immense porte ouvragée, elle désira plus que jamais se trouver dans la chaleureuse maison de Wannsee que Manfred et elle avaient habitée. Non, il n'y avait plus rien là-bas, elle ne devait pas l'oublier. Plus rien du tout. Manfred était mort.

— Oui, mademoiselle ?

Une femme aux cheveux blancs, un peu rondelette, venait d'ouvrir, révélant derrière elle une fort belle cour intérieure.

Au fond se dressait un ravissant hôtel particulier du XVIIIe siècle, auquel on accédait par une volée de marches en marbre.

— Vous désirez ? s'enquit la femme.

Dans l'obscurité, les lumières de la demeure brillaient comme une invitation.

— Monsieur Jean-Pierre de Saint-Marne, répondit Ariana.

La femme la dévisagea longuement, comme si elle refusait de comprendre.

— Il n'est pas chez lui ? insista Ariana.

— Si, si... Mais la guerre est finie, mademoiselle. Il ne faut plus déranger M. de Saint-Marne.

Elle était fatiguée du défilé incessant de tous ceux qui étaient venus implorer et solliciter son maître. Qu'ils s'adressent aux Américains maintenant. Ils finiraient par tuer Monsieur avec leurs histoires épuisantes, leurs terreurs, leurs émois. Combien de temps continueraient-ils d'abuser de la bonté de Monsieur ?

— Je... Je suis désolée, reprit Ariana qui ne comprenait pas l'inertie de son interlocutrice. Mon époux et M. de Saint-Marne étaient de vieux amis. Il m'a conseillé de m'adresser à M. de Saint-Marne lorsque j'arriverais ici...

Les mots s'éteignirent sur ses lèvres ; la vieille secouait la tête.

— C'est ce qu'ils disent tous.

Et celle-ci n'avait pas l'air mieux que les autres. Maladive, osseuse, d'une pâleur mortelle, avec des vêtements fripés, des souliers éculés et ce maigre balluchon dans les mains. À croire qu'elle ne s'était pas lavée depuis une semaine. Sous prétexte que Monsieur avait de l'argent, toute cette racaille venait lui sucer le sang.

— Je vais voir si Monsieur est à la maison.

La belle Rolls-Royce garée dans la cour suggérait que le maître y était bel et bien.

— Attendez ici.

Ariana se laissa tomber sur un banc, frissonnant légèrement dans l'air frais du soir. Mais elle s'était accoutumée à la fatigue, au froid et à la faim. En avait-il jamais été autrement ? Les souvenirs lui échappaient... elle ferma les yeux. Des heures parurent s'écouler avant qu'on ne la secoue par l'épaule.

— Il va vous recevoir, annonça la vieille femme avec une moue de désapprobation.

Le soulagement envahit Ariana, non à la perspective de voir le maître des lieux, mais simplement parce qu'elle n'aurait pas à aller plus loin cette nuit. Du moins l'espérait-elle. Peu lui importait qu'on la fît dormir au grenier ; elle n'aurait pas la force de faire un pas de plus avant le matin.

Emboîtant le pas à la domestique, elle gravit les quelques marches de marbre jusqu'à la porte d'entrée qu'un austère majordome ouvrit avant de s'effacer. L'homme rappela fugitivement Berthold à la jeune femme, si ce n'est qu'il avait le regard plus gentil. Il la considéra rapidement puis, sans prononcer un mot, tourna les talons et s'éloigna. Ariana resta dans le hall avec la vieille dame.

— Il est allé chercher Monsieur, marmonna celle-ci, toujours aussi hostile. On vous appellera. Je vous laisse.

— Merci, fit Ariana.

Lorsque le majordome réapparut, elle fut conduite le long d'un couloir coquettement aménagé, drapé de velours et orné des portraits des ancêtres Saint-Marne. Au bout se dressait une double porte en miroir dont le majordome n'ouvrit qu'un seul battant. Le décor alors rappela fortement à la jeune femme le château de Berlin, avec ses chérubins, ses stucs et ses dorures, ses marqueteries, ses miroirs en vis-à-vis surplombant d'imposantes cheminées de marbre et qui se reflétaient à l'infini. Au milieu de toute cette splendeur se tenait un homme à l'air grave, de l'âge de Manfred mais de carrure plus étroite, dont les sourcils fournis se rejoignaient en un pli soucieux. Il était assis dans un fauteuil roulant.

— Monsieur de Saint-Marne ? demanda Ariana.

Elle était trop lasse pour tenter de se plier à l'étiquette que semblaient exiger les circonstances comme les lieux.

— Oui.

Il ne fit pas un mouvement mais son expression invita la visiteuse à approcher. Au sérieux de son regard se mêlait une chaleur manifeste.

— C'est bien moi. Et vous, qui êtes-vous ?

— Ariana... Mme Manfred von Tripp. Manfred m'a dit de venir vous trouver si Berlin tombait. Je suis désolée, j'espère que...

Elle tentait d'endiguer son émotion. Saint-Marne fit jouer adroitement les roues de son fauteuil roulant et s'approcha tout près d'elle pour lui tendre la main.

— Soyez la bienvenue, Ariana. Asseyez-vous, je vous en prie.

Son visage n'arborait cependant pas une joie sans mélange. Il devinait que la visiteuse avait plus à lui dire et doutait fort qu'il s'agît de bonnes nouvelles.

Ariana s'assit, sans quitter le Français des yeux. À sa manière il était plutôt avenant mais, face à ce camarade d'études de Manfred, elle se sentit plus seule que jamais, irrémédiablement séparée de celui qu'elle ne reverrait plus.

— Combien de temps vous a-t-il fallu pour arriver ici ? interrogea Saint-Marne.

Il dévisageait la jeune femme, reconnaissait en elle ce qu'il avait vu chez tant d'autres : la maladie, l'épuisement, la peur.

— Neuf jours.

— Par quel moyen de transport ?

— En voiture, à cheval, à pied, en jeep...

Ses yeux vides fixaient Saint-Marne. Alors celui-ci posa la question qui lui brûlait les lèvres.

— Et Manfred ?

— Il est mort, murmura Ariana. Pendant la chute de Berlin. Il m'avait dit de venir vous trouver. Je ne sais pas pourquoi j'ai quitté l'Allemagne, sinon que je n'avais plus rien là-bas. Il fallait que je m'en aille.

— Votre famille ?

À son expression, on l'aurait dit peu touché par la mauvaise nouvelle qu'il venait d'apprendre.

— Je crois que mon père est mort, bredouilla Ariana. Ma mère est décédée avant la guerre. Mais mon frère est peut-être en vie. En Suisse. Mon père l'a emmené là-bas à l'automne dernier pour lui éviter l'incorporation dans l'armée et n'est jamais revenu de Suisse ; depuis, je n'ai jamais eu de nouvelles de Gerhard.

— Gerhard devait rester en Suisse et votre père, lui, avait prévu de revenir ?

— Oui. Pour m'emmener à mon tour. Mais... notre gouvernante... enfin, nous avons été dénoncés aux nazis. J'ai été prisonnière, ils me gardaient en attendant le retour de mon père. Au bout d'un mois, ils m'ont relâchée. Manfred et moi...

Elle se tut avant que ne jaillissent ses larmes.

Avec un soupir, Jean-Pierre prit une feuille de papier sur son bureau.

— Je suppose que c'est la raison pour laquelle Manfred vous a envoyée à moi.

Elle ne comprit pas.

— Je crois qu'il m'a adressée à vous simplement parce que vous étiez son ami et qu'il pensait que je serais en sécurité ici.

Jean-Pierre de Saint-Marne eut un sourire las.

— En effet, Manfred était un ami proche. Et sage de surcroît. Il connaissait mes activités durant la guerre car nous étions restés en contact. Discrètement, bien sûr.

D'un geste vague, il désigna son fauteuil roulant.

— Comme vous le voyez, je suis plutôt... gêné... mais je me suis assez bien démené malgré cela. Je suis devenu une sorte de philanthrope, si l'on peut dire. Je m'attache à réunir les familles dispersées, parfois dans d'autres pays, et à organiser des « vacances » sous des climats plus cléments.

Ces euphémismes n'échappèrent pas à Ariana.

— En d'autres termes, vous avez aidé des gens à s'enfuir.

— Principalement. Maintenant je vais consacrer les années à venir à tenter de réunir des familles. Cela devrait m'occuper un bon moment.

— En ce cas, pouvez-vous m'aider à retrouver mon frère ?

— J'essaierai. Donnez-moi toutes les informations que vous avez et je verrai ce que je peux faire. Cependant, je crains qu'il ne vous faille prendre des décisions par ailleurs, Ariana. Pour vous-même. Où irez-vous désormais ? Chez vous en Allemagne ?

— Je n'ai plus personne là-bas, énonça-t-elle d'une voix atone.

— Vous pouvez rester ici quelque temps.

Quelque temps, oui, pas pour toujours, elle le comprit. Où irait-elle ensuite ? Elle n'y avait pas du tout songé.

Saint-Marne hocha la tête avec sympathie puis prit quelques notes.

— Très bien. Demain je verrai ce que je peux faire pour vous. Vous me direz tout ce que vous savez afin de m'aider à retrouver Gerhard. Si c'est bien ce que vous attendez de moi.

Ariana acquiesça lentement, comme si elle avait encore du mal à tout assimiler. La personnalité de son hôte dans cette pièce luxueuse, son offre de l'aider à retrouver Gerhard...

— D'ici là, reprit Saint-Marne en souriant, vous avez une autre obligation.

— Laquelle ?

Elle tenta de lui rendre son sourire mais c'était déjà pour

elle un effort terrible que de garder les yeux ouverts, de ne pas s'endormir dans ce fauteuil trop confortable.

— Votre devoir, chère Ariana, est de prendre du repos. Vous semblez épuisée.

— Je le suis.

Tous se trouvaient dans le même état lorsqu'ils arrivaient devant lui, brisés, blessés, effrayés. D'ici un jour ou deux, elle aurait meilleure mine, pensa-t-il. Une jeune femme délicieuse. Étrange de la part de Manfred d'avoir épousé un être si frêle, si évanescent, si jeune. Marianna avait été autrement solide. En la voyant, Jean-Pierre avait été choqué de découvrir en Ariana la nouvelle épouse de Manfred. Au fond, il ne s'était pas attendu à ce que son ami se remarie, tant il avait été atteint par la mort de Marianna et de ses enfants. Et pourtant, face à la jeune femme, il comprenait fort bien la passion de Manfred. Malgré ses vêtements sales et fripés, elle évoquait un elfe ; elle était ravissante. Il eût aimé la voir avec Manfred en des temps meilleurs. Quand il fut de nouveau seul dans le salon, Saint-Marne se prit à songer à son vieil ami. Pourquoi en vérité lui avait-il envoyé son épouse ? Pour l'attendre, comme il l'avait dit à Ariana, s'il survivait à la bataille de Berlin ? Ou espérait-il davantage ? Quelque protection ? Une aide pour retrouver son frère ? Quoi ? Curieusement, il lui semblait qu'avec Ariana, Manfred lui transmettait une sorte de message qu'il aurait désespérément voulu décrypter. Peut-être finirait-il pas en comprendre le sens, conclut-il, assis devant la fenêtre.

Dans sa chambre avec vue sur la jolie cour pavée, Ariana s'était rapidement endormie. Elle avait été installée par une aimable femme d'âge mûr qui portait un tablier sur son ample jupe. Quand la femme avait retiré le dessus-de-lit, révélant d'épaisses couvertures, des draps propres et confortables, il avait paru à Ariana n'avoir rien vu d'aussi délicieux depuis des lustres. Sans plus penser ni à Jean-Pierre ni à son frère ni même à Manfred, elle s'était glissée dans le lit pour sombrer aussitôt dans un profond sommeil.

27

LE LENDEMAIN après le petit déjeuner, Ariana rejoignit Jean-Pierre dans son bureau. La lumière du jour révélait cruellement son teint verdâtre.

— Étiez-vous malade avant de quitter Berlin ? lui demanda Saint-Marne.

— Non.

— Alors vous devez être épuisée par le voyage... et par votre deuil.

Combien de fois n'avait-il pas assisté à pareilles réactions face à la peine ! Sueurs, vomissements, étourdissements. Il avait vu des hommes mûrs s'évanouir au simple soulagement d'atteindre enfin l'abri de sa demeure. Pour l'heure, néanmoins, il se souciait davantage de l'état moral d'Ariana.

— Je ferai plus tard venir un médecin pour vous examiner. Mais d'abord, je veux tout savoir sur votre frère. Son aspect, sa taille, son poids, où il allait, les vêtements qu'il portait, quels étaient ses projets exacts. Qui il connaissait.

Il reprit ses questions point par point et Ariana lui répondit. Elle lui expliqua en détail le plan de son père : la marche depuis la gare de Lörrach jusqu'à la frontière suisse, puis Bâle, où ils devaient prendre un autre train pour Zurich, d'où son père reviendrait la chercher.

— Et à Zurich ?

— Rien. Gerhard devait seulement nous attendre.

— Ensuite, quels étaient vos projets à tous trois ?

— Gagner Lausanne où se trouvaient des amis de mon père.

— Ces amis savaient que vous deviez venir ?

— Je l'ignore. Papa n'aura sans doute pas voulu leur téléphoner depuis la maison ou depuis son bureau. Il avait certainement l'intention de les prévenir une fois à Zurich.

— Aurait-il laissé leurs coordonnées à votre frère ?

— Sûrement.

— Et jamais vous n'avez reçu de leurs nouvelles, ni des amis, ni de votre frère, ni de votre père ?

— Rien. Manfred était certain que mon père était mort.

À son ton, Saint-Marne comprit qu'elle avait fini par admettre ce deuil. C'était à présent la perte de Manfred qu'elle n'acceptait pas.

— Mais mon frère...

Elle dardait sur son interlocuteur un regard suppliant.

— Nous verrons, rétorqua Jean-Pierre. Je dois passer quelques coups de fil. Si vous retourniez vous reposer ? Je vous préviendrai dès que j'aurai la moindre nouvelle.

— Vous me réveillerez ?

— C'est promis.

Ce qu'il ne jugea pas utile en fin de compte. En l'espace d'une heure il avait appris tout ce qu'il était possible de savoir — c'est-à-dire rien de suffisamment important pour tirer la jeune femme du sommeil. Elle dormit jusqu'à la tombée de la nuit. Dès que Lisette le prévint qu'elle était éveillée, il roula jusqu'à sa chambre.

— Bonsoir, Ariana. Comment vous sentez-vous ?

— Mieux.

À la voir on eût pourtant affirmé le contraire. Plus pâle, plus verdâtre encore, elle faisait un effort manifeste pour lutter contre la nausée.

— Pas de nouvelles ? demanda-t-elle.

Au bref silence qui s'ensuivit, elle comprit sur-le-champ. Son regard se fit plus intense.

— Non, Ariana, la détrompa-t-il, il n'y a pas de nouvelles à proprement parler. Je vais vous dire tout ce que j'ai appris, mais c'est fort peu de chose. Votre frère a disparu.

— Mort ? souffla-t-elle d'une voix tremblante.

Elle n'avait jamais perdu espoir qu'il fût en vie. En dépit de la conviction de Manfred.

— Peut-être. Je ne sais pas. Voilà, j'ai appelé chez l'homme dont vous m'aviez communiqué le nom. Sa femme et lui ont trouvé la mort dans un accident d'automobile deux jours exactement avant que votre père et Gerhard ne quittent Berlin. Le couple était sans enfant, la maison a été vendue, et ni les nouveaux propriétaires ni les banquiers associés de l'ami de votre père n'ont entendu parler de votre frère. J'ai été en contact avec un directeur de la banque, qui connaissait bien sûr votre père : il ne sait rien quant au sort de ce dernier. Il est possible qu'il ait laissé Gerhard pour revenir vous chercher, et qu'il ait été tué lors de son retour à Berlin. Auquel cas, Gerhard aura fini par contacter l'ami dont votre père lui avait laissé le nom, pour découvrir que l'homme et son épouse étaient décédés. Je suppose qu'ensuite il aura soit pris contact avec la banque où travaillait l'ami en question (mais nous n'en avons pas trace), soit décidé qu'il devait prendre son destin en main, relevé ses manches et trouvé un emploi quelconque pour survivre. En tout état de cause, il n'existe aucune trace de lui, Ariana, ni à Zurich, ni du côté de la police suisse, ni du côté des banquiers de Lausanne. Je n'ai pas davantage trouvé trace de Max Thomas.

Ariana lui avait également donné ce nom. Saint-Marne la considéra avec sympathie. Toute la journée il avait tenté de trouver une piste. Mais il n'y avait rien. Aucun indice.

— J'ai recouru à toutes les procédures ordinaires ainsi qu'à bon nombre de mes meilleurs contacts. Personne n'a jamais vu votre frère. Ce qui peut être un bon ou un très mauvais signe.

— Quel est votre avis, Jean-Pierre ?

— Je pense que votre père et lui sont morts ensemble, entre Lörrach et Bâle.

Au silence d'Ariana, il la devina anéantie par le chagrin, alors il continua de parler afin de la tirer de sa torpeur.

— Ariana, nous devons aller de l'avant.

— Où ? Vers quoi... Pourquoi ? s'écria-t-elle la voix entrecoupée de sanglots. Je ne veux pas continuer. Plus maintenant. Il ne me reste plus personne. Seulement moi.

— Cela suffit. Je n'ai pas davantage.

— Vous aussi ?

Il hocha la tête tandis que la jeune femme séchait ses larmes.

— Ma femme était juive. Les Allemands l'ont emmenée et... avec elle notre petite fille.

Sa voix s'était cassée et il avait bougé son fauteuil pour se détourner quelque peu d'Ariana.

Celle-ci ferma les yeux, reprise par son insurmontable nausée. C'en était trop. Tous ces deuils, toute cette douleur. Cet homme, et Manfred, et Max, et elle-même perdant ceux qu'ils aimaient, femmes et enfants, frères et pères. La pièce se mit à tournoyer autour d'elle et elle s'allongea. Saint-Marne roula son fauteuil auprès d'elle et lui caressa doucement les cheveux.

— Je sais, ma petite, je sais.

Il ne lui parla pas de la seule piste qu'il avait trouvée, et qui aurait rendu l'amère vérité plus cruelle encore. L'employé d'un hôtel à Zurich croyait bien se souvenir d'un jeune homme tel que celui que Jean-Pierre lui avait décrit. Il avait noué conversation avec le garçon et se souvenait que celui-ci avait dit attendre sa famille. Deux semaines durant il avait séjourné à la pension, seul. Mais pour finir, il avait retrouvé les siens et s'en était allé. Il ne pouvait s'agir de Gerhard, qui n'avait plus aucune famille. Si cela avait fait partie du plan du père d'Ariana, celui-ci n'eût pas manqué d'en aviser sa fille. L'employé avait même été assez précis : le garçon était parti avec un couple et leur fille. Voilà la seule piste qu'il avait découverte. Une impasse. Nul autre indice encourageant. Le garçon avait disparu et, ainsi que des milliers d'autres en Europe, Ariana se retrouvait seule au monde.

— J'ai une suggestion à vous faire, reprit Jean-Pierre, après un long silence. Si vous êtes assez courageuse. Vous choisirez. Moi, si j'étais assez jeune, je n'hésiterais pas. Je quitterais cette Europe détruite, martyrisée, bombardée. Je partirais pour tout recommencer. C'est ce que je vous conseille de faire.

Essuyant ses larmes, Ariana releva la tête.

— Mais où aller ?

Cette perspective la terrifiait. Elle ne souhaitait partir nulle part. Elle voulait rester, recluse dans son passé.

— Aux États-Unis, répondit calmement Jean-Pierre. Un bateau de réfugiés part demain, armé par une organisation new-yorkaise. Les membres de cette association vous accueilleront à la descente du paquebot et vous aideront à vous implanter.

— Et que devient la maison de mon père à Grunewald ? Vous croyez qu'elle ne me sera jamais restituée ?

— En avez-vous réellement envie ? Pourriez-vous y vivre ? Si tant est que vous la récupériez, ce dont je doute.

Le réalisme de ces paroles frappa Ariana. Et soudain, tandis qu'il continuait de lui parler, Jean-Pierre comprit le sens de la démarche de Manfred. Ce dernier lui avait envoyé Ariana parce qu'il savait qu'il trouverait une solution. Et Saint-Marne à présent ne doutait pas que celle qu'il proposait fût la bonne.

Un seul doute subsistait : celui de savoir si Ariana était en assez bonne santé pour voyager. Fort de sa longue expérience auprès des gens qu'il avait aidés au cours des six ans écoulés, il n'ignorait pas qu'il faudrait des mois à la jeune femme pour se rétablir. Elle avait tout perdu, et ces neuf jours d'errance lui avaient porté le coup fatal : l'épuisement, la faim, trop de marche, trop de peine, trop de deuils. Par ailleurs, il risquait de ne pas y avoir d'autre bateau en partance avant longtemps.

— Le ferez-vous ? interrogea Jean-Pierre sans la quitter des yeux. Ce pourrait être une vie entièrement nouvelle.

— Et Gerhard ? Vous ne pensez pas qu'il aura fini par gagner Lausanne ? Ou qu'il sera resté à Zurich ? Peut-être le retrouverais-je si j'allais là-bas...

Mais l'espoir l'avait quittée.

— Je suis presque catégorique, Ariana. Nous n'avons aucune trace de lui. S'il était en vie, il aurait laissé des traces. Je crois que les choses se sont passées comme je vous l'ai dit. Votre père et lui ont dû se faire tuer.

Ariana laissa ce verdict sans appel tomber sur elle. Elle les avait tous perdus. Elle avait le choix : se coucher pour mourir, elle aussi... ou repartir.

Luttant contre les assauts de vertiges et de nausées, elle regarda Jean-Pierre, assis à son chevet dans son fauteuil roulant. Et quelque instinct profond lui souffla les mots, même si la voix qui les prononça ne ressemblait pas à la sienne :

— D'accord. J'irai là-bas.

28

LA GROSSE Rolls-Royce noire de Saint-Marne avançait lentement dans le port du Havre. Assise à l'arrière, Ariana se taisait, plongée dans un abîme de tristesse. Ils avaient à peine parlé depuis le départ de Paris. Les routes étaient encombrées de camions, de jeeps, de petits convois qui assuraient des acheminements de matériel entre le port et la capitale. Hormis la couleur terne des véhicules et des uniformes militaires, tout semblait presque normal.

La majeure partie du trajet, Jean-Pierre avait observé sa compagne ; pour la première fois depuis qu'il aidait des réfugiés, il se sentait à court de ces mots qui savent réconforter. L'expression d'Ariana disait trop qu'aucune parole ne saurait la soulager.

À mesure qu'ils roulaient, Ariana prenait véritablement conscience de son sort. Parmi ceux qu'elle aimait, il ne lui restait personne, personne vers qui se tourner ; nul ne partagerait plus jamais avec elle le souvenir du passé, nul même ne la comprendrait sans qu'il soit utile de parler, nul ne se souviendrait de son frère, de son père, de la maison de Grunewald... de sa mère... de Fräulein Hedwig... des étés au bord du lac... ou des rires étouffés dans le dos de Berthold à table... Personne ne conserverait l'odeur des expériences chimiques de Gerhard quand tout prenait feu. Personne non plus n'aurait connu Manfred, dans ce nouveau monde vers lequel elle partait. Il n'y aurait personne pour comprendre l'horreur de son incarcération dans cette cellule, attaquée par Hildebrand... secourue par Manfred, rendue à la vie à Wannsee. Avec qui se souviendrait-elle de la couleur du couvre-lit dans sa première chambre, de l'éclat des yeux de Manfred la première fois qu'il lui avait fait l'amour, ou encore de son visage quand elle avait fini par le trouver dans les ruines fumantes de Berlin ? Personne ne saurait jamais rien de sa vie, ni de son passé, et tandis qu'elle se laissait emporter au côté de Saint-Marne vers le navire qui l'emporterait pour toujours, elle ne pouvait imaginer qu'elle connaîtrait à nouveau un jour une complicité avec quiconque.

— Ariana ? appela Jean-Pierre de sa voix grave, modulant son nom à la française.

Avant leur départ pour Le Havre ce matin, il avait à peine osé lui parler. Elle semblait si fragile. La veille, elle s'était évanouie à deux reprises. Remarquant qu'elle semblait maintenant un peu mieux, il pria silencieusement qu'elle fût assez solide pour supporter la traversée jusqu'à New York.

— Ariana ? répéta-t-il.

Tirée de ses pensées, elle finit par tourner la tête vers lui.

— Oui ?

— Je comprends bien que cette dernière année a dû être si intense qu'elle vous paraît comme une vie entière, mais... À vingt ans, une année compte énormément. Dans vingt ans, elle ne sera plus si longue, ajouta-t-il avec un faible sourire, cherchant à lui redonner espoir.

La réponse jaillit, glacée :

— Vous insinuez que je pourrais oublier Manfred ?

La suggestion de Saint-Marne la révoltait mais il la détrompa d'une voix triste :

— Non, vous ne l'oublierez pas.

Il songea à sa femme, à sa fille, disparues trois ans auparavant, et sa douleur fut vive.

— Non, vous n'oublierez pas. Mais je crois qu'avec le temps la souffrance s'apaise. Ce ne sera plus aussi insupportable que ça l'est actuellement.

Il enlaça les épaules de la jeune femme.

— Vous êtes encore très jeune, Ariana. Pour vous, rien n'est fini.

Mais il avait beau s'efforcer de la réconforter, nulle lueur d'espoir ne s'allumait dans les grands yeux bleus.

Quand ils furent parvenus sur le quai, il ne descendit pas de voiture pour l'accompagner au bateau, gêné par son handicap. Pour le moment, il ne pouvait rien de plus pour elle. Il avait organisé son départ pour les États-Unis où il savait que la Société de secours des femmes de New York prendrait soin d'elle dès son arrivée.

Il lui tendit la main par la vitre baissée. Elle se tenait toute droite, avec la petite valise en carton que la gouvernante avait sortie du sous-sol et remplie de quelques-uns des vêtements de son épouse défunte, dont aucun sans doute ne lui irait. Elle était si menue, si enfantine avec ses immenses yeux bleus qui dévoraient son visage aux traits incroyablement fins que, tout à coup, il se demanda s'il ne s'était pas trompé en l'incitant à partir. N'était-elle pas trop faible pour supporter la traversée ? Mais elle avait réussi à parcourir les mille kilomètres depuis Berlin, par toutes sortes de moyens de locomotion différents, durant neuf terribles jours... Elle parviendrait bien à tenir une semaine sur l'océan. Au bout du compte l'épreuve serait salutaire. Elle surmonterait le cauchemar enduré et se ferait une nouvelle vie dans un nouveau pays.

— Vous m'écrirez, n'est-ce pas ?

Il se faisait l'effet d'un père qui envoie un enfant chéri dans une école à l'étranger.

Un pâle sourire naquit sur les lèvres d'Ariana, éclaira le bleu de ses yeux.

— Oui, je n'y manquerai pas. Et, Jean-Pierre... merci... pour tout ce que vous avez fait.

— Je suis désolé que... que les choses n'aient pas été différentes.

Il regrettait l'absence de Manfred, ici, aux côtés de son épouse.

— Moi aussi, fit Ariana qui devina le sens de ses paroles.

— Au revoir, Ariana, murmura Saint-Marne. Je vous souhaite un bon voyage.

Elle le remercia du regard une fois encore, avant de se diriger vers la passerelle d'embarquement. Au moment d'y poser le pied, elle se tourna une dernière fois, fit un signe de la main et murmura « Adieu », des larmes plein les yeux.

LIVRE TROISIÈME

ARIANA

New York

29

Le paquebot *Fierté du Pèlerin* portait bien son nom. On aurait dit qu'il avait pris la mer, chargé d'émigrants, bien avant le *Mayflower.* Petit, étroit, sombre, il sentait la moisissure. Néanmoins il était capable de naviguer et l'on n'avait pas manqué de le charger jusqu'aux écoutilles. Le *Fierté du Pèlerin* avait été acheté conjointement par plusieurs organisations charitables américaines, dont la principale était la Société de secours des femmes de New York qui, jusqu'alors, avait mené à bien quatre traversées de cette nature, amenant aux États-Unis plus d'un millier de réfugiés. Pour chacun, la Société trouvait un parrain par le biais d'autres associations du même type dispersées à travers les États-Unis. Elle avait engagé un équipage de valeur pour assurer la traversée de tous ces gens — femmes, enfants, personnes âgées, qui quittaient l'Europe dévastée pour entamer une nouvelle vie.

Qu'ils soient français ou originaires d'un des pays européens ravagés par la guerre, les passagers réunis au Havre étaient tous en piètre condition physique. Certains avaient voyagé à pied durant des semaines, voire des mois ; d'autres, dont des enfants, avaient erré, abandonnés, durant des années. Aucun n'avait vu de véritable nourriture depuis longtemps ; beaucoup n'avaient jamais vu la mer, *a fortiori* jamais navigué.

N'ayant pas trouvé de médecin, la Société de secours avait

engagé une jeune infirmière remarquablement compétente, Nancy Townsend. Son action à bord s'était révélée vitale. Elle avait fait face à neuf accouchements, plusieurs fausses couches délicates, paré à quatre infarctus, accompagné six mourants. Il lui fallait aussi soigner le mal de mer, l'épuisement, la faim, les carences physiques et affectives, les besoins de gens qui avaient trop chèrement et trop longtemps acquitté le prix de la guerre. Lors de la dernière traversée, il y avait eu à bord quatre femmes qui avaient été prisonnières pendant près de deux ans, avant d'être libérées par les Alliés en avril ; deux d'entre elles seulement avaient survécu. Chaque fois qu'elle assistait à l'embarquement des passagers, Nancy Townsend songeait que tous n'atteindraient pas New York. Il était relativement facile de repérer les plus solides et ceux qui n'auraient pas dû entreprendre le voyage. Mais parfois, ceux qui paraissaient les plus robustes s'effondraient soudainement lors de cette dernière étape. Apparemment, la jeune femme si menue qui partageait une cabine avec neuf autres femmes sur le pont inférieur était de ceux qui ne tiendraient pas.

Quelques jours après l'appareillage, une jeune fille originaire des Pyrénées vint en courant trouver Nancy, hurlant que quelqu'un était en train de mourir dans la couchette au-dessous de la sienne. Dès que Nancy la vit, elle comprit que la malade dépérissait de mal de mer, de faim, de déshydratation. Elle délirait sans qu'on puisse déterminer son mal, mais elle avait les yeux révulsés, le front brûlant de fièvre.

Nancy s'agenouilla auprès d'elle, lui prit le pouls, et fit signe aux autres de s'éloigner. Toutes avaient regardé Ariana avec un sentiment de malaise, se demandant si elle allait mourir dans leur cabine. La chose s'était déjà produite la veille, deux jours après le départ du Havre. Une petite Juive, maigre au possible, qui était venue de Bergen-Belsen à Paris, n'avait pas survécu à l'ultime étape.

Vingt minutes après l'avoir examinée, l'infirmière installait

Ariana dans l'une des deux chambres d'isolement. La fièvre monta encore, et la malade souffrit de crampes terribles dans les membres. Si Nancy craignit de voir là les prémices de convulsions, il n'en fut rien et, au dernier jour de traversée, la fièvre finit par céder. Ariana vomissait constamment ; chaque fois qu'elle tentait de s'asseoir dans le lit, sa tension chutait si bas qu'elle s'évanouissait. Ne se rappelant que quelques mots d'anglais, elle parlait toujours à l'infirmière dans un allemand haché, que Nancy ne comprenait pas à l'exception des noms qui revenaient sans cesse... Manfred... Papa... Gerhard... Hedwig...

— *Nein,* Hedwig ! s'était-elle écriée plusieurs fois, plongeant sans les voir dans les yeux de l'infirmière.

Et quand elle sanglotait en pleine nuit, il était impossible de la consoler. Maintes fois, Nancy se demanda si cette fille n'était pas malade à force de ne plus désirer vivre. Elle n'eût pas été la première.

Le dernier matin, Ariana posa sur elle un regard vide, moins fiévreux, mais terriblement douloureux.

— J'espère que vous vous sentez mieux, fit Nancy avec un bon sourire.

Ariana eut un vague hochement de tête et retomba dans le sommeil. Elle ne vit pas le paquebot entrer dans le port de New York, ni la statue de la Liberté, avec le soleil qui faisait pleuvoir de l'or sur le bras tenant la torche. Ceux qui le pouvaient se massèrent sur le pont et crièrent de joie, le visage baigné de larmes, s'enlaçant les uns les autres. Ils étaient arrivés, enfin ! De tout cela, Ariana ne sut rien. Pas plus que de l'arrivée du commissaire à l'immigration qui monta à bord une fois le bateau à quai. Il salua l'infirmière et prit connaissance de son rapport écrit. Généralement, on envoyait tout de suite les passagers auprès de leur parrain, mais celle-ci devrait attendre. En raison de son délire et de sa fièvre, mieux valait s'assurer qu'elle n'était pas porteuse d'une maladie. Le commissaire pria l'infirmière de placer la jeune femme en quarantaine. Puis il la regarda qui dormait avant de hausser un sourcil interrogateur vers Townsend.

— De quoi s'agit-il, à votre avis ?

D'un geste, l'infirmière l'invita à sortir dans la coursive.

— Je ne suis sûre de rien, répondit-elle, mais on peut penser qu'elle a été torturée, ou qu'elle revient d'un camp. Je n'en sais rien. Il faudra veiller sur elle.

Le commissaire acquiesça après un regard de sympathie vers la porte entrouverte.

— Ni blessures, ni infection, ni lésions apparentes ?

— Non. Mais elle a vomi durant toute la traversée. Il faut surveiller cela, il peut s'agir d'une blessure interne. Je regrette, je ne suis certaine de rien à son sujet.

— Ne vous faites pas de souci, mademoiselle Townsend. Vous nous la confiez maintenant. Vous avez dû lui consacrer la majeure partie de votre temps.

Il baissait de nouveau les yeux vers les feuilles de température.

— Oui, reconnut Nancy Townsend avec un sourire. Mais elle a passé le cap. Je crois qu'elle vivra, mais la convalescence sera longue...

— J'imagine, oui.

Le commissaire alluma une cigarette et regarda les autres passagers qui débarquaient. Il attendit que deux ordonnances viennent chercher la malade avec une civière. Ariana s'agita un peu puis, après un ultime regard à l'infirmière qui l'avait maintenue en vie, quitta le paquebot. Elle n'avait pas la moindre idée du lieu où on l'emmenait ; et cela lui était égal.

30

— ARIANA... Ariana... Ariana...

La voix semblait l'appeler de très loin et elle ne savait s'il s'agissait de sa mère ou de Fräulein Hedwig ; quoi qu'il en soit, elle était incapable de répondre. Elle se sentait terriblement lasse, elle avait effectué un très long voyage d'où il était trop difficile de revenir.

— Ariana...

Mais la voix insistait. Il faudrait donc revenir, leur répondre... Elle n'en avait aucune envie... Que voulaient-ils ?

— Ariana...

La voix continuait de l'appeler et Ariana finit par soulever les paupières.

Devant elle se tenait une grande femme aux cheveux gris. Elle portait une jupe et un chandail noirs, et était coiffée d'un chignon serré. De sa main solide et fraîche, elle caressait doucement les cheveux d'Ariana. Quand elle finit par retirer sa main, Ariana vit briller un diamant à son doigt.

— Ariana ?

La jeune femme eut l'impression qu'elle avait perdu l'usage de la parole et ne put répondre que d'un hochement de tête. Que s'était-il passé ? Où était-elle ? D'où venait-elle ? Qui était cette femme ? Son cerveau n'était que confusion. Se trouvait-elle sur le bateau ? À Paris ?... À Berlin ?

— Savez-vous où vous êtes ?

Le sourire était aussi doux que la main qui avait caressé ses cheveux. Elle parlait anglais. Ah oui, Ariana se souvenait, du moins le pensait-elle, et une lueur d'interrogation passa dans ses yeux.

— Vous êtes à New York. Dans un hôpital. Nous vous avons mise ici afin de nous assurer que vous alliez bien.

Et d'une certaine façon, c'était le cas.

Ruth Liebman savait pertinemment qu'Ariana tairait toujours certaines choses et qu'il serait inutile de la questionner.

— Vous sentez-vous un peu mieux ?

Le médecin n'avait décelé aucune maladie, aucun symptôme pouvant justifier l'épuisement de la patiente, son profond sommeil et sa faiblesse, sinon bien sûr les vomissements et la fièvre à bord du bateau. Mais il devenait maintenant urgent de la tirer de sa léthargie. Elle donnait l'impression d'avoir renoncé à vivre, tout simplement. Aussi devenait-il crucial que quelqu'un se charge de la ramener à la vie.

Responsable des bénévoles de la Société de secours des femmes de New York, Ruth Liebman était venue voir elle-même la malade. C'était aujourd'hui sa deuxième visite. La première fois, en dépit de ses caresses et de ses appels insistants, Ariana n'avait pas réagi. Sans brusquerie, Ruth avait cherché à l'intérieur de son bras le numéro tatoué. Il n'y en avait pas. Elle avait eu la chance d'échapper à ce destin. Peut-être avait-elle été cachée par une famille, ou peut-être avait-elle fait partie de ces prisonnières que l'on ne marquait pas d'un numéro mais que l'on utilisait à d'autres fins. Le paisible visage endormi de la frêle beauté blonde ne lui livrait rien. On savait seulement son nom et que c'était Saint-Marne qui s'était chargé de son cas. Ruth connaissait un peu Saint-Marne, un homme infirme qui avait perdu sa femme et sa fille.

Ruth Liebman avait eu ses propres malheurs depuis que l'attaque de Pearl Harbor avait entraîné les États-Unis dans la guerre. À l'époque, elle avait quatre enfants, heureux et en bonne santé ; à présent il ne lui restait que deux filles et un garçon. Simon avait été tué à Guam, et ils avaient failli perdre Paul à Okinawa. À l'arrivée du télégramme, Ruth avait manqué s'évanouir mais, le visage grave, les mains tremblantes, elle s'était enfermée dans le bureau de son mari. Sam travaillait en ville. Les filles étaient à l'étage. Elle tenait le papier qui resssemblait tellement au premier... qui allait lui révéler le sort de son cadet. Elle avait décidé de faire face seule à la nouvelle... Or quand elle eut ouvert le télégramme, elle avait ressenti un immense soulagement. Paul n'avait été que blessé ; il serait de retour dans quelques semaines. En téléphonant à Sam, elle frôlait la crise de nerfs. Elle n'avait plus besoin de paraître calme et confiante. Pour eux, la guerre était finie. Sa joie avait doté d'une vigueur nouvelle chacun de ses gestes, chacune de ses pensées. Elle avait été bouleversée d'apprendre les horreurs nazies, se sentant coupable pour les souffrances qu'avaient endurées les Juifs d'Europe. Elle s'était alors jetée dans le bénévolat pour les aider. À présent, elle travaillait avec eux en faisant preuve d'amour et de compassion, et son bonheur de savoir Paul vivant rejaillissait sur les heures qu'elle leur consacrait — les aidant à trouver leurs parrains inconnus, les mettant dans les trains à destination de lointaines agglomérations du Sud ou du Midwest, ou rendant visite à cette jeune fille effrayée.

— Pourquoi suis-je ici ? finit par articuler Ariana.

— Parce que vous avez été très malade sur le bateau. Nous voulions nous assurer que tout allait bien.

À ces mots, Ariana eut un sourire las teinté d'ironie. Comment pouvaient-ils en être sûrs ? Rien n'allait bien.

Avec l'aide de sa visiteuse, elle s'assit dans son lit et avala un peu du bouillon chaud qu'avait laissé l'infirmière. Après quoi elle retomba, épuisée. Le moindre geste lui demandait trop d'efforts. Doucement, Ruth Liebman lui retapa ses oreillers. Ensuite, comme elle scrutait les yeux bleus inquiets, elle comprit ce qu'avaient voulu dire les médecins. Quelque chose de terrifiant dans ces yeux-là trahissait un manque total d'espoir.

— Vous êtes allemande, Ariana ?

Ariana répondit par l'affirmative puis referma les paupières. Quelle importance d'être allemande ? Elle n'était qu'une réfugiée parmi d'autres, qui avait fui Berlin trois semaines auparavant. Voyant ses paupières frémir sous l'assaut de souvenirs qu'elle ignorait, Ruth lui toucha la main, et Ariana rouvrit les yeux. Peut-être avait-elle besoin de parler, de le dire, afin que les fantômes cessent de la hanter.

— Avez-vous quitté l'Allemagne seule, Ariana ?

Cette fois encore Ariana acquiesça.

— C'était très courageux de votre part.

Ruth s'exprimait avec lenteur. Nancy Townsend lui avait dit que la malade parlait anglais, mais elle ignorait encore si elle le parlait bien.

— Jusqu'où êtes-vous allée ?

Après avoir examiné le bon visage d'un œil soupçonneux, Ariana se décida à répondre. Après tout, peu lui importait que cette femme travaille pour l'armée, la police ou l'immigration. Un instant, elle se rappela les interrogatoires interminables de von Rheinhardt mais l'image de Manfred lui succéda aussitôt. Deux larmes roulèrent sur ses joues.

— J'ai fait mille kilomètres... jusqu'en France.

Mille kilomètres ?... En venant d'où ? Ruth n'osa lui poser la question. À l'évidence, le moindre souvenir ravivait chez la jeune fille terreurs et peines.

Ruth Liebman était de ces femmes qui ne perdent jamais espoir ; sa capacité à communiquer cette attitude aux autres la rendait extraordinaire dans ce genre de travail. Jeune, elle avait voulu devenir assistante sociale mais, après son mariage avec Samuel Liebman, sa vie avait pris une autre orientation.

Elle continua de dévisager Ariana, brûlant de comprendre sa peine et de trouver le moyen de l'alléger.

— Votre famille, Ariana ?

Si elle avait prononcé très doucement les mots, elle se rendit compte tout de suite qu'Ariana n'était pas prête à les entendre, en voyant la jeune femme pleurer de plus belle.

— Ils sont tous morts maintenant... tous... mon père... mon frère... mon...

Elle allait dire « mon mari », mais le mot ne franchit pas ses lèvres, Ruth la prit dans ses bras.

— Tous..., sanglota-t-elle. Je n'ai plus personne... nulle part... rien.

Cette insupportable souffrance réveillée, elle aspirait seulement à mourir.

Ruth Liebman s'était mise à lui parler ; elle eut la sensation fugitive d'avoir trouvé une mère puisqu'elle pouvait sangloter dans ses bras.

— Vous ne devez plus regarder en arrière, Ariana. Mais vers l'avenir. Une nouvelle vie vous attend, un nouveau pays... et ceux que vous aimiez dans cette autre vie ne vous quitteront jamais. Ils sont ici, avec vous. En esprit, Ariana, vous les garderez toujours auprès de vous.

De la même façon qu'elle-même conservait Simon... qu'elle ne perdrait jamais son fils aîné. Elle croyait en ce qu'elle affirmait, si fort qu'Ariana entrevit une lueur d'espoir alors qu'elle s'accrochait à cette grande femme solide dont la force et l'optimisme devinrent presque palpables quand leurs regards se rivèrent l'un à l'autre.

— Mais que vais-je faire maintenant ?

— Que faisiez-vous avant ?

Ruth comprit tout de suite la bêtise de sa question. Malgré les cernes et la fatigue qui la vieillissaient, Ariana ne devait pas avoir plus de dix-huit ans.

— Est-ce que vous avez déjà travaillé ?

— Non. Mon père était banquier.

Lui revinrent à l'esprit ses rêves sans importance qui avaient volé en éclats.

— Je devais aller à l'université après la guerre.

Malgré cela, ses études ne lui auraient pas servi à grand-chose, elle le savait. Elle se serait mariée, aurait eu des enfants, organisé des déjeuners, joué aux cartes, tout comme les autres. Même avec Manfred, elle n'aurait rien fait de plus, sinon, en fin de semaine ou pour les vacances, quitter leur maison en ville pour le château où elle aurait veillé à ce que tout fût en ordre pour son époux... et, bien sûr, il y aurait eu les enfants... Elle referma les yeux.

— Mais c'était il y a tellement longtemps... C'est sans importance.

Rien ne l'était. Ce renoncement à tout se lisait clairement en elle.

— Quel âge avez-vous, Ariana ?

— Vingt ans.

Paul n'avait que deux ans de plus, Simon en aurait eu vingt-quatre. Elle était venue de si loin à vingt ans seulement ? Et comment s'était-elle retrouvée séparée de sa famille ? Ruth sentit poindre en son cœur une nouvelle douleur face aux malheurs de cette enfant. Une enfant à la beauté dévastatrice malgré son état de santé ; tout à coup, Ruth ne douta plus que les nazis aient abusé d'elle et elle imagina trop bien le sort de la jeune fille durant la guerre. Voilà pourquoi ils ne l'avaient pas tuée, ni marquée ni tatouée. Bouleversée, elle dut lutter contre les larmes qui lui montaient aux yeux. C'était comme si Ariana avait été sa fille, et ce qu'elle imaginait la rendait malade.

Pendant un long moment, elles restèrent silencieuses, puis Ruth prit la main d'Ariana dans la sienne.

— Vous devez oublier le passé. Tout le passé. Vous allez commencer une vie nouvelle.

Sinon elle était condamnée. Le cauchemar de ce qu'elle avait enduré la détruirait. Elle risquait de sombrer dans l'alcool, la prostitution, la folie, se retrouver dans quelque asile, ou rester allongée dans son lit de l'hôpital Beth Davis et choisir d'y mourir. Alors, tandis qu'elle pressait la main d'Ariana, Ruth se fit une promesse : donner à cette enfant brisée une nouvelle chance.

— À partir d'aujourd'hui, Ariana, tout est neuf. Une nouvelle maison, un nouveau pays, de nouveaux amis, un nouveau monde.

— Et ma famille d'accueil ? demanda Ariana, posant un regard éteint sur son interlocutrice.

— Nous ne l'avons pas encore contactée. Nous tenons avant tout à ce que vous alliez bien.

La réponse de Ruth était vague, et pour cause. En vérité, la Société de secours avait pris contact avec cette famille, des Juifs du New Jersey qui ne faisaient cela que par devoir et sans enthousiasme. Une jeune fille représentait pour eux un problème ; elle serait de peu d'utilité dans l'affaire qu'ils dirigeaient ; de surcroît, ils haïssaient les Allemands. Ils avaient demandé un réfugié de nationalité française. Et puis, pourquoi gisait-elle dans un lit d'hôpital à New York ?... Une simple précaution, leur avait assuré Ruth, rien de grave, nous en sommes quasiment certains. Mais ils s'étaient montrés coupants et déplaisants, si bien que Ruth doutait qu'ils prissent Ariana sous leur aile. En ce cas... Une idée la traversa brusquement : si elle parvenait à convaincre Sam, Ariana pourrait venir vivre sous leur toit.

— En fait...

Fixant pensivement la malade, Ruth se redressa de toute sa hauteur et un sourire naquit lentement sur son visage ouvert.

— En fait, je dois les rencontrer en fin de matinée. Je suis certaine que tout ira bien.

— Combien de temps dois-je rester ici ? s'enquit Ariana, détaillant la petite chambre plutôt sinistre.

On l'avait maintenue isolée, surtout à cause des cauchemars qui provoquaient ses hurlements, mais on ne l'y garderait plus très longtemps. Ce matin, Ruth avait entendu l'équipe médicale évoquer son transfert vers la salle commune.

— Vous allez probablement rester quelques jours encore. Jusqu'à ce que vous ayez recouvré des forces. Ne regrettez pas de ne pas sortir trop vite, Ariana, vous avez été très malade. Profitez du repos.

Au moment où elle s'apprêtait à partir, elle vit soudain la panique s'emparer de la jeune fille qui regardait, terrifiée, la chambre vide.

— Mon Dieu, mes affaires... où sont-elles ?

— En sûreté, s'empressa de la rassurer Ruth. L'infirmière du paquebot a confié votre valise au chauffeur de l'ambulance et je crois qu'elle a été mise sous clef. Vous retrouverez tous vos biens, Ariana, inutile de vous inquiéter.

Mais, si, elle s'inquiétait... les bagues de sa mère ! Aussitôt elle regarda sa main ; son alliance, sa bague de fiançailles et la chevalière de Manfred avaient disparu. Elle leva un regard affolé vers sa visiteuse, qui comprit sur-le-champ.

— L'infirmière a mis vos objets de valeur dans le coffre. Faites-nous un peu confiance, Ariana.

Sa voix se fit plus sourde pour ajouter :

— La guerre est finie, mon enfant. Vous êtes en sécurité maintenant.

L'était-elle ? se demanda Ariana. Et quand bien même, était-ce important ?

Quelques minutes plus tard, elle sonnait l'infirmière, qui arriva rapidement, curieuse de voir la patiente dont tout le monde parlait. Celle qui s'était enfuie des camps d'Allemagne et qui avait dormi quatre jours d'affilée.

Ariana attendit nerveusement qu'on lui apporte sa valise.

— Et mes bagues ?

— Ah ?

L'air incertain, l'infirmière s'éclipsa rapidement et, un moment après, était de retour avec une petite enveloppe qu'Ariana serra contre elle, ne voulant l'ouvrir qu'une fois seule. Elles étaient toutes là. La mince alliance qui l'avait unie à Manfred, la bague de fiançailles qu'il lui avait offerte à Noël, et sa chevalière, qu'elle portait la première devant les autres pour ne pas risquer de la perdre. Quand elle les passa à son doigt, ses yeux s'emplirent à nouveau de larmes. Aussitôt elle s'aperçut qu'elle avait réellement été très malade car, dès qu'elle abaissa la main, les bagues glissèrent de ses doigts. Elle avait mis neuf jours pour atteindre Paris, passé deux jours dans la capitale française à tenter de se rétablir de son épuisement, de sa peine, de ses terreurs, sept jours sur l'océan à voguer entre la vie et la mort, quatre jours enfin dans cet hôpital... vingt-deux jours... qui semblaient vingt-deux ans... Quatre semaines plus tôt, elle était dans les bras de son mari. Qu'elle ne reverrait jamais. Serrant les bagues dans sa paume, elle s'efforça d'endiguer ses sanglots. Puis elle ouvrit sa valise.

Les vêtements que lui avait fournis l'intendante de Jean-Pierre de Saint-Marne étaient restés soigneusement pliés. Au bout de deux jours à bord du paquebot, elle avait été trop malade pour bouger ou se changer. Sous les habits se trouvaient une paire de chaussures et, en dessous encore, le paquet auquel elle tenait si fort, contenant l'enveloppe de photographies et le petit livre en cuir dont le compartiment secret abritait toujours les bagues de sa mère. Elle sortit la superbe émeraude, et la chevalière incrustée de diamants, plus petite, que son père lui avait confiées la veille de son départ. Elle ne se les passa pas aux doigts, se contentant de les regarder. Ces bijoux représentaient ses seuls biens, sa seule sécurité, ses seuls souvenirs tangibles du passé. Voilà tout ce qu'il lui restait d'un monde disparu. Des bagues et quelques photographies sur lesquelles une jeune fille de dix-neuf ans souriait, radieuse, à un homme en uniforme d'apparat.

31

LA SECRÉTAIRE de Sam Liebman gardait le bureau de son patron à Wall Street tel le gardien du temple. Personne, pas même sa femme et ses enfants, n'était autorisé à entrer à moins qu'il ne les eût fait appeler. Chez lui, Samuel était tout à eux, mais dès qu'il se trouvait au travail, son cabinet devenait territoire sacré. Tous les membres de la famille le savaient, Ruth en particulier, qui venait rarement à son bureau sinon pour des questions de première importance — ce qui était le cas présentement.

— Il peut fort bien être occupé pour des heures, souligna Rebecca Greenspan, non sans une pointe d'agacement dans la voix.

Voilà près de deux heures déjà que Ruth Liebman attendait. Or M. Liebman avait laissé des ordres stricts pour qu'on ne le dérange pas.

— S'il n'a pas déjeuné, Rebecca, il finira bien par sortir à un moment ou un autre afin de se restaurer. Je lui parlerai pendant qu'il mangera.

— Cela ne peut-il attendre jusqu'à ce soir ?

— Si c'était le cas, je ne serais pas ici, trancha Ruth.

Cela fut dit avec un sourire aimable mais ferme à l'adresse de cette jeune femme qui n'avait pas la moitié de son âge — ni la moitié de son poids. Grande, large, Ruth n'était cependant pas masculine. Elle possédait un chaleureux sourire, des yeux pleins de bonté. Question carrure, elle était largement supplantée par son époux. Samuel Julius Liebman mesurait un mètre quatre-vingt-quinze ; il était large d'épaules, avait de gros sourcils broussailleux et une crinière couleur de feu sur laquelle ses enfants le plaisantaient ; la teinte s'était d'ailleurs adoucie avec le passage du temps, pour devenir d'un bronze cuivré qui cédait petit à petit à la grisaille des ans. Simon avait été roux comme lui, mais les trois autres enfants avaient le cheveu noir de leur mère.

Homme sage et charitable, il occupait une place importante dans le monde des banques de commerce. La maison Langendorf & Liebman avait résisté au krach de 29 et, depuis vingt ans qu'il l'avait fondée, était devenue une société de placement respectée de tous. Et un jour Paul remplacerait son père. C'était le rêve de Sam. Avant, bien sûr, il avait espéré que Simon et Paul lui succéderaient, désormais la charge incomberait entièrement à son fils cadet dès qu'il serait rétabli.

À quinze heures enfin, la porte du sanctuaire s'ouvrit et le géant à crinière de lion émergea, dans son sombre costume à fines rayures, chapeauté, le sourcil froncé et la serviette à la main.

— Rebecca, je me rends à une réunion.

Soudain, il découvrit Ruth qui l'attendait dans un fauteuil et la crainte le saisit un instant.

Que s'était-il passé ?

Mais dès qu'il vit le sourire malicieux de son épouse, son inquiétude s'apaisa. Il lui rendit son sourire et l'embrassa ; la secrétaire s'éclipsa discrètement.

— Ce n'est plus de notre âge de nous tenir de façon aussi peu respectable, Ruth. Surtout à trois heures de l'après-midi.

L'embrassant tendrement, Ruth noua les bras autour de son cou.

— Et si nous disions qu'il est plus tard ?

— En ce cas je manque la réunion pour laquelle je suis déjà en retard, répliqua-t-il avec un rire sourd. Bon, madame Liebman, qu'avez-vous en tête ?

Prêt à l'écouter, il s'assit et alluma un cigare.

— Je t'accorde exactement dix minutes, précisa-t-il. Alors ne perdons pas de temps, veux-tu ?

Ruth sourit. Le couple était célèbre pour ses interminables affrontements. Sur certains sujets, Ruth avait ses idées, Sam les siennes, et lorsque tous deux n'étaient pas en parfaite harmonie, la bataille pouvait durer des semaines.

— Faisons en sorte que la querelle soit courte, d'accord ? suggéra Sam.

Le sourire de son épouse s'élargit encore. En vingt-neuf ans de mariage, ils avaient appris la valeur du compromis.

— C'est bien mon souhait, acquiesça Ruth. Cela dépend de toi.

— Oh ! mon Dieu, Ruth... la dernière fois que tu m'as dit ça, tu as failli me rendre fou avec cette voiture que tu tenais à offrir à Paul avant son départ pour l'armée. Cela dépend de moi, mon œil, tu lui avais déjà donné ta promesse avant de m'en parler. Alors, de quoi s'agit-il cette fois ?

Le visage plus grave, Ruth décida d'aller droit au but.

— Je voudrais m'occuper d'une jeune fille qui est ici depuis quelques jours. La Société de secours l'a embarquée au Havre. Depuis son arrivée elle est à l'hôpital et la famille qui devait l'accueillir ne veut pas d'elle. Ils insistent pour avoir une Française, scanda-t-elle avec amertume et colère. Sans doute une petite bonne à rien sortie d'un film de Hollywood, ou pire !

— Qu'a-t-elle donc de particulier ?

— Elle est allemande.

— Pourquoi est-elle à l'hôpital ? Elle est très malade ?

— Pas vraiment, répondit Ruth en se mettant à faire les cent pas dans la pièce. Je ne sais pas, Sam, je crois qu'elle est brisée. Les médecins n'ont détecté aucun symptôme de maladie, et rien de contagieux en tout cas. Oh ! Sam... reprit-elle après une hésitation, elle est tellement... désespérée. Elle a vingt ans, elle a perdu toute sa famille. Son histoire est déchirante.

Elle dardait sur son époux un regard suppliant.

— Ils sont tous dans ce cas, Ruth, soupira Samuel.

Depuis un mois ils en apprenaient chaque jour davantage sur les horreurs des camps.

— Tu ne peux pas tous les amener chez nous.

En vérité, malgré son implication croissante dans la Société de secours, Ruth n'avait jamais désiré prendre quelqu'un sous son aile.

— Sam, s'il te plaît...

— Et Julia et Debbie ?

— Eh bien ?

— Qu'éprouveront-elles à avoir une étrangère sous leur toit ?

— Qu'éprouveraient-elles si elles avaient perdu leur famille, Sam ? Si elles sont incapables de compatir aux malheurs d'autrui, j'estimerai que nous avons échoué en tant que parents. Il y a eu la guerre, Sam. Il faut qu'elles le comprennent. Nous devons tous en partager les conséquences.

— Elles ont déjà souffert des conséquences.

Sam Liebman songeait à leur fils aîné.

— Nous en avons tous souffert. Tu demandes beaucoup à la famille, Ruth. Et lorsque Paul reviendra ? Cela pourrait être difficile pour lui de se trouver avec une parfaite inconnue dans la maison au moment où il s'efforcera de se remettre de sa blessure à la jambe. Sans compter...

Ému, Sam marqua un arrêt, mais Ruth comprit tout de suite.

— Il va subir de nombreux chocs en rentrant, Ruth, tu le sais très bien. La présence d'une étrangère chez nous ne lui facilitera pas les choses.

La grande femme brune sourit alors à son époux.

— Cela peut aussi avoir un effet opposé. Je pense même que cela peut lui faire grand bien.

Tous deux ne comprenaient que trop l'épreuve à laquelle leur fils aurait à faire face lors de son retour.

— Mais ce n'est pas le problème, reprit Ruth. Il s'agit d'abord de cette jeune fille. Nous avons une chambre disponible pour elle. La question que je te pose est de savoir si tu acceptes que nous la prenions chez nous pour un moment.

— Que veux-tu dire par « un moment » ?

— Je n'en sais rien, Sam. Vraisemblablement six mois, un an. Elle n'a plus de famille, plus de biens, rien, mais elle paraît cultivée, elle parle bien l'anglais. Plus tard, lorsqu'elle sera remise, je suppose qu'elle sera en mesure de prendre un emploi et de s'assumer.

— Et si elle en est incapable, que ferons-nous d'elle ? Nous la garderons indéfiniment ?

— Non, bien sûr. Nous pourrions en discuter avec elle. Nous lui proposerions de l'héberger six mois, puis peut-être encore six ; mais nous pouvons fort bien lui expliquer qu'au bout d'un an il lui faudra s'en aller.

Sam comprit que sa femme avait gagné. À sa façon, elle l'emportait toujours. Même lorsqu'il se croyait vainqueur, elle finissait toujours par faire valoir son point de vue.

— Je vous trouve dangereusement persuasive, madame Liebman. Je me félicite que vous ne travailliez pas pour une société concurrente.

— Cela veut dire oui ?

— Cela veut dire que je vais réfléchir. Où est-elle ? s'enquit-il après un silence.

— À l'hôpital Beth Davis. Quand iras-tu la voir ?

Face au sourire de Ruth, son mari soupira et reposa son cigare.

— J'essaierai de lui rendre visite en rentrant ce soir. Reconnaîtra-t-elle notre nom si je lui dis qui je suis ?

— Normalement oui. J'ai passé la matinée à son chevet. Dis-lui surtout que tu es le mari de la dame qui s'appelle Ruth.

Cependant Ruth vit très vite que quelque chose tourmentait son mari.

— Qu'est-ce qui t'inquiète ? interrogea-t-elle.

— Est-elle défigurée ?

Ruth alla vers lui et lui caressa la joue.

— Bien sûr que non.

Elle aimait les faiblesses et les peurs qu'elle entrevoyait parfois chez lui ; cela ne la rendait que plus consciente des forces de son époux, qui devenait plus humain à ses yeux. Deviner ses failles la poussait à l'aimer davantage encore. Un petit sourire aux lèvres, elle lui adressa un clin d'œil.

— D'ailleurs elle est très jolie. Mais si... si désespérément seule maintenant... Tu comprendras quand tu la verras. C'est à croire qu'elle a perdu tout espoir.

— Ce qui se conçoit après ce qu'elle a dû vivre. Pourquoi se fierait-elle à qui que ce soit maintenant ? Après ce qu'ils ont fait à ces gens...

La colère embrasa les prunelles de Sam Liebman. Les actions des nazis le rendaient fou. Quand il avait lu les premières révélations sur Auschwitz, il s'était enfermé dans son bureau pour réfléchir et prier, et avait pleuré toute la nuit.

Reprenant le chapeau qu'il avait ôté, il regarda sa femme.

— Est-ce qu'elle te fait confiance ?

— Je le crois, fit Ruth après réflexion. Pour autant qu'elle fasse confiance à qui que ce soit.

— Bon, conclut-il en ramassant sa serviette. J'irai la voir.

Ils se regardèrent avec amour, se comprenant sans qu'il soit besoin de paroles, puis se dirigèrent ensemble vers l'ascenseur.

— Je t'aime, Ruth. Tu es merveilleuse, et je t'aime.

Avant que les portes s'ouvrent, elle lui répondit par un baiser.

— Je t'aime aussi, Sam. Quand me donneras-tu ta réponse ?

Dans une grimace comique il leva les yeux au ciel et tous deux pénétrèrent dans la cabine d'ascenseur.

— Ce soir, quand je rentrerai à la maison. Cela ira ?

Mais il souriait à sa femme. Celle-ci acquiesça gaiement et l'embrassa une dernière fois. Il partit pour sa réunion ; elle monta à bord de sa Chevrolet neuve et s'éloigna en direction de leur domicile.

32

DE SON LIT, Ariana regardait alternativement la fenêtre qui laissait filtrer le soleil et, quand ses yeux se fatiguaient, le sol de sa chambre. Une infirmière vint pour l'aider à se lever et la faire marcher ; après avoir fait péniblement quelques pas dans le couloir, sans lâcher la main courante, elle retourna se coucher. Après déjeuner, on lui annonça qu'on allait la changer de chambre ; à l'heure du dîner, elle se retrouva dans une bruyante salle commune. Bien qu'on lui ait affirmé que voir de la compagnie lui ferait du bien, Ariana ne tarda pas à demander qu'on l'isole par un paravent. Tous ces bruits, ces odeurs ravivaient ses nausées. Elle pressait encore une serviette sur sa bouche, les yeux pleins de larmes, quand on frappa sur le montant du paravent. Avec une expression de panique, elle reposa la serviette.

— Qui est-ce ? demanda-t-elle d'une voix sourde.

Ses yeux s'écarquillèrent à la vue de l'homme immense qui surgit devant elle. Effrayée, elle se sentait plus petite que jamais. Samuel Liebman vit qu'elle se mettait à trembler et retenait un cri. Qui était cet homme ? Que lui voulait-il ?

Avec son costume et son chapeau sombres, elle ne douta pas qu'il appartînt à la police ou aux services d'immigration. Allait-on la renvoyer en France ?

Cependant l'inconnu la considérait avec bonté et chaleur, malgré sa très grande taille.

— Mademoiselle Tripp... ?

C'était le nom qui figurait sur ses papiers. Saint-Marne avait judicieusement supprimé le « von ».

— Oui, fit-elle d'une voix à peine audible.

— Comment allez-vous ?

Elle n'osa répondre. Elle tremblait si fort que Sam se demanda s'il n'allait pas s'éclipser sur-le-champ. Face à cette jeune fille malade, terrifiée, seule, il comprenait que le cœur de Ruth eût été touché. Ce n'était qu'une enfant, une adorable enfant.

— Je suis le mari de Ruth Liebman, mademoiselle Tripp.

Il eut envie de lui tendre la main mais y renonça, craignant, par ce simple geste, d'augmenter encore plus sa terreur.

— Vous savez... Ruth Liebman, poursuivit-il, la personne qui était auprès de vous ce matin. La bénévole.

Une lueur s'alluma dans le regard d'Ariana. Malgré l'état où l'avait précipitée sa panique, le nom de Ruth éveillait en elle un écho apaisant.

— Oui... Oui... Je sais... elle était ici... aujourd'hui.

— Elle m'a demandé de venir vous voir. Aussi ai-je pensé que je pouvais m'arrêter avant de rentrer à la maison.

Vraiment ? Pourquoi ? Une visite de politesse ? Les gens faisaient encore ce genre de chose ? Ariana le dévisagea avec stupeur, avant de se rappeler qu'à la politesse il convenait de répondre par la politesse.

— Je vous remercie, articula-t-elle.

Et, avec un gros effort, elle tendit sa main maigre.

— C'est un plaisir, précisa Sam pour la rassurer.

Même si tous deux savaient que le mot manquait de

justesse. La salle était horriblement bruyante ; les cris, les râles semblaient aller croissant et il devenait difficile de parler. Ariana avait désigné à son visiteur la chaise au pied de son lit, et celui-ci s'y était assis, mal à l'aise, essayant de ne pas regarder trop ostensiblement la malade.

— Y a-t-il quelque chose que je puisse vous apporter ? Dont vous auriez besoin ?

Les immenses yeux bleus plongèrent dans les siens mais elle ne répondit qu'en secouant la tête et il se reprocha la stupidité de sa question. Ce dont elle avait besoin n'était pas facile à trouver.

— Mon épouse et moi serions heureux de vous aider, de toutes les manières possibles... Il est difficile pour les gens de ce pays de comprendre réellement ce qui s'est passé là-bas... mais nous en sommes bouleversés... profondément... et que vous ayez survécu est un miracle dont nous devons nous réjouir. Vous tous, les survivants, resterez comme un monument dressé en souvenir de cette période, en souvenir de tous les autres, et vous devez vivre maintenant... pour vous comme pour eux.

Il se leva, s'approcha d'Ariana, hésita puis s'assit au bord du lit.

Ce discours n'avait pas été facile pour lui. Ariana le considérait avec des yeux ronds. Que croyait-il exactement ? Savait-il qu'elle avait fui Berlin ? Qui étaient ces « autres » qu'il évoquait ? Parlait-il simplement des Allemands qui avaient survécu ? Quoi qu'il en soit, et quels que soient ces gens auxquels il faisait allusion, elle comprit qu'elle avait affaire à un homme sincèrement soucieux de ses semblables. Avec sa haute taille, ses cheveux indisciplinés, il ne ressemblait guère à son père et pourtant elle sentit son cœur s'ouvrir à lui comme à un vieil ami. Cet homme plein de dignité et de compassion, elle le respectait, comme son père l'eût respecté.

Se penchant légèrement vers lui, elle posa les bras sur ses larges épaules et l'embrassa timidement sur la joue.

— Merci, monsieur Liebman. Grâce à vous, je suis contente d'être ici.

— Tant mieux.

Ému par son baiser, Sam lui souriait tendrement.

— Vous êtes dans un pays formidable, Ariana.

À présent il sentait qu'il pouvait l'appeler par son prénom.

— Vous allez découvrir ce qu'est la vie ici. Un monde nouveau, une nouvelle vie s'offrent à vous. Vous rencontrerez des gens nouveaux, de nouveaux amis.

Mais à ces mots, les yeux bleus ne s'attristèrent que davantage. Elle ne voulait pas de « gens nouveaux », seulement ceux d'autrefois, ceux qui s'en étaient allés pour toujours. Devinant sa peine, Sam lui toucha la main.

— Ruth et moi sommes désormais vos amis, Ariana. Voilà pourquoi je suis venu vous rendre visite.

Quand elle comprit ce qu'il voulait dire, qu'il était venu la voir, dans cet hôpital, dans cette affreuse salle, simplement parce qu'il se souciait d'elle, les larmes lui montèrent aux yeux. Mais derrière ses pleurs naissait un sourire.

— Merci, monsieur Liebman.

Sam dut lutter pour ne pas pleurer lui aussi. Il se leva avec lenteur, sans lâcher la main si fine qu'il pressa durant un moment.

— Je dois y aller maintenant, Ariana. Ruth reviendra vous voir demain. Mais je repasserai bientôt.

Avec une expression d'enfant abandonnée, elle hocha la tête, essaya de sourire, endiguant les nouvelles larmes qui menaçaient. Alors, sans plus chercher à se contrôler, Samuel Liebman la prit dans ses bras. Et il la tint contre lui pendant près d'une demi-heure, la laissant sangloter tout son soûl. Quand elle fut un peu calmée, il lui tendit son mouchoir.

— Je suis désolée... Je ne voulais pas... bredouilla-t-elle. C'est seulement que...

— Chut... enjoignit Sam en lui caressant paternellement les cheveux. Vous n'avez pas besoin de vous expliquer, Ariana. Je comprends.

En regardant cette gamine si fragile il se demanda comment elle avait pu survivre aux terribles épreuves qu'elle avait endurées. Néanmoins on devinait derrière la délicatesse des traits, la frêle ossature, la silhouette menue et gracieuse, une force qui avait su la soutenir et le saurait encore. Quelque chose de dur, d'invincible l'avait maintenue en vie. Et tandis qu'il contemplait cette enfant qu'il venait d'adopter pour troisième fille, Sam Liebman remercia Dieu qu'il en eût été ainsi.

33

L'ON procéda aux préparatifs pour l'arrivée d'Ariana dans un mélange de joie et d'appréhension. Suite à sa visite à l'hôpital, Sam avait tout bonnement ordonné à Ruth de faire sortir cette enfant dès le lendemain. Du moment que les médecins n'avaient pas diagnostiqué de maladie qui aurait pu mettre en danger ses propres filles, il tenait à ce qu'elle s'installe le plus rapidement possible dans la maison de la Cinquième Avenue. Après dîner, les filles furent convoquées dans son bureau où il leur expliqua qu'Ariana allait venir vivre sous leur toit, qu'elle était allemande, qu'elle avait perdu toute sa famille, et qu'il faudrait se montrer gentille avec elle.

À l'instar de leurs parents, Julia et Debbie compatissaient aux malheurs d'autrui. Elles aussi étaient bouleversées par les nouvelles qui arrivaient quotidiennement d'Allemagne ; elles aussi souhaitaient se rendre utiles. Le lendemain matin, elles supplièrent Ruth de leur permettre de l'accompagner à l'hôpital. Mais les parents Liebman restèrent fermes. Il était préférable qu'elles fassent la connaissance d'Ariana à la maison. Épuisée comme l'était la jeune fille, Ruth craignait que leur visite ne fût trop éprouvante pour elle. D'ailleurs, le médecin conseillait qu'Ariana garde la chambre encore au moins une semaine. Ensuite, si elle se sentait plus solide, on pourrait l'emmener déjeuner dehors, ou dîner, et peut-être même au cinéma. En attendant il était indispensable de lui permettre de recouvrer ses forces.

À l'hôpital, Ruth annonça à Ariana que son époux et elle-même souhaitaient qu'elle s'installe sous leur toit — non pour six mois, comme elle l'avait d'abord déclaré à Sam, mais tant qu'elle aurait besoin d'une famille. Ariana reçut la nouvelle avec une stupeur totale, certaine que sa compréhension de l'anglais lui avait momentanément fait défaut.

— Pardon ?

Elle scrutait le visage de Ruth. Non, elle avait dû mal comprendre, forcément. Mais Ruth prit ses deux mains entre les siennes et s'assit sur le bord du lit en souriant.

— Mon mari et moi aimerions que vous veniez vivre avec nous, Ariana. Pour le temps qu'il vous plaira.

Après avoir vu Ariana, Sam avait d'ailleurs annoncé que la jeune femme pourrait rester chez eux un an si elle le souhaitait.

— Chez vous ?

Pourquoi cette femme lui faisait-elle cette proposition ? Elle avait déjà des parrains, une famille d'accueil, et cette femme lui avait déjà donné beaucoup de son temps. Son regard tourné vers sa bienfaitrice ne trahissait plus qu'appréhension.

— Oui, chez nous, avec nos filles, Deborah et Julia. Et dans quelques semaines, avec notre fils qui sera de retour. Paul se battait dans le Pacifique et il a reçu des éclats d'obus dans le genou, mais il sera bientôt suffisamment rétabli pour voyager.

Elle ne parla pas de Simon, ce n'était pas nécessaire, mais elle continua de bavarder gaiement, évoquant ses enfants, afin de laisser à Ariana le temps de s'acclimater à cette perspective.

— Madame Liebman... Je ne sais que dire.

Submergée par l'émotion, Ariana s'exprima en allemand, cependant la connaissance qu'avait Ruth du yiddish lui permit à peu près de comprendre.

— Vous n'êtes pas obligée de dire quoi que ce soit, Ariana. Mais s'il le faut, poursuivit-elle avec un bon sourire, essayez de le dire en anglais, sinon les filles ne comprendront rien.

— Ai-je parlé allemand ? Oh ! pardonnez-moi.

Rougissante, Ariana considéra son interlocutrice et, pour la première fois depuis des semaines, se mit à rire.

— Vous allez vraiment me prendre chez vous ?

Son étonnement restait entier. Ruth acquiesça, pressa entre les siennes les mains menues.

— Mais pourquoi faites-vous cela ? Ma présence va beaucoup vous déranger, votre époux et vous.

Tout à coup, elle se souvint de Max Thomas au cours des heures qu'il avait clandestinement passées chez eux. Il avait éprouvé ce qu'elle ressentait en ce moment... mais c'était différent. Max était un ami de longue date, et son père ne lui avait pas offert de l'héberger indéfiniment. À y réfléchir pourtant, elle se dit que son père l'aurait fait si cela avait été possible ou nécessaire. Les Liebman agissaient peut-être dans le même esprit.

— Nous y tenons, Ariana, insista Ruth, redevenue grave. Car nous sommes désolés de tout ce qui est arrivé.

— Ce n'est pas votre faute, madame Liebman. C'était seulement... la guerre...

Elle apparut si perdue, soudain, que Ruth lui enlaça les épaules, passa la main dans la douceur dorée de sa chevelure.

— Même ici, nous avons ressenti les duretés de la guerre, l'injustice, l'horreur, l'angoisse.

Prononçant ces mots, elle songeait à Simon, mort pour son pays, mais pourquoi en vérité ?

— Mais jamais nous n'avons connu ce que vous avez vécu en Europe, reprit-elle. Si nous le pouvons, peut-être parviendrons-nous à effacer un peu ce qui vous est arrivé, à vous le faire oublier pour un moment, le temps que vous preniez un nouveau départ. Ariana... vous êtes encore tellement jeune.

— Je ne le suis plus.

Quelques heures plus tard, la Daimler de Sam Liebman conduite par son chauffeur déposait Ariana devant la demeure de la Cinquième Avenue. De l'autre côté de l'artère, Central Park s'étirait en luxuriance verte et fleurs éclatantes : dans les allées du parc Ariana distingua des fiacres et de jeunes couples enlacés. C'était une belle matinée de printemps de la fin mai. Et c'était le premier regard qu'elle posait sur New York. On aurait dit une petite fille, à la voir perdue dans sa contemplation, soutenue par Ruth et Samuel.

Sam avait quitté son bureau pour se rendre à l'hôpital, et il avait porté la pauvre petite valise en carton jusqu'à la voiture. Dedans, Ariana avait de nouveau rangé ses quelques trésors, sortant les vêtements dont elle aurait besoin. Mais Ruth s'était brièvement arrêtée chez Best & Co dans la matinée, et la boîte qu'elle avait fièrement tendue à Ariana contenait une jolie robe d'été bleu pâle, presque de la couleur des yeux d'Ariana, froncée à la taille et à la jupe ample. Vêtue de la sorte, Ariana évoquait plus que jamais une princesse de conte de fées, et Ruth s'était reculée pour la contempler avec un chaleureux sourire. Elle lui avait également apporté des gants blancs, un cardigan, et un coquet petit chapeau cloche en paille naturelle qui, mis sur le côté, mettait en valeur son visage. Enfin, par miracle, les souliers qu'elle avait choisis convenaient à Ariana. À leur sortie de l'hôpital, on aurait dit une autre jeune fille. De même, dans la luxueuse voiture bordeaux de Sam, alors qu'elle découvrait la ville pour la première fois, elle ressemblait plus à une touriste qu'à une réfugiée.

Un instant, Ariana se demanda s'il ne s'agissait pas d'une sorte de jeu, ou de songe... Si elle fermait les yeux, ne se retrouverait-elle pas à Berlin, en chemin vers la demeure de Grunewald... ? Mais, comme lorsqu'on effleure une blessure trop récente, elle s'aperçut qu'évoquer le passé ravivait toutes ses souffrances. Il était plus facile de garder les yeux ouverts, de se contenter de contempler ce qu'elle voyait. De temps à autre, Ruth et Sam se souriaient, heureux de leur décision. Un quart d'heure après avoir quitté l'hôpital, la Daimler s'arrêta et le chauffeur sortit pour ouvrir la portière. C'était un Noir distingué et soigné avec son uniforme et sa casquette noirs, sa chemise blanche et sa cravate.

Quand Sam sortit, il porta la main à sa casquette puis offrit son aide à Ruth. Celle-ci la déclina, jetant un œil vers Ariana qu'elle aida bientôt à descendre. La jeune fille n'avait pas encore recouvré toutes ses forces, et malgré la jolie robe, le coquet chapeau, elle était encore fort pâle.

— Vous sentez-vous bien, Ariana ?

— Oui, très bien, je vous remercie.

Mais Ruth et Sam l'observaient avec une prudence inquiète. Pendant qu'elle s'habillait, elle s'était sentie tellement faible qu'elle avait dû s'asseoir et Ruth avait dû l'aider. Sam, cependant, remarquait autre chose chez elle : sa finesse, son sang-froid, le calme maintien avec lequel elle s'était installée en voiture. À croire qu'elle pénétrait dans un monde où elle était tout à fait chez elle, et il brûlait de la questionner. Au-delà du fait d'avoir reçu une parfaite éducation, la jeune femme semblait appartenir à la bonne société, et c'était, pour ce diamant de la plus belle eau, une grande tragédie que d'avoir tout perdu. Mais ils étaient là, désormais, songea Sam pour se consoler. Debout auprès de Ruth, Ariana contemplait Central Park avec un sourire émerveillé. Elle songea au lac de Grunewald, avec ses arbres, ses bateaux, mais elle aurait pu aussi bien se trouver sur une autre planète tant elle se sentait loin de chez elle.

— Prête ?

Comme elle acquiesçait, Ruth la conduisit lentement dans la grande entrée, toute drapée de velours épais aux couleurs chaleureuses et décorée d'antiquités que les Liebman avaient acquises lors de voyages en Europe avant guerre : peintures médiévales, statues équestres, tapis persans, petite fontaine en marbre ; ainsi qu'un grand piano visible dans la salle de musique dont la porte était ouverte. Du milieu de ce hall luxueux partait un escalier en spirale qui desservait les deux étages ; sur les marches se tenaient deux filles dégingandées, aux grands yeux et aux cheveux sombres.

Silencieuses, elles regardaient Ariana, puis leur mère, et à nouveau Ariana, guettant un signe. Tout à coup, sans paraître se soucier de ce que l'on attendait d'elles, elles dévalèrent les marches pour venir enlacer la jeune fille, criant et sautant de joie.

— Bienvenue, Ariana ! Bienvenue à la maison !

Ce chaleureux accueil provoqua de nouvelles larmes chez Ruth Liebman, rapidement séchées par l'allégresse que montraient ses deux filles. Elles avaient prévu un gâteau, des ballons, des serpentins. Debbie avait cueilli des roses du jardin pour en faire un bouquet ; Julia avait préparé le dessert, et elles étaient sorties ensemble le matin afin d'acheter tout ce qui leur semblait indispensable à une jeune fille de l'âge d'Ariana : trois tubes de rouge à lèvres, un poudrier avec deux grosses houppettes roses, un pot de rouge à joues, des barrettes et épingles à cheveux, des peignes en écaille, et même une amusante résille bleue qui, selon Debbie, ferait fureur cet automne. Ces petits présents attendaient sur la coiffeuse de la chambre d'amis que Ruth avait préparée la veille au soir à l'intention de leur invitée.

Découvrir cette chambre fit de nouveau pleurer Ariana ; par bien des aspects, le lieu lui rappelait les appartements longtemps fermés de sa mère à Grunewald — un paradis de soie et satin roses —, mais cette chambre-là était plus jolie encore, le lit plus grand, et tout y était frais, parfait, gai comme on l'attendait d'un riche intérieur américain. Un baldaquin d'organdi blanc encadrait le lit couvert lui-même d'une courtepointe de satin rose et blanc. Il y avait un bureau en bois peint de fleurs en trompe l'œil, une grande armoire ancienne pour les vêtements, une cheminée de marbre blanc sur laquelle trônait un magnifique miroir au cadre doré, et bon nombre de petits fauteuils élégamment tapissés de satin rose dans lesquels les filles viendraient s'installer pour bavarder avec Ariana jusqu'aux petites heures. À la chambre succédait un petit dressing-room puis une salle de bains en marbre rose. Et partout où se posait son regard, Ariana découvrait des roses roses. Une table enfin avait été dressée pour cinq convives, le gâteau de Julia trônant en son centre.

Incapable d'exprimer sa reconnaissance par des mots, passant du rire aux larmes, Ariana étreignit ses hôtes tour à tour. Par quel miracle était-elle arrivée dans une pareille demeure ? À croire que la boucle s'était refermée, depuis la maison de Grunewald, en passant par la minuscule cellule où von Rheinhardt l'avait laissée croupir, puis le quartier des femmes à la caserne, ensuite la sécurité du toit de Manfred, enfin le vaste monde, le départ pour nulle part ; tout ce périple pour revenir au confort luxueux d'un univers qu'elle connaissait, dans lequel elle avait grandi, avec des domestiques, de grosses automobiles, des salles de bains en marbre rose telle celle qu'elle contemplait maintenant. Cependant le visage qu'elle aperçut fugitivement dans le miroir n'était plus celui de la jeune fille qu'elle avait connue, mais celui d'une étrangère émaciée, fatiguée, qui n'était pas tout à fait à sa place dans cette maison. Désormais elle était sans attaches, sans foyer et sans famille. Si ces gens souhaitaient se montrer gentils avec elle, elle accepterait leur bonté, leur en serait reconnaissante, mais plus jamais elle ne compterait sur un monde aux salles de bains de marbre rose.

Tous s'assirent un peu solennellement pour manger le gâteau joliment décoré sur lequel Julia avait écrit « Ariana » en pétales de rose pris dans le glaçage. Tandis qu'on lui en découpait une tranche, Ariana sourit en s'efforçant d'endiguer l'affreuse nausée qui semblait ne plus devoir lui laisser de répit. Ce fut à peine si elle put goûter la pâtisserie et, bien que les filles fussent adorables, elle fut reconnaissante à Ruth quand celle-ci finit par leur demander de sortir. Sam repartait travailler, les filles allaient chez leur grand-mère et Ruth estimait qu'il était temps pour Ariana de se mettre au lit. Elle déplia alors la robe de chambre et les quatre chemises de nuit qu'elle avait achetées le matin même chez Best. Une fois de plus, Ariana contempla ces présents avec étonnement. Dentelle blanche et satin blanc... dentelle rose... satin bleu... étoffes et façons si merveilleusement familières, et en même temps si curieuses, si nouvelles.

— Vous sentez-vous bien, Ariana ? s'enquit Ruth comme la jeune fille se laissait tomber sur le lit.

— Très bien, madame Liebman... Vous avez tous été si gentils avec moi... Je ne sais que dire.

— Ne dites rien. Profitez-en, c'est tout.

Après un silence songeur, Ruth regarda de nouveau la jeune femme.

— D'une certaine façon, je crois que c'est notre manière à nous d'atténuer notre culpabilité.

— Quelle culpabilité ? demanda Ariana.

— Celle que l'on éprouve à être restés ici à l'abri tandis

que vous tous en Europe... Vous n'étiez pas différents de nous, mais vous avez payé le fait d'être juifs.

Atterrée, Ariana comprit soudain. Pourquoi ils l'avaient prise sous leur aile, comme un de leurs enfants... Pourquoi ils étaient si bons... Ils la croyaient juive. Éperdue, angoissée, elle dévisagea Ruth Liebman. Il fallait qu'elle lui dise. Elle ne pouvait pas lui laisser penser... mais que dire ? Qu'elle était *allemande*... une vraie Allemande... de la race de ceux qui avaient tué les Juifs ? Que penseraient-ils d'elle ? Qu'elle était nazie. Mais elle ne l'était pas. Son père ne l'avait pas été non plus... ni Gerhard. Ses yeux s'emplirent de larmes. Ils ne comprendraient pas... jamais... ils la rejetteraient... On la renverrait par bateau. Un sanglot la déchira. Ruth se précipita vers elle pour la serrer dans ses bras.

— Oh ! mon Dieu, je suis désolée, Ariana... Je regrette. Nous n'avons plus besoin d'évoquer cela désormais.

Pourtant elle devait le lui dire... absolument... mais une petite voix intérieure la dissuada de parler. *Pas encore. Quand ils te connaîtront mieux, peut-être comprendront-ils.* Et, trop épuisée, elle ne chercha pas à combattre cette voix intérieure. Elle laissa Ruth l'installer dans le lit à baldaquin, sous la courtepointe de satin rose. Après quelques respirations irrégulières, elle s'endormit.

Dès son réveil, elle se remit à réfléchir. Allait-elle dire la vérité maintenant ou attendre ? Mais entre-temps Debbie lui avait écrit un poème, Julia frappait doucement à sa porte pour lui apporter une tasse de thé accompagnée d'une nouvelle part de gâteau. Impossible de leur dire. Déjà elle faisait partie de la famille. Déjà il était trop tard.

34

— Qu'est-ce que vous mijotez, toutes les trois ? demanda Ruth aux filles qui riaient dans la chambre d'Ariana.

Celle-ci enseignait à ses cadettes les rudiments du maquillage.

— Aha ! femmes fardées ! s'exclama Ruth, souriant aux trois minois rieurs.

C'était sur Ariana que le rouge à joues était le plus déplacé, à cause de sa beauté de camée et de ses longs cheveux blonds qui lui retombaient sur les épaules de façon presque enfantine.

— Ne pourrions-nous sortir avec Ariana demain ?

Julia adressait un regard suppliant à sa mère. Avec son allure de pouliche sensuelle aux jambes longues et aux yeux noirs, elle faisait plus que ses seize ans. Aussi grande que sa mère, elle avait cependant plus de délicatesse dans les traits. Ariana la trouvait ravissante, d'une beauté un peu exotique. Puis elle était si franche, si ouverte, si brillante, dotée d'une intelligence tellement vive.

Debbie pour sa part était plus douce, plus calme, mais tout aussi adorable. Une rêveuse qui, contrairement à sa sœur, ne s'intéressait pas du tout aux garçons — à l'exception de son frère bien-aimé que l'on attendait maintenant d'ici une semaine. À ce moment-là, avait promis Ruth, Ariana pourrait sortir avec les filles, chaque jour si elle le désirait. Mais en attendant elle tenait à ce que la jeune fille continue de se reposer ; en dépit des protestations d'Ariana, elle voyait bien que la convalescente était soulagée qu'on la laisse seule pour s'allonger.

— Vous sentez-vous malade, Ariana chérie, ou seulement très fatiguée ?

Son état tourmentait Ruth qui redoutait chaque jour davantage que la jeune femme n'eût été marquée pour la vie. Si à certains moments elle était très vivante, si elle s'était rapidement intégrée à la vie turbulente de la famille, elle ne s'était pas pour autant remise de ses épreuves passées. Ruth lui avait fait promettre de retourner consulter le médecin s'il n'y avait pas de franche amélioration d'ici la semaine suivante.

— Je vous assure que ce n'est rien. Je suis seulement fatiguée... C'est sans doute la conséquence du terrible mal de mer que j'ai eu sur le bateau.

Ruth savait pertinemment que la traversée en paquebot n'était pas en cause. Ariana était malade de l'âme. Mais jamais elle ne se plaignait. Chaque jour elle mettait de l'ordre dans sa chambre, cousait pour Ruth ; à deux reprises celle-ci l'avait trouvée au rez-de-chaussée en train d'aider la gouvernante à réorganiser le rangement des armoires à linge, domaine dont la maîtresse de maison avait rarement le temps ou l'envie de se préoccuper. La dernière fois, Ruth avait promptement renvoyé la jeune fille dans sa chambre avec ordre express de se reposer. Mais elle l'avait retrouvée ensuite dans la chambre de Paul, cousant les nouveaux rideaux dont Ruth avait entrepris la confection sans avoir le temps de les terminer. À l'évidence, Ariana tenait à prendre part aux préparatifs pour le retour du fils de la maison.

Tirant l'aiguille dans la chambre de Paul, elle songeait à ce jeune homme, se demandant comment il était. Sur le mur, les photographies montraient un lycéen de grande taille, souriant, assez athlétique, avec les épaules larges et une lueur espiègle dans les yeux. Elle aimait son allure, avant même qu'ils ne se rencontrent, ce qui ne tarderait plus. Samedi il serait à la maison ; Ariana savait maintenant à quel point on avait espéré son retour, surtout après la mort du fils aîné.

Ruth lui avait parlé de Simon, et de la douleur de sa disparition qui n'en avait rendu que plus précieux le fils cadet. Mais Ariana savait également que le retour de Paul ne serait pas facile pour une autre raison.

Lorsqu'il était parti deux ans plus tôt, Paul voulait en tout point être pareil à son aîné. Chacun de ses actes devait être à l'image de ceux de son frère. Lors de son départ, Simon était fiancé. Aussi, avant de s'embarquer pour le Pacifique, Paul s'était-il fiancé lui aussi. À une fille qu'il connaissait depuis toujours.

— Une très gentille fille, soupira Ruth. Mais tous deux n'avaient que vingt ans, et sur bien des plans Joan était beaucoup plus mûre que Paul.

Ariana devina très vite la suite.

— Il y a six mois, poursuivit Ruth, Joan a épousé un autre homme. Ce n'est pas la fin du monde bien sûr, ou ce ne devrait pas l'être, mais...

Elle posa un regard malheureux sur Ariana.

— Elle ne l'a pas dit à Paul. Nous pensions qu'elle lui avait écrit mais elle a fini par nous détromper.

— Il n'est donc toujours pas au courant ?

Ruth secoua tristement la tête.

— Oh ! mon Dieu, compatit la jeune fille. Et ce sera à vous de le lui annoncer quand il rentrera ?

— Exactement. Je n'imagine rien de plus désagréable.

— Et Joan ? N'aura-t-elle pas envie de le lui dire elle-même ? Après tout, elle n'est pas obligée de lui révéler son mariage. Elle peut rompre les fiançailles, et s'il découvre la vérité plus tard...

Ruth eut un sourire contraint.

— J'aurais aimé que cela se passe ainsi, mais elle est enceinte de huit mois. Je crains donc que la corvée n'incombe à Sam et à moi.

Voilà pourquoi ils ne voyaient pas le retour de leur fils sans une certaine appréhension. De son côté, Ariana se demandait comment Paul recevrait la nouvelle. Par ses sœurs déjà, elle avait appris qu'il était d'un tempérament exalté. Puis elle s'inquiétait de sa réaction face à la présence d'une étrangère sous le toit familial. Car pour lui elle ne serait qu'une étrangère, quand lui ne l'était plus pour elle. Elle avait entendu maintes anecdotes à son propos, sur son enfance, ses plaisanteries, ses espiègleries. Elle le considérait déjà comme un ami. Mais lui, qu'éprouverait-il pour cette mystérieuse Allemande qui vivait désormais parmi eux ? Lui serait-il hostile après avoir si longtemps considéré l'Allemagne comme le pays ennemi, ou bien, à l'instar du reste de la famille, l'accepterait-il comme une des leurs ?

C'était précisément cette acceptation, cette confiance qu'on avait mise en elle qui poussait Ariana à taire qu'elle n'était pas juive. Après des jours de tourment secret, elle avait arrêté sa décision. Dire la vérité eût tout détruit. Jamais les Liebman ne comprendraient qu'une Allemande non juive pût être quelqu'un de respectable, trop aveuglés qu'ils étaient par leur douleur, leur révolte face aux actes nazis. Il était plus simple de garder le silence et d'avoir des remords. Peu importait maintenant. Le passé était mort et enterré. Ils ne sauraient jamais la vérité. S'ils l'apprenaient, ils en seraient blessés, se sentiraient trahis. À tort. Ariana avait perdu autant que d'autres. Elle avait besoin des Liebman. Il n'y avait pas de raison de leur dire. Et elle n'en était pas capable. Perdre cette nouvelle famille lui eût été insupportable. Elle espérait seulement que Paul l'accepterait lui aussi. Si parfois elle se prenait à redouter qu'il ne pose trop de questions, elle se raisonnait : rien ne lui servait de s'inquiéter à l'avance.

De son côté, l'esprit de Ruth allait dans une direction fort différente. L'idée lui était venue que la présence sous leur toit d'une jeune fille aussi jolie qu'Ariana pourrait détourner Paul de sa peine. Malgré sa fatigue continuelle, Ariana s'était épanouie durant ces deux brèves semaines. Elle avait le teint le plus parfait que Ruth eût jamais vu, aussi velouté qu'une pêche, des yeux pareils à la bruyère qu'embrase la rosée. Son rire avait l'éclat du soleil, son corps menu était tout en grâce, son intelligence aiguë. Elle eût été un don du ciel pour n'importe quelle mère, et cette pensée ne quittait pas Ruth Liebman chaque fois qu'elle songeait à son fils. Cependant, si Paul lui causait du souci, il en allait de même pour Ariana, sur un autre plan. Ses yeux se posèrent sur la jeune fille avec tant d'acuité que celle-ci se fit l'effet d'un tout petit enfant.

— Dites-moi, jeune demoiselle, pourquoi ne m'avez-vous pas dit que vous vous étiez évanouie hier matin ? Au déjeuner, vous m'avez assuré que vous vous portiez bien.

Elle avait appris le malaise d'Ariana par les domestiques.

— C'est que j'allais mieux, argua Ariana.

Mais cette réponse ne satisfit aucunement Ruth.

— Je tiens à ce que vous me teniez au courant quand il vous arrive ce genre de chose. C'est d'accord, Ariana ?

— Bien, tante Ruth.

D'un commun accord, elles avaient adopté ce nom.

— Combien de fois cela s'est-il produit ?

— Une ou deux, pas plus. Cela m'arrive quand je suis trop lasse ou quand je ne mange pas.

— Ce qui, d'après ce que je constate, est le cas en permanence. Vous ne mangez pas suffisamment, jeune fille.

— Oui, madame.

— Si vous vous évanouissez de nouveau, je tiens à l'apprendre sur-le-champ, de votre bouche, non par les domestiques. Est-ce clair ?

— Oui, pardonnez-moi. C'est simplement que je ne voulais pas vous inquiéter.

— Il est préférable que je m'inquiète un peu. Je me fais bien plus de souci quand j'ai l'impression d'ignorer les choses.

Son expression se faisant plus douce, Ariana lui sourit.

— Je vous en prie, ma chérie, reprit Ruth, vous me préoccupez réellement. Et il est important que, au cours de ces premiers mois, nous prenions particulièrement soin de votre santé. Plus vous vous attacherez à vous rétablir, plus vite les affreux souvenirs s'effaceront. Si vous vous soignez mal, en revanche, vous risquez de le payer le reste de votre vie.

— Je suis désolée, tante Ruth.

— Non, ne soyez pas désolée. Occupez-vous de vous, c'est tout ce que je vous demande. Et si vous vous évanouissez encore, je tiens à vous faire consulter notre médecin. D'accord ?

Le médecin en question avait déjà vu Ariana avant qu'elle ne quitte l'hôpital.

— Je vous le ferai savoir la prochaine fois, promis. Mais ne vous inquiétez pas pour moi, vous aurez bien assez à faire la semaine prochaine avec Paul. Sera-t-il tenu de garder la chambre ?

— Non. À condition qu'il se ménage un peu, tout devrait bien se passer. Mais je sens qu'il me faudra vous suivre partout, tous les deux, afin de surveiller un peu votre santé.

Or Ruth n'eut pas vraiment à courir pour veiller sur son fils lorsque celui-ci fut de retour. Quand il apprit le mariage de Joanie, il fut tellement bouleversé qu'il passa deux jours enfermé dans sa chambre. Personne ne put entrer, pas même ses sœurs, et ce fut finalement son père qui sut le convaincre de sortir de sa retraite. Il était alors livide, épuisé, pas rasé. Le reste de la famille ne valait guère mieux. Après deux longues années d'inquiétude et de terreur, l'avoir enfin à la maison et le savoir tellement atteint par la rupture de ses fiançailles avaient rendu ses proches malheureux. Dans une flambée de colère son père l'accusa de s'apitoyer sur lui-même, de bouder comme un gamin ; la fureur du jeune homme face à ces accusations le fit sortir de sa coquille. Le lendemain il arrivait au petit déjeuner, rasé de près, pâle, les yeux rouges, parlant à peine à ceux qui l'entouraient, mais du moins était-il avec eux. Il jetait sur tout le monde un regard courroucé, à l'exception d'Ariana qu'il ne semblait point voir. Subitement, comme s'il se rendait compte de sa présence, il la fixa d'un œil surpris, de l'autre côté de la table.

Un instant, la jeune femme ne sut s'il lui fallait sourire. L'expression de ce regard n'était pas loin de la terrifier, un regard perçant et interrogateur qui plongeait en elle, lui demandait la raison de sa présence dans sa maison, à sa table. Instinctivement, elle eut un hochement de tête puis détourna les yeux, mais elle continua longtemps de sentir le regard de Paul sur elle, et quand elle osa de nouveau le croiser elle crut y lire un millier de questions.

— De quelle région d'Allemagne venez-vous ?

Comme il n'avait pas prononcé le nom de la jeune fille, la question coupa de façon incongrue la conversation des parents.

— De Berlin, répondit Ariana, soutenant le regard scrutateur.

— Vous avez vu la ville après sa chute ?

— Brièvement.

Ruth et Samuel échangèrent un regard gêné mais Ariana ne flancha pas. Seules ses mains tremblaient légèrement quand elle se beurra un petit morceau de toast.

— Comment était-ce ? insista Paul qui l'observait avec un intérêt croissant.

Dans le Pacifique ils n'avaient entendu que de vagues rumeurs sur la capitulation allemande.

Mais pour Ariana la question suscita l'image soudaine de Manfred gisant au milieu d'autres cadavres, et involontairement elle ferma les yeux, comme si cela pouvait bannir le souvenir, comme si quoi que ce soit avait ce pouvoir. Il se fit un lourd silence autour de la table et Ruth s'empressa d'intervenir.

— Je ne crois pas qu'il faille discuter de ce genre de chose. Du moins pas maintenant, et pas au petit déjeuner.

Inquiète, elle observait Ariana qui avait rouvert les yeux : ils étaient voilés de larmes.

La jeune fille secoua la tête et, sans réfléchir, tendit la main à Paul.

— Je suis désolée... c'est seulement que... c'est si..., bredouilla-t-elle d'une voix rauque. Il m'est... pénible de m'en souvenir... J'ai tellement... J'ai tout perdu.

Soudain il y eut des larmes dans les yeux de Paul et il tendit les mains à son tour, par-dessus la table, pour presser celles de la jeune femme.

— C'est moi qui suis désolé. J'ai été idiot. Je ne vous poserai plus jamais ce genre de question.

Au sourire reconnaissant d'Ariana, il se leva de table, vint auprès d'elle et, avec sa serviette, essuya les larmes sur son visage. Un silence total régnait dans la salle à manger mais bientôt la famille se ressaisit et chacun vaqua à ses occupations. Déjà un lien s'était tissé entre les deux jeunes gens ; Ariana considérait Paul comme un ami.

De haute taille comme son père, il avait encore la silhouette souple d'un très jeune homme. De sa mère il avait hérité les yeux marron et cette chevelure très noire semblable à celle de ses sœurs. Mais grâce aux photos, Ariana savait qu'il avait un sourire différent des autres membres de la famille, un sourire radieux, qui illuminait soudain son visage sérieux. C'était ce côté grave et sérieux de sa personnalité qu'Ariana avait connu ce matin quand, les sourcils froncés, l'œil noir, il paraissait sur le point d'exploser.

Ariana sourit en y songeant à l'instant où elle passait une robe de cotonnade blanche ainsi que des sandales à semelles de liège qu'elle et Julia avaient acquises ensemble quelques jours auparavant. Ruth avait insisté pour qu'elle aille s'acheter de nouveaux vêtements. Ne sachant toujours pas comment réagir face à la générosité constante de ses bienfaiteurs, Ariana avait décidé de tenir scrupuleusement les comptes de leurs présents ; plus tard, lorsqu'elle serait assez solide pour trouver un emploi, elle leur rembourserait chapeaux, manteaux, robes, lingerie et souliers. L'amoire de sa chambre s'emplissait rapidement de choses ravissantes.

Quant aux bagues qu'elle continuait de cacher, elle ne pouvait se résoudre à les vendre. Pas maintenant. Ces bijoux représentaient sa seule sécurité. Parfois, elle se passait aux doigts les bagues de sa mère, et si elle avait été tentée un jour de les montrer à Ruth, elle s'était ravisée, craignant de paraître vaniteuse. Elle avait tant maigri que les bagues de Manfred étaient encore trop grandes. Elle eût aimé les porter pourtant car ces bagues-là lui semblaient faire partie de son être, comme Manfred avait été et resterait une part d'elle-même. Elle aurait aimé parler de lui aux Liebman mais il était trop tard. Leur expliquer qu'elle avait été mariée, que son époux était mort, lui aussi, était au-delà de ses forces.

— Qu'est-ce qui te rend si sérieuse, Ariana ?

Un petit sourire aux lèvres, Julia s'était glissée dans la chambre, portant aux pieds les mêmes sandales que son amie.

— Rien de particulier, fit Ariana. J'aime beaucoup nos nouvelles chaussures.

— Moi aussi. Veux-tu sortir avec nous trois ?

— Vous ne préférez pas être seules avec votre frère, toutes les deux ?

— Non, Paul n'est pas comme était Simon. Nous adorons nous chamailler lui et moi, ensuite il s'en prend à Debbie, nous nous mettons tous à crier et...

Moitié femme, moitié enfant, elle adressa à Ariana un sourire engageant.

— Cela te tente ? Viens donc, tu t'amuseras.

— Je pense que tu te fais peut-être des idées sur sa façon

de se comporter. Il est parti à la guerre pendant deux ans, Julia. Il peut avoir beaucoup changé.

Sans connaître Paul, elle avait perçu ce changement ce matin lors du petit déjeuner.

Mais Julia se contenta de hausser les sourcils.

— Pas si l'on en juge d'après son attitude à propos de Joanie. Tu sais, elle n'était pas si formidable que ça. Il a seulement été furieux qu'elle en ait préféré un autre. Et puis, maintenant qu'elle est enceinte, on dirait un éléphant. Maman et moi l'avons croisée la semaine passée.

— Ah oui ?

La voix de Paul, depuis le seuil, était glaciale.

— Je te serais reconnaissant de ne pas t'étendre sur le sujet. Ni avec moi ni avec qui que ce soit ici.

Blême, le jeune homme pénétra dans la chambre. Julia était devenue écarlate, très embarrassée d'avoir été surprise à cancaner sur les affaires de cœur de son frère.

— Je suis désolée. Je ne savais pas que tu étais là...

— C'est bien ce qu'il m'a semblé, lâcha Paul.

Mais alors qu'il toisait sa sœur avec morgue, Ariana comprit subitement qu'il jouait un rôle. Ce n'était qu'un tout jeune homme qui voulait passer pour un homme. Et il avait été blessé. Peut-être était-ce pour cette raison qu'il avait tenté de la réconforter ce matin. Bizarrement, il ressemblait beaucoup à Gerhard. Comme elle continuait de l'observer, elle ne put s'empêcher de sourire, et Paul la regarda à son tour, longuement, avant de lui rendre son sourire.

— Je suis désolé d'avoir été brutal, Ariana. Je crains d'ailleurs de m'être montré grossier avec tout le monde depuis mon retour, ajouta-t-il après un silence.

Oh oui, il avait bien des traits communs avec Gerhard, et l'affection d'Ariana pour lui s'en accrut.

— Vous aviez de bonnes raisons, rétorqua-t-elle. Ce doit

être difficile de rentrer à la maison après si longtemps. Beaucoup de choses ont changé.

— Et certaines changent en bien, répliqua-t-il d'un ton sourd.

Ils allèrent en voiture à Brooklyn manger des huîtres, revinrent à la pointe de Manhattan pour apercevoir la statue de la Liberté qu'Ariana n'avait encore jamais vue. Ensuite ils descendirent lentement la Cinquième Avenue puis Paul revint sur la Troisième pour faire la course avec le train aérien. Mais là, tandis que la voiture bondissait à toute vitesse sur les pavés, Ariana changea de couleur.

— Désolé, ma vieille.

— Ce n'est rien.

Comme elle semblait gênée, Paul lui décocha son sourire bon enfant.

— Ça n'aurait pas été rien si vous aviez été malade dans la nouvelle voiture de ma mère !

Même Ariana réussit à en rire, et le groupe continua jusqu'à Central Park où ils pique-niquèrent gaiement auprès du lac avant d'aller faire un tour au zoo. Les singes se livraient à des cabrioles dans leurs cages, le soleil était haut et chaud, c'était un parfait après-midi de juin, et tous quatre étaient jeunes. Pour la première fois depuis qu'elle avait perdu Manfred, Ariana se sentit de nouveau heureuse.

— Dites, qu'allons-nous faire cet été ? questionna Paul le soir au dîner. Rester en ville ?

Les parents échangèrent un bref regard. Paul était toujours à activer les choses, il leur fallait s'y réhabituer.

— Eh bien, nous ne savions pas quels seraient tes projets, mon chéri, répondit Ruth, en se servant du rosbif sur le grand plat en argent que lui présentait une domestique. J'avais envisagé de louer dans le Connecticut ou à Long Island, poursuivit-elle, mais ton père et moi n'avons pas encore arrêté notre décision.

Après la mort de Simon, ils avaient vendu leur maison de campagne dans le nord de l'État de New York, leurs souvenirs là-bas étant trop douloureux.

— Ce qui me fait penser, intervint Samuel avec une fausse désinvolture, que tu as d'abord d'autres décisions à prendre. Mais rien ne presse, Paul. Tu viens de rentrer.

Dans les locaux de sa compagnie, on était en train de refaire à neuf le bureau destiné à son fils.

— Oui, nous avons à parler longuement, père.

Paul regardait son géniteur droit dans les yeux et celui-ci lui sourit.

— C'est aussi ton avis ? Alors que dirais-tu de déjeuner en ville avec moi demain ?

Il prierait sa secrétaire de leur faire monter des plateaux spéciaux depuis les cuisines situées au-dessous des salles de réunion.

— Avec plaisir, acquiesça Paul.

Mais Sam Liebman n'avait pas deviné que son fils désirait négocier un roadster Cadillac, ni qu'il souhaitait savourer un été de paresse avant de se lancer dans le travail, aux côtés de son père. Néanmoins Sam dut reconnaître que les désirs de son garçon étaient fondés. Il n'avait que vingt-deux ans et, s'il était sorti de l'université, les mêmes règles eussent été appliquées. Il avait droit à un dernier sursis, le temps d'un été, et la voiture n'était pas trop demander. Ils étaient si heureux de l'avoir auprès d'eux... si heureux qu'il soit rentré.

À quatre heures de l'après-midi, après son entrevue avec son père, Paul apparut sur le seuil de la chambre d'Ariana dont la porte était ouverte, et fut surpris de la trouver seule.

— Ça y est, j'y suis arrivé.

Le calme victorieux qu'il affichait le rendait plus mûr.

— Arrivé à quoi, Paul ? s'enquit la jeune femme en l'invitant à s'asseoir.

— J'ai obtenu de mon père qu'il m'accorde un été de vacances avant que je me mette au travail. Et puis, se rengorgea-t-il d'un air enfantin, il va m'offrir un roadster Cadillac. Qu'est-ce que vous en dites ?

— Stupéfiant.

Ariana n'avait vu qu'une seule fois une Cadillac, et elle n'en gardait qu'un vague souvenir. En tout cas, ce n'était pas un roadster. Ce monde était décidément nouveau.

— À quoi est-ce que cela ressemble ?

— C'est un bijou de voiture. Vous conduisez, Ariana ?

— Oui, fit-elle, et un nuage passa dans ses yeux.

Sans savoir comment ni pourquoi, Paul devina qu'il venait de raviver une douleur. Il prit la main de la jeune femme. Ce simple geste rappela plus que jamais son frère à Ariana qui tentait de refouler ses larmes.

— Pardonnez-moi, j'oublie parfois que je ne devrais pas vous poser de questions sur votre passé.

— Ne dites pas de bêtises.

Elle lui pressa la main, pour qu'il sache qu'il n'y avait pas de mal.

— Vous n'allez pas me traiter indéfiniment comme un objet fragile. Ne craignez pas de m'interroger. Peut-être que dans quelque temps cela cessera de me faire souffrir... c'est seulement que... actuellement... certaines choses me sont encore très douloureuses, Paul... C'est si récent.

Le jeune homme hocha la tête. Il songeait à la fois à Joanie et à son frère — les deux seuls êtres chers qu'il eût perdus. D'un côté un deuil réel, définitif, de l'autre une perte différente mais néanmoins douloureuse.

— Parfois, vous me rappelez mon frère, lui confia Ariana qui retrouvait le sourire.

Le regard de Paul se riva au sien ; c'était la première fois qu'elle évoquait volontairement son passé.

— Comme était-il ?

— Exaspérant quelquefois. Un jour il a fait exploser sa chambre en se livrant à des expériences de chimie.

Elle souriait mais ses yeux étaient pleins de larmes.

— Une autre fois, il a pris la nouvelle Rolls de mon père pendant que le chauffeur avait le dos tourné et il l'a lancée dans un arbre. Je pensais toujours...

Elle ferma un instant les yeux, se raidissant contre l'intolérable.

— Je pensais toujours qu'un garçon comme lui... comme Gerhard... ne pouvait pas mourir. Qu'il trouverait toujours le moyen de vivre... de survivre...

Elle avait rouvert les yeux et les larmes coulaient sur ses joues. Paul découvrit sur son visage plus d'angoisse qu'il n'en avait vu en deux années de guerre.

— Mais maintenant, poursuivit-elle dans un murmure ténu, voilà des mois que je me le répète... je dois croire ce qu'ils m'ont dit, je ne dois plus espérer. Je dois croire qu'il est mort... même s'il avait ce rire merveilleux... même s'il était beau, jeune, solide... même si...

Les sanglots lui serraient la gorge et elle parlait d'une voix sourde.

— Je l'aimais. Et malgré tout... il est mort.

Le silence se fit entre les deux jeunes gens, puis Paul prit Ariana dans ses bras et la tint contre lui tandis qu'elle pleurait.

Un long moment s'écoula avant qu'il ne reprenne la parole ; et quand il le fit, ce fut en tamponnant doucement les yeux de la jeune femme avec son mouchoir blanc. Malgré ses propos taquins et gais, le regard de Paul disait à Ariana qu'il comprenait et partageait sa peine.

— Vous étiez donc si riche que ça ? Assez riche pour rouler en Rolls ?

— Je ne sais pas, Paul. Mon père était banquier. Les Européens ne parlent pas beaucoup de ces choses-là. Ma mère, continua-t-elle, en s'efforçant de ne pas se remettre à pleurer à l'évocation de son passé, ma mère possédait une voiture américaine quand j'étais toute petite. C'était une Ford.

— Un coupé ?

— Oui. Bleu. Il vous aurait plu. Ensuite, il est resté au garage pendant des années.

Mais ces mots lui rappelèrent Max, puis Manfred et la Volkswagen avec laquelle elle avait pris la fuite... Pour Ariana chaque souvenir en appelait un autre. C'était un jeu dangereux car les deuils, les souffrances pesaient alors sur ses épaules de tout leur poids. Il lui semblait avoir vécu dans un univers qui n'existait plus.

— À quoi pensez-vous à cet instant, Ariana ?

Elle leva sur Paul un regard honnête. Il était son ami à présent, aussi se montrerait-elle avec lui aussi franche que possible.

— Je pensais à quel point il est étrange que tout cela ait disparu, que plus rien n'existe... ni les êtres... ni les lieux... tout le monde est mort, tout a été bombardé...

— Pas vous. Vous êtes ici maintenant, dit-il en lui pressant la main. Et puis je tiens à ce que vous sachiez combien je suis heureux que vous soyez là.

— Merci.

35

UNE SEMAINE plus tard, Paul revenait à la maison avec son roadster Cadillac vert sombre. Il emmena Ariana faire un tour la première. Ensuite, il dut faire de même pour Julia et

Debbie, puis sa mère, et Ariana de nouveau. Ils firent le tour de Central Park. Les sièges en cuir étaient très confortables et la voiture sentait bon le neuf.

— Oh ! Paul, c'est formidable ! s'exclama-t-elle.

— N'est-ce pas ? Et tout ça à moi ! s'écria-t-il gaiement. Mon père affirme que c'est un prêt jusqu'à ce que je commence à travailler pour lui, mais je le connais : il ne me demandera jamais un sou. C'est un cadeau.

Son fier sourire de propriétaire amusa Ariana. Au cours de la semaine, il avait également convaincu sa mère de louer une maison à Long Island ; on était déjà en bonne voie pour trouver un lieu de villégiature convenable pour eux tous, pour une durée d'un mois au moins, peut-être même deux.

— Ensuite, les mines de sel, déclara Paul qui roulait doucement à travers le parc.

— Aurez-vous votre propre logement ?

— Probablement. Je suis un peu trop vieux pour vivre chez papa-maman.

Effectivement, il était adulte, songea Ariana. Le cordon ombilical était coupé depuis longtemps.

— Ils seront peinés de vous voir partir. En particulier votre mère et vos sœurs.

Quand Paul posa sur elle un regard étrange, Ariana sentit un frémissement tout au fond d'elle. Puis il arrêta la voiture sur le côté de l'allée.

— Et vous, Ariana ? Est-ce que je vous manquerai aussi ?

— Bien sûr, Paul, répondit-elle avec calme.

Soudain elle se rappela ces moments précieux où ils avaient évoqué le passé et comprit qu'il lui serait douloureux de perdre Paul.

— Ariana... si je quitte la maison, viendrez-vous me voir de temps en temps ?

— Bien sûr.

— Ce n'est pas ce que je veux dire, précisa-t-il. Je ne parle pas seulement en tant qu'ami.

— Que voulez-vous dire ?

— Je vous suis attaché, Ariana, avoua-t-il sans la quitter des yeux. Très attaché. Je crois que j'ai été attiré par vous dès le premier jour.

Oui, ce petit déjeuner où il l'avait fait pleurer en l'interrogeant sur Berlin, où il avait ensuite séché ses larmes. À ce moment-là elle aussi avait éprouvé pour lui une curieuse attirance, qui ne s'était pas démentie. Mais elle y avait résisté, se sentant coupable, estimant qu'il était bien trop tôt.

— Je sais ce que vous pensez, reprit-il.

Il se cala sur son siège, sans cesser de contempler la jeune femme. Elle portait un chemisier de soie blanche qui soulignait la délicatesse de son teint.

— Vous pensez que je vous connais à peine, qu'il y a deux semaines encore je me croyais fiancé à une autre. Vous trouvez que je vais trop vite...

Ce discours fit sourire Ariana.

— Ce n'est pas tout à fait cela.

— Mais un peu quand même ?

— C'est vrai que vous ne me connaissez pas, Paul.

— Si. Vous êtes drôle, chaleureuse, aimable. Vous n'avez pas d'amertume en dépit de tout ce que vous avez vécu. Puis je me moque que vous soyez allemande et moi américain. Nous sommes du même monde, du même milieu, et nous sommes juifs tous les deux.

Une souffrance fugitive mais vive passa sur les traits d'Ariana. Son mensonge la rongeait. Mais il était tellement important pour les Liebman qu'elle soit juive ; il lui semblait devoir l'être pour mériter leur amour. Toutes leurs relations, les amies des filles, les partenaires en affaires de Sam, étaient juifs. C'était l'essentiel. L'idée qu'Ariana pût être d'une autre confession ne leur avait jamais traversé l'esprit. Pire, elle savait que cela eût été considéré comme une trahison, la trahison suprême peut-être. Parce qu'elle avait gagné leur amour.

Sam comme Ruth détestaient les Allemands, ceux qui n'étaient pas juifs. Pour eux, tout Allemand non juif était un nazi. S'ils avaient connu la vérité, ils en auraient déduit qu'Ariana était une nazie. Elle l'avait compris très vite et en souffrait encore. Ce fut cette douleur que Paul lut dans son regard plein de détresse. Elle s'empressa de détourner les yeux.

— Non, Paul... s'il vous plaît.

— Quoi donc ? demanda-t-il en lui touchant l'épaule. Est-ce vraiment trop tôt ? Vous n'éprouvez pas la même chose que moi ?

Pour elle, il serait toujours trop tôt. Dans son cœur, elle était encore mariée. Si Manfred avait vécu, ils auraient envisagé d'avoir leur premier enfant. Elle ne voulait pas penser à un autre homme. Pas encore, pas tout de suite, et pas avant très longtemps.

— Paul, il y a des choses de mon passé... Je ne serai peut-être jamais prête... Il ne serait pas juste de vous laisser croire...

— Est-ce que vous avez de l'affection pour moi, même en tant qu'ami ?

— Beaucoup.

— Alors c'est parfait, laissons le temps faire son œuvre.

Quand leurs regards se retrouvèrent, Ariana éprouva un désir subit qui l'effraya.

— Faites-moi confiance, reprit Paul. C'est tout ce que je vous demande.

Sur ces mots, il l'embrassa sur la bouche, tendrement. Elle voulut résister, elle le devait à Manfred, mais elle se découvrit impuissante à se refuser à Paul. Quand il se détacha d'elle, Ariana avait les joues en feu.

— Je patienterai, s'il le faut, Ariana. Et en attendant...

Il lui déposa un baiser sur la joue avant de faire démarrer la voiture.

— ... Je me contenterai d'être ton ami.

Non, elle ne pouvait en rester là, laisser les choses en l'état...

— Paul..., souffla-t-elle en posant la main sur son épaule, comment t'exprimer à quel point j'apprécie tes sentiments ? Je te considère comme un frère et...

— Tu ne m'as pas embrassé comme une sœur, coupa-t-il.

— Tu ne comprends pas..., bafouilla-t-elle, rougissant de plus belle. Je ne peux pas... Je ne suis pas... je ne suis pas prête à devenir la femme d'un homme, quel qu'il soit.

C'en fut trop pour Paul. Avant qu'ils n'atteignent la maison où la famille les attendait, il se tourna vers elle avec, dans le regard, une souffrance qu'elle n'y avait jamais vue.

— Ils t'ont fait du mal, Ariana ? Je veux dire... Les nazis... est-ce que... ?

Des larmes jaillirent des yeux d'Ariana tant elle était émue de son inquiétude, et elle l'étreignit avec force, bouleversée par ce souci, cette affection qu'il lui offrait.

— Non, Paul, ils n'ont rien fait de ce que tu imagines.

La nuit même, Paul réalisa qu'elle n'avait pas dit la vérité lorsqu'il entendit son hurlement terrible. Voilà plusieurs nuits qu'il l'entendait crier son tourment mais cette fois, au lieu de l'ignorer, il gagna la chambre de la jeune femme sur la pointe des pieds. Il la trouva assise au bord de son lit, éclairée par une lampe discrète, le visage enfoui dans les mains et pleurant sans bruit. Sur ses genoux, il y avait un petit livre relié en cuir.

— Ariana ? murmura-t-il.

Quand elle tourna le visage vers lui, il y lut une telle angoisse, un tel désespoir, que sans un mot il s'assit auprès d'elle et la tint dans ses bras jusqu'à ce que ses sanglots s'apaisent.

Dans son cauchemar, elle avait revu Manfred... mort. Mais elle ne pouvait confier cela à Paul. Quand elle fut calmée, il prit le petit livre, regarda la reliure.

— Shakespeare ? Ma chère, voilà une lecture bien intellectuelle à cette heure de la nuit. Je ne m'étonne plus que tu pleures. Shakespeare me fait cet effet-là, à moi aussi.

Ariana lui sourit à travers ses larmes.

— Ce n'est pas un vrai livre..., expliqua-t-elle en reprenant l'ouvrage. J'ai réussi à le dissimuler aux nazis... C'est tout ce qu'il me reste.

Quand elle eut ouvert le compartiment secret, Paul resta un moment abasourdi.

— Elles appartenaient à ma mère...

Parmi d'autres bagues, Paul distingua une émeraude ainsi qu'une belle chevalière incrustée de diamants mais il n'osa pas questionner Ariana qui lui semblait encore trop bouleversée.

La jeune femme avait eu la présence d'esprit de glisser les photos de Manfred dans la doublure de son sac à main. Penser à ces clichés la fit pleurer de plus belle — penser qu'elle avait à les dissimuler de la sorte.

— Chut... Ariana, arrête, murmura Paul en la serrant contre lui. Mon Dieu, ce sont des pierres magnifiques. Tu as réussi à les emporter sans que les nazis les découvrent ?

Elle hocha fièrement la tête.

— Un bijou extraordinaire, continua Paul en prenant l'émeraude entre ses doigts.

— La bague de fiançailles de ma mère... On m'a dit qu'elle la portait surtout le soir. Mais celle-ci, elle l'avait toujours au doigt, ajouta-t-elle en prenant la chevalière incrustée de diamants. Les initiales sont celles de son arrière-grand-mère.

Mais le motif était tellement compliqué qu'il était impossible de déchiffrer les lettres.

Paul considéra la jeune femme avec respect.

— C'est stupéfiant qu'on ne te les ait pas volées sur le paquebot.

Elle avait dû déployer des trésors d'ingéniosité pour apporter ce livre de si loin. Et faire preuve de cran. Mais il savait déjà qu'elle possédait l'un et l'autre.

— Je n'aurais laissé personne me les prendre. Il aurait fallu me tuer d'abord.

Paul la devina absolument sincère.

— Rien ne vaut le sacrifice de la vie, Ariana. Voilà ce que j'ai appris.

Oui, acquiesça-t-elle intérieurement. Manfred l'avait découvert aussi. Quelle chose valait la peine que l'on meure pour elle ? Rien. Elle leva sur Paul des yeux sombres et cette fois, quand il l'embrassa, elle ne songea même pas à se dérober.

— Il faut dormir maintenant.

Avec un doux sourire, il lui désignait le lit. Mais déjà elle se reprochait de ne pas l'avoir repoussé. C'était mal. Pourtant, dès qu'il fut sorti de la chambre, elle réfléchit aux paroles qu'il avait prononcées, à propos de la guerre... à propos de lui-même... certaines choses que Manfred aurait pu dire. Malgré sa jeunesse, Paul devenait peu à peu un homme aux yeux d'Ariana.

36

— Vous sentez-vous bien ce matin, Ariana ?

Au petit déjeuner, Ruth trouva la jeune fille étrangement pâle. Il est vrai que, après le départ de Paul, la nuit passée, elle avait mis des heures à se rendormir. Elle se sentait coupable de l'encourager. Elle savait que l'attirance qu'il éprouvait pour elle passerait, quand il aurait renoué les liens avec son ancienne vie, mais pour l'instant, elle ne voulait pas le heurter. L'admiration qu'il lui manifestait la touchait profondément. Elle posa de grands yeux tristes sur Ruth Liebman.

— Quelque chose ne va pas, ma chérie ? s'alarma cette dernière.

— Je crois que je suis simplement fatiguée, tante Ruth. Ce n'est rien. Un peu de repos et je serai en pleine forme.

Mais Ruth était suffisamment inquiète pour décrocher son téléphone une demi-heure plus tard, et à la fin de la matinée elle alla trouver Ariana dans sa chambre.

Celle-ci leva la tête de l'oreiller avec un sourire las. Sa nuit sans sommeil avait eu un effet désastreux. Après le petit déjeuner, elle était retournée dans sa chambre et avait vomi. Son visage livide la trahissait.

— Je crois qu'il serait bien que vous consultiez le docteur Kaplan aujourd'hui, suggéra Ruth en s'asseyant à son chevet.

— Je vais bien... sincèrement...

— S'il vous plaît, Ariana.

Le regard d'affectueux reproche de sa bienfaitrice la poussa à acquiescer.

— Vous avez raison. Je ne me sens pas très bien, mais je n'ai pas envie d'aller chez le médecin, tante Ruth. Je ne suis pas malade.

— Vous me faites penser à Debbie ou à Julia. À bien y réfléchir, peut-être à Paul aussi, fit Ruth avec un sourire.

Prenant son courage à deux mains, elle décida de se jeter à l'eau.

— Il ne vous a pas tourmentée, Ariana, n'est-ce pas ?

Elle scrutait la jeune femme.

— Non, bien sûr que non.

— Je me le demandais... Il a le béguin pour vous, vous savez.

Même si elle n'avait encore jamais entendu le mot « béguin » en anglais, Ariana comprit sur-le-champ.

— C'est bien ce qu'il m'a semblé, tante Ruth. Mais je n'ai

pas l'intention de l'encourager. Il est pour moi comme un frère, et mon frère me manque tellement... Et puis, je ne ferais rien qui risque de vous déplaire.

— C'est bien pour cela que je vous en parle, Ariana. Cela ne me déplairait pas du tout.

— Vraiment ? souffla Ariana, stupéfaite.

— Oui, affirma Ruth Liebman avec un sourire. Sam et moi en avons parlé l'autre jour. Nous savons que notre fils est encore sous le choc de ses fiançailles rompues mais, je vous assure, Ariana, c'est un brave garçon. Je ne cherche pas à vous orienter dans une quelconque direction. Je tenais seulement à vous dire que si la chose se présentait... (Son regard se fit très tendre.) Nous vous aimons énormément, conclut-elle.

— Oh ! tante Ruth !

Avec spontanéité, Ariana étreignit la femme qui s'était montrée si bonne pour elle dès leur première rencontre.

— Je vous aime tant, murmura-t-elle.

— Nous tenons à ce que vous vous sentiez libre d'agir à votre guise. Vous faites partie de la famille désormais. Vous devez faire ce qui est bien pour vous. Surtout, ne le laissez pas vous poursuivre de ses assiduités si ce n'est pas votre vœu. Je sais à quel point il est têtu !

En guise de réponse, Ariana se mit à rire.

— Je ne pense pas que nous en arriverons là, tante Ruth.

— Je me demandais si vous repoussiez Paul à cause de nous, à cause d'un sentiment de culpabilité vis-à-vis de nous.

— Non... Mais c'est vrai que Paul a dit quelque chose l'autre jour...

— Suivez les élans de votre cœur, où qu'ils vous conduisent, conseilla Ruth.

— Est-ce bien le rôle d'une mère de jouer les Cupidon ? questionna Ariana qui sortit de son lit en riant.

— Je ne sais pas. Je ne l'avais encore jamais fait. Mais... il n'existe personne que nous souhaiterions davantage avoir pour bru, Ariana. Vous êtes formidable et adorable.

— Merci, tante Ruth.

Pleine de gratitude, Ariana ouvrit son armoire pour y prendre une robe légère à rayures roses et des sandales blanches. Le soleil de juin était déjà chaud. Elle s'apprêtait à dire à Ruth qu'il était stupide de se rendre chez le médecin quand, subitement, elle fut prise de vertige et tomba mollement au sol.

— Ariana ! s'écria Ruth en se précipitant.

37

Le cabinet du docteur Stanley Kaplan étant situé au croisement de la 53e Rue et de Park Avenue, Ruth laissa Ariana devant la porte de l'immeuble et partit se promener dans le parc.

— Eh bien, jeune fille, comment vous sentez-vous ? Suis-je bête ! Si vous étiez en pleine forme, vous ne seriez pas ici.

Le vieil homme souriait à Ariana assise de l'autre côté de son bureau. Si la dernière fois qu'il l'avait vue, elle était blafarde et extrêmement maigre, il avait à présent devant lui une belle jeune femme. Ou presque. Car son regard semblait hanté, voilé par la douleur. Néanmoins, son teint avait retrouvé de la couleur, ses yeux leur éclat ; ses cheveux blonds étaient coupés au carré. Et dans cette robe pimpante à rayures rose pastel, elle ressemblait à la fille de n'importe lequel de ses patients, et plus à la jeune victime de guerre qui avait fui l'Europe quelques semaines auparavant.

— Alors, qu'est-ce qui ne va pas ? s'enquit gentiment le

médecin en prenant son stylo. Toujours ces cauchemars, ces nausées, ces étourdissements, ces évanouissements ?

— Oui, j'ai toujours des cauchemars, mais moins fréquemment. Je dors parfois très bien.

— En effet, vous semblez plus reposée.

Ensuite, Ariana dut admettre qu'elle continuait de vomir après les repas.

— Ruth le sait ? s'enquit Kaplan.

Elle avoua que non.

— Vous devez le lui dire. Il vous faudra peut-être un régime alimentaire particulier. Cela se produit à chaque repas ?

— Presque.

— Je ne m'étonne plus de votre minceur. Aviez-vous déjà des problèmes digestifs avant ?

— Non, seulement depuis cette si longue marche pour venir à Paris. Une fois, je suis restée deux jours sans rien manger. Et deux fois, j'ai essayé de manger de la terre dans les champs.

— Et les évanouissements ?

— J'en ai encore.

Kaplan posa alors sur sa patiente un regard fixe, perçant, mais qui dénotait aussi bonté et compassion. Quand il reprit la parole, Ariana comprit qu'elle avait affaire à un ami.

— Ariana, je tiens à ce que vous sachiez que vous pouvez tout me dire. Il n'est rien que je ne puisse entendre. Vous devez me dire tout ce que j'ai besoin de savoir sur votre vie passée. Il m'est quasiment impossible de vous aider si je n'ai aucune idée de ce que vous avez vécu. Mais soyez certaine que ce que vous me raconterez restera entre nous. Je suis médecin, tenu au secret professionnel. Je ne le dirai à personne. Ni à Ruth, ni à Sam, ni à leurs enfants. À personne, Ariana. Je suis votre médecin, votre ami aussi. Et je suis un vieil homme qui a vu beaucoup de choses dans sa vie, peut-être pas autant que ce à quoi vous avez assisté dans la vôtre, mais suffisamment. Rien ne peut me choquer. Alors si vous avez quelque chose à me dire, pour votre propre bien, sur ce qu'on vous a fait qui aurait pu provoquer vos problèmes de santé, allez-y, je vous en prie.

— Je ne crois pas, docteur Kaplan. Je suis restée dans une cellule pendant un mois. On me donnait un vague bouillon de pommes de terre, du pain dur, de l'eau, et quelques bouts de viande une fois par semaine. Mais cela remonte à loin, près d'un an.

— C'est alors que les cauchemars ont commencé ?

— Certains... Je... J'étais terriblement inquiète pour mon père et mon frère. Je ne les ai jamais revus, ajouta-t-elle d'une voix sourde.

— Et vos problèmes de digestion, c'est à cette période qu'ils ont commencé ?

— Pas vraiment.

— J'ai l'impression que nous nous connaissons un peu mieux à présent, Ariana..., reprit Kaplan.

Il abordait le sujet prudemment. La première fois qu'il l'avait vue, il n'avait pas osé lui en parler. Il hésitait sur la façon de formuler sa question.

— Oui ? fit-elle, attendant la suite.

— Avez-vous...

Il cherchait la manière la moins brutale de s'exprimer.

— A-t-on abusé de vous ? interrogea-t-il.

À voir sa beauté délicate, il avait été certain depuis le début qu'on l'avait violée, or voilà qu'elle secouait la tête, et il se demanda si elle craignait de dire la vérité.

— Jamais ?

— Cela a failli se produire deux fois. Dans la cellule, et quand je fuyais.

Comme elle ne paraissait pas vouloir fournir plus d'explication, il hocha la tête.

— Bon, en ce cas je vais vous examiner.

Il sonna l'infirmière qui vint aider la jeune fille à se dévêtir.

Durant l'examen, le praticien fut pris d'un curieux pressentiment ; ses sourcils se froncèrent à mesure qu'il poussait ses investigations, posait quelques questions. Enfin, à regret, il se décida pour un examen gynécologique, certain que sa patiente serait au supplice. Or elle ne manifesta pas trop de réticences, demeura calme, et Kaplan finit par découvrir ce qu'il soupçonnait.

— Vous pouvez vous asseoir, Ariana.

Il posa sur elle un regard attristé. Elle lui avait menti, car non seulement on l'avait violée mais on l'avait engrossée.

Elle resta assise quand l'infirmière eut quitté la pièce, si pâle, si jeune, un drap tiré sur sa nudité.

— J'ai quelque chose à vous dire, Ariana. Après cela, nous devrons avoir une discussion sérieuse.

— Quelque chose ne va pas, docteur ? dit-elle d'un ton alarmé.

— J'en ai peur, ma petite. Vous êtes enceinte.

Il s'attendait à la voir bouleversée, horrifiée, mais le visage d'Ariana exprima une stupeur totale, puis elle se mit à sourire.

— Vous ne vous en doutiez pas ?

Elle secoua la tête et son sourire s'élargit encore.

— Et vous êtes contente ?

C'était au tour de Kaplan d'être stupéfait. On aurait dit qu'elle venait de recevoir un cadeau inestimable, inespéré ; ses grands yeux bleus reflétaient amour, respect.

Cela avait dû se produire juste après le mariage... ou à la fin avril, peut-être la dernière fois, avant qu'il ne parte... ce qui faisait remonter sa grossesse à deux mois. Elle continua de dévisager le médecin avec incrédulité.

— Vous en êtes sûr ?

— Nous pouvons procéder à d'autres examens si vous le

souhaitez, mais franchement, j'en suis certain. Ariana, savez-vous...

— Oui, je sais, répondit-elle avec un sourire heureux.

Elle pouvait faire confiance à cet homme. Il le fallait.

— L'enfant est de mon mari. Il est le seul homme que j'aie... connu.

— Où est votre époux maintenant ?

Deux larmes perlèrent aux cils de la jeune femme, glissèrent sur ses joues.

— Il est mort... comme tous les autres. Mort, répéta-t-elle.

— Mais vous portez son enfant, fit Kaplan d'une voix douce, en se réjouissant avec elle. Maintenant il vous restera toujours un peu de lui, n'est-ce pas ?

Pour la première fois, Ariana se laissa aller à penser à Manfred vivant, à revoir son visage, à se remémorer ses caresses. Comme si elle avait enfin la permission de les faire revivre. Jusqu'alors, elle avait refoulé le passé, par peur d'en être submergée. Le médecin ayant quitté la pièce, elle resta dix minutes à se laisser bercer par ses tendres souvenirs. Et elle souriait à travers ses larmes. C'était l'instant le plus heureux de sa vie.

Lorsqu'elle rejoignit le docteur dans son bureau, Kaplan la considéra longuement et avec gravité.

— Qu'allez-vous faire à présent, Ariana ? Vous devez le dire à Ruth.

Elle garda le silence, car elle n'avait pas encore envisagé cet aspect de la situation. Durant un moment, les Liebman lui étaient complètement sortis de l'esprit. Or voilà qu'ils revenaient en force. Elle devrait le leur dire, et elle imaginait leur réaction. Comment pourraient-ils accueillir ce bébé inattendu ? L'enfant de qui ? D'un officier nazi ? Il lui faudrait défendre son petit à naître. Elle songea aux bagues de sa mère. S'il le fallait, elle les vendrait pour vivre jusqu'à la naissance de l'enfant. Oui, elle ferait le nécessaire, mais elle avait conscience de ne pouvoir s'imposer davantage aux Liebman. D'ici quelques mois, elle s'en irait.

— Je ne veux pas le dire à Mme Liebman, docteur.

— Pourquoi ? s'inquiéta Kaplan. Ruth est une femme généreuse, Ariana, bonne et compréhensive.

La jeune femme se montra inflexible.

— Je ne puis lui demander de faire plus. Elle a déjà fait énormément pour moi. Ce serait trop.

— Pensez au bébé, Ariana. Vous devez lui offrir une existence correcte, une vraie chance, comme celle que vous avez reçue, comme celle que vous ont donnée les Liebman.

Cet argument la hanta toute la soirée après qu'elle eut fait promettre au médecin de ne rien révéler à Ruth. Il déclara simplement qu'elle était fatiguée mais qu'il n'existait aucun sujet d'alarme. Qu'elle se ménage, se nourrisse correctement, dorme beaucoup ; en dehors de cela, elle se portait bien.

— Oh ! me voilà soulagée ! avait confié Ruth sur le chemin du retour.

Ce jour-là, elle se montra encore plus chaleureuse et plus douce qu'à l'ordinaire ; Ariana avait le cœur déchiré à la perspective de la décevoir, mais il lui semblait que ç'eût été mal d'exiger encore plus de ses bienfaiteurs. Elle devait prendre sa vie en main, assumer elle-même son enfant. Son enfant... à elle... et à Manfred... Le bébé qu'ils avaient si ardemment désiré... conçu au milieu des cendres de leurs rêves... témoin de la force de leur amour.

Cette nuit-là, la jeune femme resta à rêver et s'interroger dans sa chambre. Serait-ce une fille ou un garçon ? Ressemblerait-il à Manfred... ou un peu à Walmar, son père ? D'après le médecin, il devait naître fin janvier ou début février. Souvent, avait précisé Kaplan, un premier enfant venait tardivement. La grossesse commencerait à se voir en septembre, peut-être seulement en octobre si elle prenait garde à la façon de se vêtir. Ce serait donc à l'automne qu'il lui faudrait quitter les Liebman. Ensuite, une fois installée, pourvue d'un emploi, elle leur dirait la vérité. Quand le bébé serait né, Julia et Debbie pourraient lui rendre visite. Ariana souriait en imaginant le minuscule petit être chaudement habillé d'une brassière tricotée...

— Qu'est-ce qui te rend si heureuse, Ariana ?

Paul venait d'apparaître auprès d'elle ; elle ne l'avait même pas entendu entrer, perdue dans ses songes.

— Je ne sais pas. Je pensais, c'est tout.

— À quoi ?

Il s'assit par terre devant elle, leva les yeux vers le visage parfait.

— À rien de particulier.

Elle continuait de sourire. Son bonheur était quasiment impossible à dissimuler ; Paul lui-même le sentait.

— Et moi, sais-tu à quoi je pensais aujourd'hui ? À notre été. Nous serons merveilleusement bien à la campagne. Nous pourrons jouer au tennis, nous baigner, paresser au soleil, voir des amis. N'est-ce pas un programme séduisant ?

Certes, mais dorénavant, elle n'était plus seule. Un petit être était en train de grandir en elle et elle avait de nouvelles responsabilités. Son expression se fit plus grave quand elle regarda son ami.

— Paul, je viens de prendre une grande décision.

— Laquelle ?

Il était radieux, certain que cette décision ne pouvait qu'aller dans le sens de son bonheur.

— En septembre, je trouverai un travail et m'installerai quelque part.

— Nous serons donc deux. Veux-tu partager un logement avec moi ?

— Très drôle. Je te parle sérieusement.

— Moi aussi. Au fait, quel genre d'emploi espères-tu décrocher ?

— Je l'ignore encore, mais je vais réfléchir. Peut-être ton père pourra-t-il me donner quelques idées.

— J'en ai une meilleure, assura Paul en déposant un baiser sur les cheveux blonds. Ariana, tu ne m'écoutes pas !

— Tu n'es pas assez vieux pour dire des choses sensées.

Elle rayonnait d'un tel bonheur que Paul se mit à rire, sensible à son humeur.

— Si tu dois travailler en septembre, c'est donc le « dernier été » pour toi aussi. Nos dernières folies avant de nous assagir.

— Oui, c'est exactement cela, acquiesça-t-elle, avec son mystérieux sourire plus radieux encore.

— Alors, ne le gâchons pas, Ariana ! s'exclama Paul en se mettant debout. Ce sera notre plus bel été.

38

Moins d'une semaine plus tard, la famille s'installait dans une vaste propriété à East Hampton. Le corps de bâtiment principal comprenait six chambres à coucher, trois chambres pour les domestiques, une immense salle à manger, un grand salon de réception, un autre plus intime, et encore une salle de séjour de proportions plus familiales. La cuisine était aussi gigantesque que chaleureuse. Derrière cette demeure se trouvaient une maison pour les invités et une cabine de bain où l'on pouvait se changer. La maison d'hôtes comptait cinq chambres, où logeraient les parents et amis des Liebman. Les vacances prenaient un tour prometteur quand, le lendemain de leur arrivée, Ruth apprit par Paul qu'Ariana prévoyait de les quitter et de trouver un emploi à l'automne.

— Pourquoi, Ariana ? protesta Ruth, d'un ton peiné. Ne soyez pas stupide. Nous n'avons aucune envie que vous partiez.

— Je ne puis vous imposer ma présence éternellement.

— Vous ne nous imposez rien. Vous êtes l'un de nos enfants. Ariana, c'est absurde. Et si vous tenez absolument à travailler, pourquoi ne pas continuer à vivre chez nous ?

La perspective de perdre si tôt sa fille adoptive l'affolait.

— Allez à l'université si vous le souhaitez. Vous avez dit un jour que vous aimeriez reprendre des études. Vous pouvez faire toutes sortes de choses, mais il n'y a aucune raison pour que vous partiez.

— Oh ! Paul, elle a eu l'air tellement blessée, reconnut plus tard Ariana.

À bord de la Cadillac, Paul et elle se rendaient en ville pour y chercher quelques effets oubliés : deux maillots de bain pour Debbie, un médicament pour Julia, des documents relatifs à la Société de secours que Ruth avait laissés sur son bureau. Les jeunes gens eurent bientôt rassemblé le tout puis Ariana consulta la petite montre en or que Ruth lui avait prêtée.

— Crois-tu que j'aie le temps de faire une course ?

— Bien sûr. De quoi s'agit-il ?

— J'avais promis au docteur Kaplan de passer à son cabinet chercher des vitamines.

— Et comment, répondit Paul avec gravité. Nous aurions dû commencer par là.

— Oui, mon commandant, plaisanta Ariana.

Rieurs, ils quittèrent la maison. C'était bon d'être jeune, de savourer l'été. Le soleil leur souriait et Ariana s'étira d'aise dans la voiture.

— Veux-tu essayer de conduire au retour ?

— Ton précieux roadster ? Dis-moi, Paul, tu as bu ?

Il rit de nouveau, heureux de la voir d'humeur si gaie.

— Je te fais confiance. Tu as dit que tu savais conduire.

— Je suis très flattée.

Elle était touchée aussi, sachant à quel point il tenait à son joujou.

— Je te ferai confiance pour tout ce que je possède, Ariana. Même ma voiture neuve !

— Merci.

Elle n'eut pas le temps d'ajouter autre chose car ils arrivaient chez le docteur Kaplan. Ariana s'apprêtait à descendre quand Paul sauta à terre pour l'aider. Dans son pantalon en lin blanc et son blazer, avec son aisance et son chaleureux sourire, il respirait jeunesse et élégance.

— J'entre avec toi une minute. Je n'ai pas vu Kaplan depuis longtemps.

Il n'avait guère de raison de consulter le médecin. Son genou était presque complètement guéri, c'est à peine s'il boitait encore. Avec un peu d'exercice cet été, sa jambe serait comme neuve.

Le docteur Kaplan fut ravi de le voir et tous trois bavardèrent un peu avant que le praticien ne demande à s'entretenir en tête à tête avec Ariana. Paul se retira de bonne grâce, s'installa dans la salle d'attente, son canotier sur la chaise voisine.

— Comment vous sentez-vous, Ariana ? interrogea le médecin.

— Bien, je vous remercie. Tant que je fais attention à ce que je mange.

Elle était radieuse, et Kaplan songea que jamais il ne l'avait vue si paisible. Elle portait une robe d'été serrée à la taille et à la jupe ample, assortie d'un chapeau de paille attaché sous le menton par des rubans du même bleu que ses yeux.

— Vous semblez en pleine forme. Vous n'en avez encore parlé à personne ?

— Non. J'ai pris ma décision. Vous m'avez dit que ma grossesse serait visible en septembre. Aussi lorsque nous reviendrons de Long Island à la fin de l'été, je déménagerai et me mettrai en quête d'un emploi. *Ensuite* seulement, je leur dirai tout. Et je suis certaine qu'ils comprendront. Mais je refuse de m'imposer à eux davantage, ou de leur imposer mon enfant.

— Voilà qui est noble de votre part, Ariana, mais avez-vous idée de la façon dont vous vivrez, le bébé et vous ? Avez-vous réfléchi au sort de l'enfant, ou n'avez-vous pensé qu'à vous-même ?

Le médecin avait pris un ton sévère qui lui était inhabituel, et Ariana se sentit blessée et furieuse.

— Bien sûr que j'ai pensé à l'enfant. Je n'ai pensé qu'à lui. Que voulez-vous dire ?

— Que vous avez vingt ans, que vous n'avez ni situation ni profession, que vous allez vous retrouver seule avec un bébé dans un pays que vous ne connaissez pas, où les gens risquent de ne pas vous embaucher uniquement parce que vous êtes allemande. La guerre est finie, mais cela ne signifie pas que les rancunes sont apaisées, elles aussi. Ariana, je crains que vous ne donniez pas à cet enfant un bon départ. Or vous pourriez lui offrir toutes ses chances, si vous ne tardiez pas trop. Si vous agissiez tout de suite.

— Je ne comprends pas, souffla la jeune femme.

— Mariez-vous, Ariana, expliqua-t-il d'une voix plus douce. Accordez-vous une vraie chance, à vous et à l'enfant. Je sais, il s'agit d'une décision grave mais, sincèrement, Ariana, depuis que je vous ai vue la dernière fois je n'ai cessé de me tourmenter. J'ai beaucoup réfléchi. Je connais Paul depuis qu'il est petit. Je vois fort bien quels sont ses sentiments pour vous. Je mets ma conscience au supplice en vous suggérant cela... mais qui en souffrira ? Si vous épousez ce garçon, vous garantissez l'avenir de votre enfant, et le vôtre.

— Je me moque de mon avenir.

Le conseil de Kaplan la choquait profondément.

— Mais pas de celui du bébé, souligna le médecin. Alors ?

— Je ne peux pas faire cela... C'est malhonnête.

— Ne croyez-vous pas que bien d'autres filles font la même chose ? Des filles qui ont de moins bonnes raisons que vous... Ariana, l'enfant ne naîtra pas avant sept mois. Je pourrais dire qu'il est prématuré. Personne n'aurait besoin de savoir. Personne. Pas même Paul.

Elle dévisagea le médecin.

— Vous pensez que je n'arriverai pas à subvenir aux besoins de mon enfant ?

— Bien sûr que non ! Depuis quand avez-vous vu une femme enceinte travailler ? Qui vous engagerait ? Et pour quel emploi ?

Ariana demeura silencieuse un long moment puis finit par hocher pensivement la tête. Peut-être avait-il raison. Elle avait cru qu'elle trouverait du travail dans un magasin. Mais quelle déception ! Paul ne méritait pas cela. Comment pourrait-elle lui mentir de la sorte ? Il était son ami, d'une certaine façon elle l'aimait. Elle éprouvait pour lui une affection immense.

— Comment pourrais-je faire une chose pareille, docteur ? C'est mal.

La culpabilité, la honte pointaient déjà en elle.

— Au nom de votre enfant à naître. Qu'avez-vous fait pour atteindre Paris, pour arriver jusqu'ici ? Avez-vous toujours été parfaitement honnête ? N'auriez-vous pas menti ou même tué pour sauver votre vie ? Vous devez faire de même pour le bébé, Ariana. Lui donner une famille, un père, un niveau de vie correct, de quoi manger, une éducation...

Peu à peu, Ariana mesurait sa naïveté d'avoir cru que quelques bagues lui permettraient de vivre.

— Il faut que je réfléchisse.

— Certes, mais pas longtemps. Si vous attendez encore,

il sera trop tard. Actuellement, si l'enfant naît dans sept mois, je peux facilement arguer d'une naissance prématurée provoquée par votre santé fragile, le voyage depuis l'Europe, et tout le reste.

— Vous pensez à tout, n'est-ce pas ?

Elle comprit qu'il lui donnait le coup de fouet dont elle avait besoin pour survivre. Il lui enseignait les règles d'un jeu qu'elle commençait à maîtriser, et dans le fond de son cœur, elle savait qu'il avait raison. Mais où cela s'arrêterait-il ?

— Si vous vous décidez, Ariana, reprit le médecin, je ne dirai jamais rien de votre secret.

— Merci, docteur... pour ma vie... et pour la vie de mon bébé.

Kaplan lui donna des vitamines puis, comme elle s'apprêtait à quitter son bureau, posa une main affectueuse sur son épaule.

— Décidez-vous vite, Ariana.

— Oui, c'est ce que je vais faire.

39

— Ariana, veux-tu venir te baigner ?

À neuf heures du matin, Julia frappait à la porte de sa chambre. Ariana ouvrit un œil ensommeillé.

— Si tôt ? Je ne suis pas encore debout.

— Paul n'était pas levé lui non plus. Pourtant il vient.

— Exact, certifia l'intéressé en entrant d'un pas nonchalant dans la chambre. Et si je dois me lever pour aller nager avec ces petits monstres, toi aussi.

— Vrai ?

Ariana s'étira paresseusement et sourit à Paul qui s'asseyait sur le lit et relevait une mèche blonde qui lui retombait sur le visage.

— Absolument, sinon je te tire du lit et te traîne de force jusqu'à la plage.

— Voilà qui est charmant de ta part, Paul.

— N'est-ce pas ?

Ils échangèrent un sourire.

— Au fait, aimerais-tu aller à une fête à Southampton ce soir ? Mes parents vont ailleurs avec les filles.

— Une fête en quel honneur ?

— C'est le week-end du 4 juillet, très chère. L'anniversaire de l'Indépendance des États-Unis. Tu verras, ça vaut le détour.

En l'occurrence, il n'avait pas menti. Ils allèrent se baigner avec Julia et Debbie le matin puis toute la famille partit pique-niquer. Après quoi Ruth et Sam emmenèrent les filles pour l'excursion prévue et Ariana monta se reposer. À sept heures du soir elle était prête, vêtue pour la soirée. Quand elle descendit l'escalier de la grande maison, Paul l'accueillit d'un sifflement admiratif.

— Personne ne m'avait prévenu que tu aurais cette allure avec un rien de bronzage.

Elle portait une robe en soie turquoise qui mettait en valeur le léger hâle de sa peau. Quant à Paul, dans son costume de lin blanc, avec sa cravate bleu marine à minuscules pois blancs sur une chemise blanche, il n'avait rien à lui envier en matière d'élégance.

De joyeuse humeur, il donna le volant de la Cadillac à la jeune femme. Dès qu'ils furent arrivés à la réception, il lui offrit un gin-fizz qu'elle goûta timidement. Déjà la fête battait son plein. Deux orchestres jouaient, l'un dans la maison, l'autre sur la pelouse. Plusieurs yachts s'étaient rassemblés pour l'occasion, amarrés sur le quai. Et une pleine lune d'été jetait son éclat sur toutes ces réjouissances.

— Veux-tu danser, Ariana ?

Elle se laissa emporter dans les bras de Paul. C'était la première fois qu'ils dansaient ensemble, et au clair de lune, il était facile à Ariana de s'imaginer avoir Manfred ou son père pour cavalier.

— T'a-t-on déjà dit que tu danses comme un ange ?

— Pas récemment, je le crains, répondit-elle avec un rire sourd.

Ils ne quittèrent la piste qu'à la fin de la série, après quoi ils allèrent s'accouder à une balustrade d'où ils apercevaient les voiliers qui se balançaient sur l'onde. Paul contemplait sa compagne avec un sérieux qu'elle ne lui avait jamais vu.

— Je suis si heureux avec toi, Ariana. Je n'ai jamais connu quelqu'un comme toi.

Elle faillit le taquiner à propos de Joanie mais s'en garda, se disant que le moment était mal choisi.

— Ariana... J'ai quelque chose à te dire, reprit-il.

Il lui prit les deux mains, les embrassa, l'une après l'autre.

— Je t'aime. Je ne sais comment te le dire autrement. Je t'aime. Je ne supporte pas d'être loin de toi. Auprès de toi, je me sens... si heureux et si fort... capable de n'importe quoi, et c'est comme si tout ce que je touche devenait une sorte de cadeau... tout me devient précieux... et je n'ai pas envie que ce sentiment s'efface. Si tu vas ton chemin à la fin de cet été, et si je fais de même, nous perdrons cela.

Ses yeux se voilèrent

— Ariana, je ne pourrai pas supporter de te laisser partir.

— Ce ne sera pas nécessaire, murmura la jeune femme. Paul... Je...

À cet instant, les premiers feux d'artifice explosèrent dans le ciel au-dessus d'eux. Paul glissa la main dans sa poche et en sortit une bague ornée d'un gros diamant. Avant qu'elle ne puisse réagir, il la lui avait passée au doigt, et sa bouche pressait la sienne, avec une urgence, une passion qui gagnèrent Ariana. Ce désir frémissant en elle, elle avait cru ne jamais plus l'éprouver. Ce fut presque avec désespoir qu'elle s'accrocha à Paul, lui rendit son baiser, car en son âme encore elle luttait contre son élan.

Quand leurs lèvres se séparèrent, elle se déclara fatiguée, aussi rentrèrent-ils à la maison d'East Hampton, d'humeur moins exubérante qu'à l'aller. Ariana était en lutte avec sa conscience. Que faire ? Elle aimait Paul, mais comme on aime un ami qui vous est cher, de façon affectueuse. Et c'était mal de profiter de ses sentiments, mal de lui imposer un enfant qui n'était pas le sien.

Lorsqu'ils descendirent de voiture, Paul l'enlaça avec tendresse et la guida vers la maison. Dans l'entrée, il posa sur elle un regard peiné.

— Je sais ce que tu penses. Tu ne veux rien, ni la bague, ni ce qu'elle représente, ni moi... Tu ne veux rien. C'est bon, Ariana. Je comprends.

Sa voix était pleine de tristesse et il serra Ariana contre lui.

— Mais je t'aime tant... S'il te plaît, laisse-moi rester avec toi, seulement cette nuit, seulement celle-ci. Laisse-moi rêver, imaginer ce que ce serait si cette maison était la nôtre, si nous étions mariés, si tous mes rêves étaient devenus réalité.

— Paul...

Gentiment, elle le repoussa, mais elle vit alors son beau visage sillonné de larmes. Ce lui fut insupportable. Elle l'étreignit, lui tendit sa bouche, lui offrit une chaleur et un amour qu'elle n'aurait jamais cru pouvoir donner à nouveau à qui que ce fût. Plus tard, ils montèrent dans sa chambre, et avec une douceur que ne laissaient pas supposer sa jeunesse et sa fougue, Paul ôta la robe soyeuse. Longtemps ils demeurèrent allongés dans le clair de lune, perdus en étreintes, en caresses, en rêves, en baisers, sans prononcer un mot. Au point du jour enfin, leur passion assouvie, ils s'endormirent dans les bras l'un de l'autre.

40

— Bonjour, ma chérie.

Ariana cligna des yeux sous le soleil éclatant. Paul avait posé un plateau de petit déjeuner sur le lit et s'affairait à ouvrir plusieurs tiroirs, dont il rangeait le contenu dans une petite valise.

— Que fais-tu ? s'enquit la jeune femme.

S'asseyant dans le lit, elle réprima une nausée. Le café était fort.

— Je fais ta valise, déclara Paul en lui souriant par-dessus son épaule.

— Pour aller où ? Tes parents rentrent ce soir. Ils s'inquiéteront s'ils ne nous trouvent pas...

— Nous ne tarderons guère.

— Mais pourquoi une valise, Paul ? Je ne comprends pas.

Elle se sentait complètement désorientée, assise, nue, avec cet homme habillé d'un peignoir bleu marine qui lui préparait un bagage.

— Paul, peux-tu t'arrêter un moment et m'expliquer ? insista-t-elle, une note de panique perçant dans sa voix.

— Dans une minute.

Quand il eut enfin terminé, il s'assit au bord du lit, prit la main d'Ariana dans la sienne, celle qui portait encore l'énorme diamant.

— Voilà, je t'explique. Ce matin nous partons pour le Maryland.

— Pourquoi le Maryland ?

C'était presque un autre Paul qu'elle avait devant elle, comme si cette nuit l'avait brusquement transformé, faisant de lui un homme pleinement adulte.

— Pour nous marier. Je suis fatigué de jouer. Nous nous conduisons comme si nous avions quatorze ans, Ariana. Ce qui n'est pas le cas. Je suis un homme, tu es une femme. Et si ce qui s'est passé cette nuit entre nous a pu se produire une fois, cela peut recommencer encore et encore. Je ne jouerai plus avec toi, je ne te supplierai pas. Je t'aime, et je crois que tu m'aimes aussi. M'épouseras-tu, Ariana ? demanda-t-il d'une voix soudainement adoucie.

— Oh ! Paul !

Des larmes jaillirent des yeux d'Ariana et elle lui ouvrit les bras. Était-il possible qu'elle puisse le rendre heureux ? Si elle l'épousait, elle se promettait d'être toujours bonne pour lui, par gratitude pour ce qu'il donnerait à l'enfant qu'elle portait. Mais elle ne parvenait pas à se décider, et ne pouvait que pleurer.

— Vas-tu cesser de pleurer et me donner une réponse ?

Tendrement, il lui embrassa la nuque, le visage et les cheveux.

— Oh, Ariana, je t'aime... que je t'aime...

Sous ses baisers, elle finit par hocher la tête, et le regarda tandis que d'autres visages se substituaient au sien... Manfred... son père... et même, fugitive, l'image de Max Thomas qui l'avait embrassée dans les appartements de sa mère la nuit où il s'était enfui de Berlin. Que penseraient-ils d'elle, tous, si elle épousait cet homme ? À peine cette question lui traversait-elle l'esprit qu'elle comprit que la décision ne relevait que d'elle seule. C'était sa vie. Non la leur. Ils étaient morts. Tous. Il ne restait qu'elle... et son enfant... et Paul. Paul qui était plus réel que les autres ne le seraient jamais maintenant. Un lent sourire se dessina sur ses lèvres et elle donna sa main à Paul. Elle tendait la main à la vie, et à cet homme, de tout son cœur, de toute son âme ; silencieusement, elle fit vœu de ne jamais trahir leur amour.

— Alors ?

Il tremblait, craignant de lui prendre la main, craignant de bouger. Mais elle lui prit elle-même les mains, les porta à ses lèvres et lui embrassa les doigts un à un. La tendresse qui brilla dans le regard de Paul la bouleversa.

— Oui, souffla-t-elle en se pressant contre lui. Oui, mon chéri. La réponse est oui ! Comme je vais t'aimer, Paul Liebman ! s'exclama-t-elle en cachant la tête dans son épaule.

Toute à sa joie, elle se recula pour le contempler.

— Quel homme merveilleux tu es !

— Ciel ! Je crois que te voilà devenue folle, fit-il en riant. Mais peu m'importe. Sois folle, je m'occupe du reste.

Une heure plus tard, ils roulaient vers le Maryland, avec leurs valises à l'arrière de la Cadillac, et les papiers d'identité temporaires d'Ariana dans la poche de Paul. Quelques heures après, aux environs de Baltimore, l'épouse d'un juge de paix les prenait en photo tandis que son époux considérait gravement Paul et murmurait d'un ton ferme :

— Vous pouvez embrasser la mariée.

— Mère... Papa...

La voix de Paul tremblait et il prit dans la sienne la main d'Ariana qu'il serra avec douceur. Il regarda ses parents avec fierté.

— Ariana et moi nous sommes enfuis, déclara-t-il, souriant à une Ariana nerveuse. J'ai presque dû l'y forcer, c'est la raison pour laquelle je me suis refusé à perdre du temps à vous attendre pour en discuter avec vous. Alors voilà...

Il posa un regard radieux sur ses parents qui, bien que stupéfaits, ne semblaient nullement fâchés.

— ... Permettez-moi de vous présenter Mme Paul Liebman.

Il s'inclina gracieusement devant Ariana, qui lui rendit sa révérence avant, dans un élan fougueux, de se jeter à son cou pour l'embrasser. Puis elle vola dans les bras de Ruth ; celle-ci la serra un long moment, se rappelant la jeune fille affreusement malade qu'elle avait secourue à sa descente du paquebot. Sam les regarda un moment puis tendit les bras à son fils.

41

COMME prévu, Ariana et Paul restèrent tout l'été à East Hampton puis rentrèrent à New York début septembre afin de se mettre en quête d'un appartement. Paul commença à travailler avec son père et Ruth aida Ariana à chercher le logement idéal. Peu de temps après qu'ils eurent célébré Rosh Hashanah tous ensemble, Paul jeta son dévolu sur une coquette petite maison qui venait de se libérer. Durant quelque temps ils n'en seraient que locataires mais le propriétaire envisageait de la leur vendre à la fin du bail. Le jeune couple jugea cet arrangement parfait car cela leur permettrait de savoir si la maison leur plaisait véritablement.

Ne manquait plus que le mobilier ; les filles étant retournées en classe, Ruth eut davantage de temps pour seconder les jeunes mariés. Comme elle était un peu moins sollicitée par ses œuvres de charité, elle passa quasiment toutes ses journées avec Ariana, ce qui l'amena à constater que sa bru n'était pas resplendissante de santé.

— Êtes-vous retournée voir Kaplan, Ariana ?

Celle-ci était en train d'étudier des échantillons d'étoffe pour choisir celle qui s'harmoniserait avec la nouvelle moquette.

— Oui, je suis allée le voir jeudi dernier.

Pendant un moment elle évita de croiser le regard de sa belle-mère mais finit par lui adresser un petit sourire.

— Qu'a-t-il dit ?

— Que les évanouissements et les problèmes digestifs vont continuer encore un moment.

— Il les croit irrémédiables ? s'alarma Ruth.

— Pas du tout. D'ailleurs il ne s'en inquiète plus. Si auparavant il fallait les attribuer aux rigueurs de mon voyage, à présent je ne peux m'en prendre qu'à ce que j'ai fait après mon arrivée.

— Que veut-il dire par là ? interrogea Ruth.

Et tout à coup, elle comprit le message sibyllin. Ses yeux s'éclairèrent ; un sourire se dessina lentement sur ses lèvres.

— Vous êtes enceinte ? murmura-t-elle.

— Oui.

— Oh, Ariana !

Elle étreignit sa belle-fille mais, bien vite, sa joie fit place à l'inquiétude devant la frêle silhouette.

— Kaplan vous pense-t-il capable d'assumer une grossesse ? N'est-ce pas trop tôt alors que vous avez été si malade... ? Et vous êtes tellement menue, ce n'est pas comme si vous étiez comme moi.

Mais elle pressait les mains de la jeune femme, ravie de la nouvelle. Un instant, elle se remémora sa joie quand elle avait appris qu'elle attendait son premier enfant.

— Il tient seulement à ce que je commence à consulter un spécialiste d'ici quelque temps, quand je serai plus proche du terme.

— Ce qui semble raisonnable. Et le terme est prévu pour quand ?

— Début avril.

Intérieurement, Ariana frémit d'horreur devant son mensonge et, priant pour que Ruth n'apprenne jamais la vérité, se fit la promesse qu'il naîtrait un jour un vrai petit Liebman. Elle le devait à Paul. Elle aurait très vite un autre enfant, et même plusieurs si son époux le souhaitait. Elle lui devait tout puisqu'il protégerait l'enfant de Manfred.

À mesure que les mois passaient, Paul mûrissait, devenait de plus en plus paternel, aidant Ariana à préparer la chambre du bébé, souriant en la regardant tricoter de la layette le soir. De son côté, Ruth avait apporté tous les cartons dans lesquels elle avait conservé les vêtements de ses enfants petits, et partout où Paul posait les yeux il tombait sur de minuscules petits chapeaux, chaussons, barboteuses, brassières !

— Vu l'état des lieux, madame Liebman, j'ai comme l'impression que nous allons avoir un bébé.

C'était deux semaines avant Noël. Paul la croyait enceinte de cinq mois et demi quand, en vérité, le bébé devait naître dans six semaines. Nul ne s'inquiétait de la rondeur exagérée de son ventre que l'on attribuait au physique d'Ariana : la grossesse était plus visible chez une femme à la silhouette si frêle. Paul s'était pris d'affection pour ce ventre généreux, il le baptisait de surnoms amusants et assurait qu'il lui fallait le frictionner avant de partir travailler chaque matin, pour se porter chance.

— Ne fais pas ça ! couinait la jeune femme quand il la chatouillait. Il va encore me donner des coups de pied.

— Ce sera un garçon, décida Paul avec grand sérieux un soir qu'il posait l'oreille sur la douce rondeur. Je crois qu'il essaie de jouer au football.

Levant les yeux au ciel, Ariana éclata de rire.

— C'est sûr qu'il joue au foot... avec mes reins, je crois.

Le lendemain matin, après le départ de Paul pour le bureau, il se produisit quelque chose d'étrange : des heures durant, Ariana fut submergée par la nostalgie de sa vie d'autrefois. Elle resta longtemps assise dans un fauteuil à penser à Manfred, sortit sa boîte à bijoux, se passa aux doigts les bagues qu'il lui avait données. Qu'aurait pensé Manfred de cet enfant ? se demanda-t-elle. Comment aurait-il voulu le prénommer ? Paul avait arrêté son choix sur Simon, du nom de son frère mort, et Ariana était prête à accepter pour lui faire plaisir.

Comme elle restait ainsi ce matin-là, plongée dans ses souvenirs, elle retrouva l'enveloppe qui contenait les photographies de Manfred et elle, cachée sous un livre dans un tiroir fermé à clef de son secrétaire. Elle sortit les photos, les étala sur ses genoux, détailla le visage qu'elle avait aimé, se remémorant les moindres détails de son uniforme, puis les paroles qu'il avait prononcées à Noël, leur premier et dernier Noël. Il lui était difficile de croire que ces portraits, pris lors des bals du soir de Noël, ne remontaient qu'à un an. Deux larmes coulèrent sur ses joues. Elle tenait les photos dans ses mains et n'entendit pas Paul rentrer.

Il arriva derrière elle, baissa les yeux vers les photographies, d'abord incrédule puis horrifié quand il aperçut l'insigne sur l'uniforme.

— Mon Dieu, qui est-ce ? s'exclama-t-il, stupéfait et furieux d'avoir reconnu le visage radieux d'Ariana aux côtés de cet inconnu.

Surprise, la jeune femme sursauta violemment.

— Oh ! tu es là...

Ses larmes avaient brusquement cessé de couler et elle se leva de son fauteuil, les photos serrées dans la main.

— Je rentre chez moi pour voir si ma femme va bien et l'inviter à déjeuner quelque part, or je m'aperçois que je la dérange, que je l'interromps alors qu'elle semble plongée dans un recueillement pour le moins étrange. Dis-moi, Ariana, tu fais cela chaque jour ou seulement les jours de fête ?

Il laissa passer un silence glacial avant d'ajouter :

— Aurais-tu la bonté de me dire qui est cet homme ?

— C'était... c'était un officier allemand, chuchota-t-elle avec désespoir.

Ce n'était pas ainsi qu'elle aurait voulu qu'il apprenne la vérité.

— Merci du renseignement, mais j'ai reconnu la croix gammée. As-tu autre chose à ajouter ? Par exemple, combien de Juifs il a tués ? Ou quel camp il dirigeait ?

— Il n'a tué aucun Juif, et il ne dirigeait aucun camp. Il m'a sauvé la vie. Il est venu à mon secours alors qu'un sous-lieutenant s'apprêtait à me violer, également plus tard, lorsqu'un général voulait faire de moi sa maîtresse. Sans lui...

Des sanglots incontrôlables l'étouffèrent ; sa main se crispa sur la photo de l'homme qui était mort depuis sept mois déjà.

— Sans lui... Je serais probablement morte.

Un instant Paul regretta ses paroles mais, comme son regard revenait aux portraits, la colère le submergea de nouveau.

— Si ta vie était vraiment menacée, peux-tu m'expliquer pour quelle raison tu ris ou souris sur chacune de ces photos ?

Il s'empara des clichés pour les examiner de plus près, et sa fureur ne connut plus de bornes quand il s'aperçut qu'elle était en train de danser avec l'officier nazi, lors d'un bal.

— Qui est cet homme, Ariana ?

Puis, dans un éclair, il comprit comment elle avait survécu aux camps. Sa mère avait raison. Et il n'avait pas le droit de la juger pour ce qu'elle avait fait. Elle n'avait pas eu le choix. Dans un élan de tendresse, il prit Ariana dans ses bras, l'étreignit avec force.

— Je suis désolé... oh ! ma chérie, pardonne-moi ! Je crains d'avoir oublié tout à l'heure ce qui t'est arrivé. J'ai seulement vu ce visage, cet uniforme... je crois que j'ai perdu la tête.

— Mais moi aussi je suis allemande, Paul.

Elle continuait de pleurer contre lui.

— Oui, mais tu n'es pas comme eux. Et s'il t'a fallu devenir la maîtresse de cet homme pour survivre aux camps, Ariana, je m'en moque.

À peine avait-il prononcé ces mots qu'il la sentit se raidir dans ses bras. Avec lenteur, elle se détacha de lui et se rassit.

— C'est là ce que tu penses, Paul ?

Durant un moment interminable, elle le dévisagea. Lui se taisait.

— Tu crois que j'ai été la putain de cet homme pour sauver ma peau, reprit-elle doucement. Eh bien, ce n'est pas vrai, et je veux que tu saches la vérité maintenant. Après la mort de mon père et de Gerhard, cet homme... Manfred... m'a emmenée chez lui. Il n'attendait rien de moi, il n'exigeait rien... Il ne m'a pas violée, il ne m'a pas touchée, il ne m'a fait aucun mal. Il m'a seulement donné sa protection ; il est devenu mon seul ami.

— L'histoire est touchante, mais il porte bien un uniforme nazi, n'est-ce pas, Ariana ?

La voix de Paul était pareille à de la glace. Cependant elle n'éprouva aucune crainte, forte de la certitude qu'elle agissait bien.

— Oui, Paul, un uniforme nazi. Mais des hommes honorables ont dû porter cet insigne, et il était de ceux-là. Il n'y a pas seulement les bons et les méchants. La vie n'est pas aussi simple.

— Merci pour la leçon, ma chérie. Mais franchement, je trouve que rentrer chez soi pour trouver sa femme en train de pleurer sur les photos d'un fichu nazi et apprendre qu'il était son « ami » est un peu dur à avaler. Les nazis n'étaient les amis de personne, Ariana. Tu ne comprends pas cela ? Comment peux-tu dire une chose pareille ? Tu es juive !

Il enrageait mais Ariana n'en perdit pas pour autant son sang-froid. Très calme, elle se leva pour lui faire face.

— Non, Paul, je ne suis pas juive. Je suis allemande.

Paul en éprouva un tel choc qu'il resta muet et elle continua, de peur de ne plus trouver les mots si elle se taisait maintenant.

— Mon père était un bon Allemand, et un banquier ; il était à la tête de la banque la plus importante de Berlin. Mais quand mon frère a été appelé à l'armée à seize ans, mon père a décidé qu'il n'irait pas.

Elle essaya de sourire à Paul. Elle éprouvait un réel soulagement à tout lui raconter, sans rien omettre, quoi qu'il dût lui en coûter.

— Les sympathies de mon père ne sont jamais allées au nazisme, et quand ils ont voulu enrôler Gerhard, il a décidé que nous nous enfuirions. Il s'est arrangé pour faire passer clandestinement mon frère en Suisse. Il devait revenir me chercher, le lendemain. Il a dû se passer quelque chose car il n'est jamais revenu... Nos domestiques m'ont donnée... des gens auxquels j'avais fait confiance toute ma vie. Les nazis sont venus chez nous et m'ont emmenée. Ils m'ont gardée enfermée dans une cellule pendant un mois, pour faire pression sur mon père au cas où il réapparaîtrait. Mais il n'est pas revenu. Pendant un mois j'ai vécu dans une cellule crasseuse, puante, crevant presque de faim, à moitié folle, une cellule qui faisait la moitié du placard d'une des servantes de ta mère. Pour finir ils m'ont relâchée car je ne leur étais plus d'aucune utilité. Ils se sont approprié la maison de mon père, ils nous ont tout pris et ils m'ont jetée à la rue. Le général qui occupait notre demeure à Grunewald a considéré alors que je devais faire partie du butin, mois aussi. Manfred... cet homme que tu vois en photo, m'a sauvée, du général et de tous les autres. Il m'a offert un abri jusqu'à la fin de la guerre.

Elle n'avait pas cessé de pleurer et de trembler mais sa voix se brisa soudain.

— Jusqu'à la chute de Berlin, reprit-elle. Où il a été tué.

Face à elle, l'expression de Paul restait dure comme la pierre.

— Et vous étiez amants, toi et ce nazi répugnant ?

— Tu ne comprends pas ? Il m'a *sauvée* ! Ce n'est donc rien ? Tu t'en fiches ?

Elle fixait Paul, gagnée elle aussi par la colère.

— Ce qui m'importe, c'est que tu étais la maîtresse d'un nazi.

— Alors tu es idiot. J'ai survécu. Survécu !

— Tu avais de l'affection pour lui ? interrogea Paul avec sécheresse.

Tout à coup, alors qu'elle s'était mise à aimer Paul, elle se prit à le haïr. Elle eut envie de le blesser autant qu'il la blessait.

— Beaucoup, et même plus. Il était mon mari, et il le serait encore s'il n'était pas mort.

Ils restèrent face à face à se mesurer, conscients soudain de tous les mots qui avaient été prononcés. Quand Paul reprit la parole, sa voix tremblait :

— De qui est le bébé ?

Pour le bien de l'enfant, elle eût aimé mentir, mais elle n'en était plus capable.

— De mon mari, répondit-elle.

Sa voix forte, fière, comme si elle rendait vie à Manfred.

— Je suis ton mari, Ariana.

— Il est de Manfred, fit-elle sourdement.

Pour la première fois, elle mesurait avec clarté ce qu'elle avait fait à Paul. Et cette compréhension totale la fit chanceler.

— Merci, murmura Paul.

Il partit en claquant la porte.

42

LE LENDEMAIN matin, Ariana recevait une liasse de documents que lui adressait l'avocat de Paul. Il lui était notifié que M. Paul Liebman réclamait le divorce. On l'informait également officiellement que, quatre semaines après la naissance de l'enfant, elle aurait à libérer le logement, mais qu'elle pouvait continuer de l'occuper jusque-là. Durant cette brève période, elle recevrait de quoi subvenir à ses besoins. Une fois l'enfant né et après son départ, la somme de cinq mille dollars lui serait versée en chèque. Aucune pension ne lui serait attribuée par la suite, ni pour l'enfant qui n'était pas de M. Liebman, ni pour elle, vu les circonstances de leur bref et apparemment frauduleux mariage. Dans le même courrier, une lettre de son beau-père confirmait les arrangements financiers, et quelques mots de sa belle-mère la condamnaient pour les avoir tous trahis. Comment avait-elle osé se prétendre juive ? C'était là, comme l'avait toujours craint Ariana, la trahison ultime, outre le fait qu'elle portait l'enfant d'un quelconque nazi. « Un quelconque nazi »... Ariana tressaillit en lisant ces mots. Plus loin, Ruth interdisait à la jeune femme de s'approcher de la demeure de la Cinquième Avenue ou de tenter de contacter un membre de leur famille. Qu'elle découvre qu'Ariana avait essayé de voir Deborah ou Julia et elle n'aurait aucun scrupule à prévenir la police.

Lorsqu'elle eut pris connaissance de tous ces documents, Ariana éprouva l'envie désespérée de joindre Paul. Mais il s'était réfugié chez ses parents et refusait catégoriquement de répondre à ses coups de fil. Il ne s'adressa plus à elle que par l'entremise de son avocat. Les versements lui parvinrent comme prévu, la procédure de divorce était entamée, les Liebman lui avaient fermé leur porte, et peu après minuit le 24 décembre, avec un mois d'avance, Ariana eut ses premières contractions. Elle était seule.

Sur le moment, le courage lui manqua. La peur la paralysait, peur de l'inconnu, peur de sa solitude totale. Elle parvint néanmoins à joindre le médecin et gagna l'hôpital en taxi.

Bien des heures plus tard, elle était encore en travail.

Éperdue de douleur, effrayée, encore bouleversée par ce qui s'était passé avec Paul et les Liebman, elle n'était guère en état de faire face. À plusieurs reprises, elle hurla le nom de Manfred ; enfin on lui administra un calmant. L'enfant vint au monde le soir de Noël, par césarienne. En dépit des difficultés du travail, ni le bébé ni la mère ne souffriraient de séquelles. On le montra rapidement à Ariana, petit paquet de chair fripée, avec des mains et des pieds minuscules.

Il ne ressemblait ni à Ariana ni à Manfred, ni à Gerhard ni à Walmar. Il ne ressemblait à personne.

— Comment allez-vous l'appeler ? demanda doucement l'infirmière qui tenait la main d'Ariana.

— Je ne sais pas.

Elle était si lasse, il était si petit... était-ce normal qu'il fût si petit ? Pourtant, par-delà la souffrance, elle éprouvait une joie profonde.

— Vous devriez l'appeler Noël.

— Noël ? marmonna la jeune femme dans le demi-sommeil où la maintenaient les calmants. C'est joli.

Alors, tournant le visage vers l'endroit où elle imaginait son petit, elle eut un sourire apaisé.

— Noël von Tripp, prononça-t-elle.

Et elle s'endormit.

43

QUATRE semaines exactement après son accouchement, Ariana traversait une ultime fois le hall de la maison avec le dernier de ses bagages. Comme prévu dans les modalités de séparation, elle partait, le bébé était déjà installé dans le taxi. Une infirmière de l'hôpital lui avait recommandé un hôtel confortable et peu coûteux où l'on servait les repas. Si tôt après sa césarienne, Ariana n'était pas censée être debout. Elle avait tenté une fois encore de joindre Paul à son bureau, puis chez lui. Peine perdue, il refusait de lui parler au téléphone. Tout était terminé. Il lui avait envoyé les cinq mille dollars ; à présent, il n'attendait plus que les clefs de leur maison.

Elle referma doucement la porte derrière elle et, avec ses vêtements, son bébé, les photos de Manfred et le volume de Shakespeare qui abritait ses bijoux, elle entama sa nouvelle vie. Elle avait renvoyé à Paul son énorme diamant et portait de nouveau les bagues de Manfred. Les avoir aux doigts lui donnait l'impression d'être plus en accord avec elle-même, d'être dans le vrai ; désormais elle ne les quitterait plus. Elle resterait toujours Ariana von Tripp. S'il était préférable pour tous deux qu'elle renonce à sa particule, jamais plus en tout cas elle ne trahirait son ancienne vie, jamais plus elle ne mentirait ni ne feindrait d'être ce qu'elle n'était pas. Bien qu'elle eût souffert aux mains des nazis, elle se disait que tous n'avaient pas été des monstres. Plus jamais elle ne trahirait Manfred.

Il était l'époux qu'elle chérirait toute sa vie. Il était l'homme dont elle parlerait à son fils. Elle lui parlerait aussi de son grand-père et de Gerhard. Peut-être même lui raconterait-elle un jour qu'elle avait épousé Paul, mais elle n'en était pas certaine. Elle reconnaissait avoir eu tort d'essayer de l'abuser, mais elle avait payé pour sa faute, et chèrement. En tout cas, se dit-elle en souriant à son enfant endormi, elle aurait toujours son fils.

44

NOËL était âgé de deux mois quand Ariana, après avoir répondu à une petite annonce, avait trouvé un emploi dans une librairie spécialisée dans les ouvrages étrangers. On l'avait autorisée à amener son bébé et le maigre salaire qu'elle touchait lui avait permis depuis d'assumer l'essentiel de ses besoins.

— Ariana... tu devrais le faire, vraiment.

La jeune femme regardait gravement Ariana qui, pour sa part, surveillait d'un œil son intrépide petit garçon. Voilà un an qu'elle travaillait à la librairie et Noël, qui avait appris à marcher tôt, se montrait déjà fasciné par le dos des livres qui s'alignaient sur les rayonnages les plus bas.

— Je ne veux rien qui vienne d'eux, Mary.

— Pas même pour ton enfant ? Tu vas continuer toute ta vie à faire ce travail ?

Ariana posa sur son amie un regard hésitant.

— Cela ne te coûterait rien de demander, poursuivait Mary. Tu ne réclames pas la charité, simplement ce qui t'appartient.

— Nuance : ce qui m'appartenait. Quand je suis partie, tout était aux mains des nazis.

— Va au moins te renseigner au consulat.

Sur l'insistance de Mary, Ariana songea qu'elle profiterait peut-être de son prochain jour de congé pour aller déposer une requête. Le gouvernement allemand avait instauré un système permettant à ceux dont les biens et propriétés avaient été réquisitionnés par les nazis de pouvoir désormais espérer des indemnités de dédommagement. Cependant Ariana ne possédait aucune preuve l'autorisant à revendiquer ses propriétés, qu'il s'agisse de la maison de Grunewald ou du château familial de Manfred qui, légalement, aurait dû lui revenir.

Deux semaines après cette conversation, un jeudi — son jour de congé hebdomadaire —, elle poussait le landau de Noël jusqu'au consulat. C'était un jour froid et venteux de mars et elle avait beaucoup hésité à sortir de crainte qu'il neige. Elle avait finalement décidé d'y aller malgré le temps, et, le bébé bien emmitouflé, elle franchissait l'impressionnante porte en bronze, quand elle s'entendit interpeller en allemand.

— *Bitte ?* Vous désirez ?

Un instant, Ariana resta muette. Il y avait tellement longtemps qu'elle n'avait pas entendu sa langue maternelle ni pénétré dans une atmosphère « européenne ». Il lui semblait être brusquement de retour chez elle. Quand elle eut expliqué la raison de sa venue, elle fut surprise de se voir traitée avec le plus grand respect, la plus grande politesse ; on lui fournit les informations qu'elle souhaitait ainsi qu'une liasse de formulaires à remplir, en lui demandant de revenir la semaine suivante.

Huit jours après, il y avait foule dans l'entrée du consulat. Elle rapportait les documents dûment remplis ; il ne lui restait qu'à attendre un entretien avec un attaché qui établirait un dossier qui suivrait ensuite les voies administratives. Il était impossible de prévoir le temps nécessaire à l'aboutissement de sa requête. Des années peut-être — si tant est qu'elle obtienne quelque chose. Mais cela valait la peine d'essayer.

Elle attendait, Noël endormi dans son landau, et elle ferma les yeux pour s'imaginer de retour au pays. Autour d'elle il n'y avait que des Allemands, et elle reconnaissait les accents de Munich, de Leipzig, de Francfort, celui de Berlin aussi, si doux à l'oreille, si familier, et douloureux en même temps car pas une voix connue ne venait résonner dans ce brouhaha.

Mais soudain, comme dans un rêve, elle sentit qu'on lui saisissait le bras. Il y eut une exclamation. Elle leva les yeux pour plonger dans un regard brun qui ne lui était pas inconnu. Ces yeux, elle les avait déjà vus... la dernière fois remontait à trois ans.

— Oh, mon Dieu ! Mon Dieu..., murmura-t-elle.

Et elle fondit en larmes. C'était Max ! Max Thomas... Elle se jeta dans ses bras. Ils restèrent longtemps à s'étreindre, rire et pleurer tout à la fois. Max la pressait contre lui, l'embrassait, soulevait le bébé dans ses bras — tous deux vivaient un rêve auquel ils avaient cessé de croire.

Dans le hall du consulat où ils attendaient, elle lui raconta la disparition de son père et de Gerhard, et comment ils avaient perdu leur demeure. Puis elle parla de Manfred : peur et honte bannies, elle raconta à Max qu'elle avait aimé le lieutenant qui l'avait secourue, qu'ils s'étaient mariés, que Noël était le fruit de leur amour. Mais bientôt elle apprit que, hormis l'existence de Noël, Max savait déjà tout cela. Après la guerre, il était retourné à Berlin dans l'espoir de retrouver la famille von Gotthard.

— As-tu fait des recherches, Ariana, pour savoir ce qu'étaient devenus ton père et ton frère ?

— Je ne savais trop comment procéder. Mon mari était certain de la mort de mon père. À Paris, avant mon départ pour les États-Unis, j'ai été en relation avec un ami de Manfred qui s'occupait de secours aux réfugiés. Il a remonté toutes les pistes possibles, cherché la moindre trace, de Gerhard en particulier. Il a même tenté de te retrouver, Max, mais en vain. Tu t'étais évanoui dans la nature... Gerhard aussi...

Alors même qu'elle prononçait ces mots, leur sens la frappa de plein fouet. On n'avait pas trouvé trace de Max, or il était vivant... Pouvait-il en être de même pour Gerhard ? Cette pensée la foudroya. Avec douceur, Max lui prit le visage entre ses mains, secoua la tête.

— Non, Ariana. Ils ne sont plus. Je le sais. J'ai cherché de mon côté. À la fin de la guerre, je suis retourné à Berlin pour renouer avec ton père et...

Il s'interrompit — il avait failli dire « pour te voir ».

— L'actuelle direction de la banque a été catégorique.

— Que t'a-t-on dit ?

— Qu'il avait disparu. Rétrospectivement, chacun devine qu'il était parti pour mettre son fils à l'abri. Il n'existe aucune trace d'eux, Ariana, ni de ton père ni de Gerhard. Un jour, en Suisse, la femme de chambre d'un hôtel a cru reconnaître une photographie de ton frère que j'avais en ma possession ; elle se souvenait d'un jeune homme qui était descendu à l'hôtel environ un an plus tôt, mais elle doutait beaucoup, et après avoir examiné le portrait de plus près, elle m'a répondu que ce n'était pas le même garçon. J'ai passé trois mois à les rechercher en Suisse.

Avec un profond soupir, Max s'appuya lourdement au mur.

— Ils se seront fait prendre à la frontière, Ariana. C'est la seule explication possible. S'ils étaient en vie, ils auraient fini par revenir à Berlin. Je sais que ce n'est pas le cas car j'ai gardé des contacts avec la banque à Berlin.

L'entendre de sa bouche donnait une nouvelle réalité aux faits. Il avait raison. Et cette logique qui succédait au fol espoir qui s'était emparé d'Ariana un moment plus tôt raviva sa peine. Max lui entoura les épaules, caressa ses cheveux blonds.

— C'est stupéfiant, Ariana. Je savais que tu étais venue t'installer aux États-Unis, mais jamais je n'aurais pensé te revoir.

— Comment le savais-tu ? s'étonna-t-elle.

— Je te l'ai dit, je vous ai recherchés tous les trois. Il le fallait. Je devais la vie à ton père et... Je n'ai jamais oublié cette soirée... cete nuit où je t'ai embrassée. Tu te rappelles ?

— Tu penses que j'aurais pu oublier ? souffla tristement la jeune femme.

— Cela remonte à loin.

— La route a été longue pour moi. Mais si tes souvenirs sont restés, les miens aussi.

Elle brûlait de connaître les détails.

— Alors, comment as-tu su que j'étais ici ?

— Une intuition au départ. Je me disais que si tu avais survécu à la chute de Berlin, tu n'y étais pas restée. En tant que femme d'officier... cela aussi, vois-tu, je le savais. Vraiment, Ariana, interrogea-t-il, plongeant dans les yeux bleus, on ne t'a pas forcée ?

— Non, Max.

L'inciterait-on toute sa vie à renier Manfred ?

— C'était un homme merveilleux.

Elle revoyait Hildebrand, le général Ritter... Von Rheinhardt et les interminables interrogatoires... Se retrouver ici, au milieu de tous ces gens parlant en allemand, évoquer le passé avec Max, réveillait tous les souvenirs.

— Il m'a sauvé la vie, Max.

Il se fit entre eux un long silence à l'issue duquel Max la prit dans ses bras.

— J'ai appris qu'il avait été tué. Aussi ai-je essayé diverses pistes, la France entre autres. Les services d'immigration à Paris t'avaient délivré un passeport temporaire. J'ai appris la date de ton départ de France. J'ai retrouvé ta trace jusqu'à Saint-Marne.

Ariana était émue au-delà de toute expression.

— Pourquoi t'es-tu donné tellement de mal ?

— Je me sentais redevable envers ton père. À mon retour à Berlin, j'ai engagé un détective privé. De ton père et de Gerhard, il n'a retrouvé aucune trace, mais toi, *Liebchen,* je te savais en vie, et je ne voulais pas renoncer.

— Pourtant c'est ce que tu as fait. Pourquoi ne m'as-tu

pas cherchée ici ? Jean-Pierre de Saint-Marne t'a certainement dit que j'était partie pour New York.

— En effet. Sais-tu qu'il est mort depuis ?

— Jean-Pierre ?

La nouvelle la bouleversa.

— Il s'est tué dans un accident de voiture près de Paris. Il m'avait donné le nom d'une famille dans le New Jersey. J'ai écrit là-bas mais les gens m'ont répondu qu'ils ne t'avaient même pas rencontrée. Ils admettaient avoir été tes parrains mais ils avaient changé d'avis.

Oui, Ariana se rappelait cela aussi. Sa famille d'accueil avait disparu de sa vie alors qu'elle gisait, presque mourante, à l'hôpital.

— Dans leur lettre, ils précisaient qu'ils ignoraient qui les avait remplacés. Personne d'autre ne le savait. Les gens qui ont repris les fichiers de Saint-Marne à Paris l'ignoraient tout autant. Ce n'est que plusieurs mois après mon retour ici que quelqu'un de la Société de secours des femmes de New York m'a parlé des Liebman. Or, quand je me suis rendu chez eux pour leur parler de vive voix, la situation est devenue très embrouillée.

Au nom des Liebman, le cœur d'Ariana s'était mis à battre nerveusement.

— Que t'ont-ils dit ?

— Qu'eux non plus ne t'avaient jamais vue, et qu'ils n'avaient aucune idée de l'endroit où tu te trouvais. Certes Mme Liebman se souvenait de ton nom, mais elle n'avait aucune information à me fournir.

Ariana hocha la tête. Elle imaginait très bien Ruth faisant cela. Sa colère contre Ariana la poussait à nier toute relation avec elle désormais, surtout le mariage de son fils.

À voir l'expression de la jeune femme, Max comprit qu'il y avait là un nouveau mystère.

— Ensuite, j'ai complètement perdu ta trace.

— Peu importe, Max, fit-elle en lui touchant le bras. Tu m'as retrouvée finalement.

Après une longue hésitation, elle se décida à lui faire un aveu :

— Ruth Liebman t'a menti. J'ai été mariée à son fils.

Max fut stupéfait tandis qu'elle lui racontait tout, sans rien taire ; des larmes brillèrent dans ses yeux à ce récit, et à la voir si pâle, si petite. Il lui prit la main. Elle s'y cramponna.

— Et maintenant ? s'enquit-il.

— J'attends le divorce. Il sera définitivement prononcé en juillet.

— Je suis désolé, Ariana.

— C'était entièrement de ma faute. Je n'aurais pas dû agir de la sorte, mais j'étais stupide, inconsciente. Ce que je regrette le plus maintenant, c'est de les avoir tous perdus, je les aimais beaucoup. Ruth m'a sauvé la vie... et celle de mon enfant.

— Peut-être un jour changeront-ils d'opinion à ton sujet ?

— J'en doute.

— Et ce petit ? murmura Max, souriant pensivement à l'enfant qui lui rappelait le sien au même âge. Comment s'appelle-t-il ?

— Noël. Parce qu'il est né le jour de Noël.

— Quel beau cadeau ça a dû être ! Avais-tu quelqu'un auprès de toi ? interrogea-t-il avec un tendre regard.

Elle eut un signe de dénégation.

— J'en suis navré, Ariana.

Elle était surtout triste pour eux tous. Quel chemin ils avaient parcouru au fil de ces dernières années, jalonné de tant de deuils et de souffrances. Pourtant, à regarder autour d'elle tous ces gens venus pour les mêmes raisons qu'elle, elle se sentait plus heureuse qu'eux tous, riche d'un trésor inestimable qui avait nom Noël et qui valait bien toutes les épreuves endurées.

— Parle-moi de toi maintenant, demanda-t-elle à Max.

Et dans les couloirs du consulat où ils patientaient toujours, Max lui raconta comment les tableaux donnés par Walmar lui avaient permis de traverser la guerre, de subvenir non seulement à ses besoins matériels mais aussi de reprendre des études de droit américain pour devenir avocat une fois qu'il serait aux États-Unis.

Il était resté en Suisse jusqu'à la fin de la guerre, s'employant à de petits boulots, vivant au jour le jour, attendant, jusqu'à la victoire du 8 mai 1945. Alors, il avait vendu la dernière toile pour s'embarquer peu après pour les États-Unis. Son arrivée remontait à moins de deux ans.

À présent il était de nouveau avocat, officiellement inscrit au barreau de New York, ce qui expliquait sa présence au consulat. Il voulait revendiquer son propre dû puis proposer ses services, par l'intermédiaire des instances officielles, afin de prendre en main certaines des nombreuses demandes qui n'allaient pas manquer d'affluer. Il espérait que le consulat le recommanderait puisqu'il était diplômé à la fois en Allemagne et aux États-Unis.

— Cela ne me rendra pas millionnaire, mais cela devrait me permettre de gagner correctement ma vie. Et toi ? As-tu sauvé quelque chose ?

— Ma peau, quelques bagues... et les photographies de Manfred.

Max se rappela alors la splendeur passée de la famille d'Ariana, le luxe de leur demeure. Il semblait incroyable qu'il ne restât rien d'autre de ce monde, de cette époque, que quelques souvenirs, quelques babioles et des rêves.

Pour Max, il existait des souvenirs vers lesquels il n'aurait pas supporté de se tourner.

— T'arrive-t-il de penser que tu rentreras là-bas, Ariana ?

— Pas vraiment. Je ne possède rien de plus en Allemagne

que ce que j'ai ici. Je n'ai plus personne à présent, à l'exception de Noël. Et la vie sera plus douce ici pour lui.

— Je l'espère, fit Max.

Il souriait à l'enfant, et sa tendresse allait à travers lui à ses enfants disparus. Au bout d'un moment, il prit précautionneusement Noël des bras de sa mère et lui caressa les cheveux. Ainsi rassemblés tous les trois, ils avaient l'air d'une famille, heureuse, joyeuse et unie ; et personne, sinon ceux qui en avaient été témoins, n'aurait pu soupçonner la longue route qu'ils avaient parcourue.

LIVRE QUATRIÈME

NOËL

45

LA CÉRÉMONIE se déroulait par une belle matinée ensoleillée dans la cour de Harvard, entre la bibliothèque Widener et la chapelle Appleton. Ariana promenait un regard ému sur les visages radieux, les corps minces de ces jeunes gens, vêtus et coiffés de noir, qui attendaient de recevoir le diplôme pour lequel ils avaient si longtemps travaillé. Assis à ses côtés, Max lui tenait la main où étincelait l'énorme émeraude dont elle ne se séparait jamais.

— N'est-il pas magnifique, Max ?

Elle regarda avec tendresse l'élégant gentleman aux cheveux blancs qu'il était devenu.

— Comment te répondre ? demanda-t-il en lui tapotant la main. Je ne parviens même pas à le reconnaître au milieu des autres : ils se ressemblent tous.

— Certaines personnes manquent vraiment de respect.

Tels deux enfants, ils se parlaient à l'oreille, un rire toujours prêt à naître dans leurs yeux. Voilà près de vingt-cinq ans que Max était le compagnon fidèle d'Ariana et, après tout ce temps, ils ne se lassaient toujours pas d'être ensemble, s'aimaient tout autant qu'au premier jour.

La beauté d'Ariana ne s'était pas encore fanée, le passage du temps l'avait seulement un peu estompée. Ses traits demeuraient parfaits, sa chevelure était d'un blond plus doux, ses yeux avaient gardé leur bleu profond. Max, en revanche, avait beaucoup changé ; toujours grand et mince, presque maigre, il arborait maintenant une belle crinière blanche. De dix-huit ans plus âgé qu'Ariana, il venait de fêter ses soixante-quatre ans.

— Oh ! Max, je suis tellement fière de lui !

— Tu le peux, approuva Max en enlaçant les épaules d'Ariana. C'est quelqu'un de bien. Et un bon avocat. Dommage qu'il tienne à travailler pour cette société que je n'apprécie guère. J'aurais été heureux d'avoir un associé tel que lui.

Bien que le cabinet de Max à New York eût grandi dans des proportions considérables, il restait relativement modeste comparé à la société qui avait fait une proposition à Noël l'été précédent. Le jeune homme avait travaillé chez eux comme stagiaire et ils lui avaient rapidement proposé un poste dès sa sortie de Harvard. Et ce moment était venu.

À midi, la cérémonie de remise des diplômes prit fin et Noël vint étreindre sa mère et serrer la main d'oncle Max.

— Alors, vous avez survécu tous les deux ? J'avais peur que vous cuisiez sous le soleil.

Ses grands yeux bleus brillaient quand il les posa sur sa mère, et celle-ci sourit à ce fils dont la ressemblance avec Manfred la stupéfiait encore. Il avait les traits de son père, sa silhouette haute et longue, ses épaules larges, ses mains fines. Et aussi un air, parfois... une expression... qui rappelait vaguement Gerhard. Ariana se réjouissait que deux disparus chers à son cœur revivent en son fils.

— C'était une très belle cérémonie, mon chéri. Et nous sommes tous deux tellement fiers !

— Moi aussi, tu sais.

Noël se pencha vers elle et elle lui caressa le visage.

À la main gauche, elle portait la chevalière de sa mère et la bague de fiançailles de Manfred qu'elle n'avait plus ôtée depuis la naissance de son fils. Dans les années qui avaient suivi son divorce d'avec Paul, jamais elle ne s'était séparée de ses précieuses bagues qui restaient non seulement sa sécurité mais ses uniques souvenirs du passé. À force de patience, Max avait obtenu pour elle des dédommagements financiers pour la demeure de Grunewald et une partie de son mobilier, ainsi que pour le château de Manfred. Ça n'avait pas été une indemnité royale, mais la somme qu'elle avait reçue avait permis à Ariana d'investir de façon à s'assurer une rente confortable. Elle n'avait pas besoin de plus ; les années de faste étaient terminées. Mais elle avait pu quitter son emploi à la librairie, acheter une petite maison dans le quartier Est de New York, et consacrer tous ses instants à son fils unique.

Si, au cours des premières années, Max avait tenté de la convaincre de l'épouser, il avait fini par renoncer. Aucun d'eux ne voulait plus d'enfant et, chacun à leur façon, ils restaient trop liés à ceux qu'ils avaient aimés autrefois. Alors Max avait d'abord loué un petit logement, pour finir, sur les instances d'Ariana, par acheter un appartement de l'autre côté de la rue où elle-même résidait. Ils allaient à l'Opéra, au théâtre, sortaient dîner, disparaissaient parfois ensemble le temps d'un week-end, mais finissaient toujours par regagner ensuite leurs retraites respectives. Pendant longtemps Ariana avait agi de la sorte à cause de Noël, puis c'était devenu une habitude. Même durant les sept ans d'études de Noël à Harvard, elle avait continué à passer la majeure partie de son temps chez elle.

— Tu as le droit d'être fier de toi, mon chéri, fit-elle.

À la voir si belle sous son chapeau de paille, Noël se demanda, comme cela arrivait souvent à Max, si elle afficherait jamais les signes de l'âge.

— Je ne voulais pas dire que je suis fier de moi, la détrompa-t-il dans un murmure. Mais de toi.

— Je ne crois pas qu'il soit très convenable de dire de

telles choses à ta mère, Noël, plaisanta-t-elle en glissant le bras sous celui de Max.

— En effet, renchérit ce dernier qui riait avec eux. De surcroît, je risquerais de devenir jaloux. Alors, quand commences-tu à travailler, Noël ?

— Plutôt être pendu que d'attaquer tout de suite, oncle Max. Tu veux rire ? Je vais prendre des vacances, oui !

— Vrai ? s'exclama Ariana, surprise et ravie. Où vas-tu ?

Il ne lui avait encore rien dit. Mais c'était un homme à présent, et elle ne s'attendait pas à ce qu'il lui confiât tous ses projets. Avec sagesse, et grâce à Max, elle avait appris à se séparer progressivement de lui lorsqu'il était parti pour Harvard.

— Je pensais aller en Europe.

— Ah oui ?

Quand ils avaient voyagé ensemble, ils s'étaient rendus en Californie, en Arizona, dans le Grand Canyon, à La Nouvelle-Orléans, en Nouvelle-Angleterre... Jamais en Europe où ni Max ni elle n'avaient pu se résoudre à retourner. Pourquoi revenir sur les lieux du passé, revoir les maisons, retrouver les fantômes de ceux qu'ils avaient aimés ? Voilà longtemps, Max et elle étaient convenus de n'y jamais retourner.

— Où donc, en Europe ? interrogea-t-elle, soudain plus pâle.

— Je n'ai encore rien décidé, fit Noël en la regardant tendrement. Mais je passerai certainement par l'Allemagne, maman. Il le faut... et j'en ai envie. Peux-tu le comprendre ?

Elle sourit à ce fils subitement devenu un homme.

— Oui, mon chéri, je comprends.

Et pourtant cette nouvelle la blessait. Elle avait tant voulu ne donner à son enfant que ce qui venait d'Amérique, créer pour lui un monde où l'Allemagne n'aurait pas sa place, où il pourrait se satisfaire de ce qu'il avait et ne jamais désirer connaître l'Ancien Monde d'où elle était venue.

— Ne prends pas cet air malheureux, Ariana, lui enjoignit Max comme Noël était parti leur chercher de quoi se restaurer. Pour lui, il ne s'agit pas d'un « retour ». Il va simplement visiter un pays dont il a entendu parler, sur lequel il a lu des choses. Son voyage n'a pas le sens profond que tu voudrais lui donner. Crois-moi.

— Tu as peut-être raison.

— Il agit par saine curiosité. De plus, ce n'est pas seulement ton pays, Ariana, mais aussi celui de son père.

Tous deux savaient que Noël avait toujours considéré Manfred, ce père qu'il n'avait pas connu, comme une sorte de dieu. Ariana lui avait tout dit à propos de son père, comment il l'avait sauvée des nazis, combien il avait été bon, comme ils s'étaient aimés. Il avait vu les photographies de son père en uniforme. Rien ne lui avait été caché ni épargné.

— Tu sais, tu l'as bien élevé, Ariana, reprit doucement Max.

— Tu crois ? fit-elle, lançant à son compagnon un regard espiègle.

— J'en suis certain.

— Et, évidemment, tu n'y es pour rien du tout ?

— Disons... un tout petit peu...

— Max Thomas, tu n'es qu'un fieffé menteur. Noël est autant ton fils que le mien.

Durant un long moment, Max ne répondit pas, puis il l'embrassa sur la joue.

— Merci, ma chérie.

Tous deux sursautèrent quand Noël fut soudain près d'eux, portant des plateaux de déjeuner et arborant la mine la plus gaie.

— Franchement, tout le monde va savoir que vous n'êtes pas mariés si vous continuez à vous peloter comme ça !

— Noël ! protesta Ariana, rougissante.

Mais tous trois riaient.

— Ne me regarde pas ainsi, mère. Ce n'est pas moi qui suis là à me comporter comme un adolescent... et *en plein jour* !

Cette nouvelle remontrance décupla leur hilarité.

— C'est bon de vous voir tous les deux si heureux, ajouta affectueusement Noël quand les rires se furent apaisés.

— Ne l'avons-nous pas toujours été ? s'enquit Ariana.

— Oui, et c'est là l'étonnant, vous l'avez toujours été. Je crois que c'est rarissime.

— Peut-être, souffla Ariana en embrassant Max.

Tous trois s'installèrent pour déjeuner. Tout à coup, Noël se leva et, très excité, sa toge d'étudiant gonflée par le vent, fit signe à quelqu'un de les rejoindre. Quand il se rassit, il arborait une expression victorieuse.

— Elle arrive, dit-il.

— Parce que c'est une « elle » ? plaisanta Max.

Ni lui ni Ariana n'avaient vu la personne dont il avait attiré l'attention avec ce déploiement d'effets de manche.

Cette fois ce fut au tour du jeune diplômé de s'empourprer. Il se releva bientôt à l'arrivée d'une jeune fille étonnamment grande et gracieuse, aussi brune que lui était blond, dotée de grands yeux verts et d'un teint mat.

— Maman, Max, je vous présente Tamara. Tammy, voici ma mère et mon oncle Max.

— Enchantée, répondit la jeune fille.

Un beau sourire aux lèvres, elle serra les mains avant de rejeter en arrière ses longs cheveux de jais pour regarder Noël. Passa alors dans leurs regards une sorte de secret, de message, un échange. Et Max se surprit à sourire ; ce genre de regard entre deux êtres ne pouvait signifier qu'une seule chose.

— Êtes-vous également étudiante en droit, Tamara ? demanda poliment Ariana.

Elle s'efforçait de ne pas éprouver de méfiance envers la

jeune fille. D'ailleurs, Tamara n'avait rien pour déplaire ; elle semblait ouverte et chaleureuse.

— Oui, madame Tripp.

— Oui, mais ce n'est encore qu'un bébé avocat, plaisanta Noël, prenant entre ses doigts une mèche de cheveux brillants. Un oisillon très bavard !

Les yeux de Tamara lui lancèrent des éclairs... en toute camaraderie.

— J'ai encore deux ans d'études, expliqua-t-elle à Max et Ariana. Noël est très fier de lui aujourd'hui.

Quand elle parlait de lui, il semblait qu'il existât entre eux un lien puissant, comme si Noël lui appartenait plus qu'à ceux qui l'avaient élevé. Ariana le comprit bien ainsi et sourit.

— Peut-être nous fait-il à tous une forte impression, Tamara, mais votre tour viendra. Pensez-vous continuer à Harvard ?

— Sans doute.

Mais, une fois encore, les deux jeunes gens échangèrent un bref regard. À la fougue de la jeune fille répondait le calme de Noël.

— Vous la verrez de temps en temps à New York, précisa-t-il au passage à l'adresse de sa mère et de Max. Si elle fait correctement ses devoirs. D'accord, petite fille ?

— Non mais, écoutez-moi ça ! s'exclama Tamara, outrée.

Ariana et Max les observèrent avec amusement se chamailler.

— Qui a terminé ton dernier exposé à ta place ? Qui t'a tout dactylographié ces six derniers mois ?

Mais tous deux riaient.

— Chut, souffla Noël, posant un doigt sur ses lèvres, c'est un secret, pour l'amour du ciel, Tammy ! Tu veux qu'on me reprenne mon diplôme ?

— Non, avoua-t-elle, mutine. Je veux seulement qu'on me le donne aussi pour que je puisse filer d'ici.

C'est alors que quelqu'un s'apprêta à faire un discours à tous les étudiants et à leurs familles ; Noël lui fit signe de se taire. De nouveau elle serra les mains de Max et d'Ariana puis partit rejoindre un groupe d'amis.

— Une très jolie jeune fille, chuchota Max à l'oreille de Noël. D'une beauté frappante à dire vrai.

— Et un jour elle fera un sacré bon avocat, renchérit Noël.

D'un air admiratif, il suivit des yeux la jeune fille qui s'éloignait. À voir son fils si jeune, si grand, Ariana se rassit avec un sourire paisible.

46

Le soir, ils dînèrent chez Locke Ober mais tous trois étaient fatigués et l'on n'évoqua pas Tamara. Max et Noël parlaient législation tandis qu'Ariana, ne prêtant qu'une oreille à la conversation, observait les gens autour d'eux ; une ou deux fois elle repensa à Tamara. Elle avait l'impression d'avoir déjà vu la jeune fille — Noël possédait-il une photo d'elle qu'elle aurait aperçue chez eux ? Oh ! c'était sans grande importance ! Aussi liés qu'ils paraissent, leurs routes allaient maintenant se séparer.

— Tu ne crois pas, Ariana ?

Max l'observait, un sourcil levé. Il finit par sourire.

— On flirte avec les jeunes gens, ma chérie ?

— Ciel, me voilà prise en flagrant délit ! Pardonne-moi, mon chéri. Que disais-tu ?

— Je te demandais si, à ton avis, Noël ne préférerait pas la Bavière à la Forêt-Noire.

Le visage d'Ariana s'assombrit.

— Peut-être. Mais, franchement, Noël, je pense que tu ferais mieux d'aller en Italie.

— Pourquoi ? questionna le jeune homme. Pourquoi pas l'Allemagne ? De quoi as-tu peur, mère ?

En son for intérieur, Max se réjouit que le garçon eût le courage d'aborder le sujet en ces termes.

— Je n'ai peur de rien, ne sois pas idiot.

— Si, tu as peur.

Elle hésita un moment, regarda Max, puis baissa les yeux. Bien qu'ils se fussent toujours efforcés d'être honnêtes les uns avec les autres, elle souffrait soudain de révéler ses pensées.

— Je redoute que, une fois là-bas, tu te sentes une appartenance à ce pays, que tu te sentes chez toi.

— Et quand bien même ? Tu crois que je resterais ?

Noël parlait tendrement à sa mère et lui prit la main.

— Peut-être, avoua-t-elle d'une voix sourde. Je ne sais pas trop de quoi j'ai peur, sinon que... je suis partie depuis tellement longtemps, et c'était une époque si affreuse. Je ne parviens à penser qu'à ce que j'ai perdu... aux gens que j'aimais.

— Mais tu ne crois pas que j'ai le droit d'en savoir un peu plus sur eux ? De voir le pays où ils vivaient ? Où tu as grandi ? Voir la demeure où tu habitais avec ton père, et celle où mon père a vécu avec ses parents ? J'ai besoin de les voir, simplement pour savoir qu'il existe un lieu où est restée une part de toi, une part de moi.

Il se fit un silence autour de la table, que Max fut le premier à briser :

— Ton fils a raison, Ariana. Il en a le droit. C'est un beau pays, mon garçon, poursuivit-il à l'adresse de Noël. Il l'a toujours été et il le sera toujours. Peut-être que, entre autres raisons, nous n'y retournons pas parce que nous l'aimons encore terriblement et souffrons de savoir ce qui s'y est passé.

— Je comprends cela, Max, acquiesça Noël. Mais je ne

peux pas souffrir, mère. Je ne l'ai pas connu auparavant. Je pars seulement pour le voir, rien d'autre, ensuite je reviendrai, vers toi, vers mon pays, un peu plus riche de ce que j'aurai compris de toi et de moi-même.

Ariana les regarda tour à tour en soupirant.

— Vous êtes tellement éloquents, tous les deux, vous devriez être avocats.

Ils burent leur café en riant puis Max demanda l'addition.

L'avion de Noël décolla de l'aéroport Kennedy deux semaines plus tard. Le jeune homme avait prévu de rester environ six semaines en Europe puis de regagner New York à la mi-août afin d'avoir le temps de trouver un logement avant de commencer à travailler le 1er septembre.

Les semaines qui précédèrent son départ furent trépidantes. Il avait des amis à voir, était convié à des soirées, et consultait quasiment chaque jour Max pour récapituler tous les détails de son périple. Ce voyage ennuyait toujours Ariana mais elle s'y était accoutumée et la frénésie de son fils l'amusait. En le regardant partir un soir avec des amis, elle songea que les jeunes gens n'avaient guère changé en vingt ans.

— À quoi pensais-tu à l'instant ? demanda Max qui avait vu passer dans ses yeux un éclair de nostalgie.

— Que rien ne change, fit-elle avec un tendre sourire à l'adresse de celui qu'elle aimait.

— Vraiment, je me disais le contraire. Peut-être parce que j'ai presque vingt ans de plus que toi.

Tous deux se rappelaient l'appartement de Cassandra dans la maison de Grunewald, leur premier baiser, alors qu'il se cachait des nazis.

— Oui, je m'en souviens, souffla Ariana en réponse à la question muette de son compagnon.

— Ce soir-là je t'avais dit que je t'aimais. Et c'était vrai, tu sais.

— Moi aussi je t'aimais, dit-elle en lui donnant un baiser, autant que je savais aimer à l'époque. Tu es le premier homme que j'aie embrassé.

— Aujourd'hui j'espère être le dernier. Mais cela va m'obliger à vivre au moins centenaire.

— J'y compte bien, Max.

Longtemps, ils se dévisagèrent, puis Max prit la main où brillait toujours la belle émeraude.

— J'ai quelque chose à te dire, Ariana... plus exactement, à te demander.

Elle devina, soudain. Était-ce possible ? Cela avait-il encore une quelconque importance, après tant d'années ?

— Oui, c'est très important. Pour moi. Ariana, acceptes-tu de m'épouser ?

Il avait parlé doucement et la fixait avec amour.

— Max, pourquoi maintenant, mon chéri ? s'enquit-elle. Cela fait-il une réelle différence à présent ?

— Pour moi, oui. Noël est parti désormais. C'est un homme, Ariana. À son retour d'Europe, il s'installera dans son propre appartement. Et nous ? Continuerons-nous de ménager les apparences, comme nous l'avons toujours fait ? Pour mon concierge et ta domestique ? Pourquoi ne vendrais-tu pas ta maison, ou moi mon appartement ? Pourquoi ne pas nous marier ? C'est notre tour. Tu t'es consacrée à Noël durant vingt-cinq ans. Si nous nous consacrions l'un à l'autre pour les vingt-cinq années suivantes ?

L'argument fit sourire Ariana. En un certain sens, elle trouvait qu'il avait raison, l'idée était loin de lui déplaire.

— Et pour cela nous devons nous marier ?

— Ne souhaites-tu pas être respectable à ton âge ? rétorqua Max en riant.

— Je n'ai que quarante-six ans, Max !

La réplique le fit rire et il comprit que, enfin, il l'emportait.

Il embrassa Ariana, une fois de plus, vingt-sept années après leur premier baiser.

Le lendemain matin, ils annoncèrent la nouvelle à Noël qui s'en réjouit, embrassa sa mère et Max.

— Bon, je me sens plus à l'aise pour partir. Également pour déménager en septembre. Vas-tu garder la maison, maman ?

— Nous n'avons pas encore tranché.

La décision qu'elle avait prise continuait de la troubler. Tout à coup, Noël déposa un nouveau baiser sonore sur sa joue.

— Réfléchis, ce n'est pas tous les jours qu'un couple se marie pour célébrer ses noces d'argent.

— Noël !

Se marier à son âge..., songeait Ariana avec perplexité. Pour elle, l'on convolait à vingt-deux ou vingt-cinq ans, et pas à quarante-six ans, avec un fils déjà parvenu à l'âge d'homme.

— Alors, à quand la noce ?

— Nous n'en savons rien, répondit Max à la place d'Ariana. En tout cas, nous attendrons ton retour.

— Je l'espère bien. D'ici là, il faut fêter l'événement.

Il semblait pourtant qu'ils n'avaient fait que cela depuis sa sortie de Harvard, quelques semaines auparavant, et il partait le lendemain pour l'Europe.

Néanmoins Max les emmena dîner ce soir-là à la Côte Basque. Le repas fut somptueux : ils célébraient à la fois le voyage de Noël dans le passé et leur nouveau départ dans la vie. Comme toujours, Ariana versa quelques larmes.

Paris était tel qu'il l'avait espéré. Il monta en haut de la tour Eiffel, visita le Louvre, s'arrêta dans les cafés, lut la presse et envoya une carte postale à la maison, adressée à « Mes chers fiancés » et qu'il signa « Votre fils ». Un soir avant dîner, il téléphona à une amie de Tamara qu'il avait promis d'appeler :

Brigitte Goddard, fille du célèbre marchand d'art et propriétaire de la Galerie Gérard-Goddard. Noël n'avait connu Brigitte que brièvement lorsqu'elle était étudiante à Harvard, mais elle et Tammy étaient devenues amies. Une fille étrange, dotée d'une famille non moins curieuse, une mère qu'elle haïssait, un père qu'elle décrivait comme obsédé par son passé et un frère qu'elle qualifiait en riant de dingue. Belle et drôle, elle passait son temps à plaisanter et à faire les quatre cents coups.

Il y avait cependant en elle une facette émouvante, presque tragique, à croire qu'il lui manquait quelque chose de fondamental. Un jour, Noël l'avait questionnée à ce sujet.

— Tu as raison, Noël, avait-elle répondu. Ma famille n'a pas été au rendez-vous. Mon père vit dans son monde à lui. Aucun de nous ne compte pour lui... Seulement... le passé... les autres... ceux qu'il a perdus dans une autre vie... Nous, les vivants, nous n'existons pas. Pas pour lui.

Elle s'était empressée de changer de sujet par une pirouette, drôle et cynique, mais Noël n'avait jamais oublié son regard à cet instant-là, qui trahissait un chagrin et un manque profonds.

Or quand il chercha à la voir, il fut déçu d'apprendre qu'elle était absente de Paris.

Pour se consoler, il prit un verre à la Tour d'Argent avant d'aller dîner chez Maxim's. Il s'était promis de s'y rendre avant son départ et regrettait seulement de ne pas y avoir emmené Brigitte. Sa solitude lui donna tout loisir d'observer les élégantes Françaises et leurs sémillants compagnons. Il remarqua à quel point les modes étaient différentes ici, et comme tout semblait varié et chatoyant. Il aimait l'allure des femmes, leur façon de se mouvoir, de se vêtir, de se coiffer. D'une certaine façon, elles lui rappelaient sa mère. Quelque chose d'accompli, d'achevé dans leur toilette, assorti d'une touche supplémentaire, subtile et sexy, ravissait l'œil. Pareil à une fleur cachée dans un jardin, ce « je-ne-sais-quoi » ne s'imposait pas avec force, mais enchantait les sens. Noël aimait la délicatesse de ces femmes, qui faisait vibrer en lui quelque fibre secrète dont il n'avait encore jamais eu conscience.

Le lendemain, il partit tôt pour Orly, s'envola pour Berlin et atterrit à l'aéroport Tempelhof, le cœur battant d'impatience. Loin d'éprouver la sensation d'un « retour au pays », il se sentait une âme d'explorateur, presque d'enquêteur, sur la piste de gens depuis longtemps disparus : où ils avaient été, où ils avaient vécu, ce qu'ils avaient été, ce qu'ils avaient représenté aux yeux des autres. Obscurément, Noël savait les réponses à sa portée.

Il déposa ses bagages à l'hôtel Kempinski où il avait réservé une chambre puis sortit sur le Kurfürstendamm. C'était le lieu, lui avait dit Max, où écrivains, artistes et intellectuels s'étaient retrouvés durant des décennies. La rue était pleine de cafés et de boutiques ; les gens allaient, nombreux, bras dessus, bras dessous. Il flottait autour du jeune homme comme un parfum de fête, à croire que tous ces inconnus l'avaient attendu et qu'il était grand temps qu'il vînt.

Pourvu d'un plan et au volant d'une voiture de location, il commença la tournée des lieux de la mémoire familiale. Il vit les ruines de l'église où ses parents s'étaient mariés. Ce qui en restait se dressait encore vainement vers le ciel. Les descriptions faites par sa mère du bombardement lui revinrent à l'esprit ; il ne restait maintenant qu'un vestige éclaté. Berlin n'arborait guère ses cicatrices mais parfois, au milieu des quartiers reconstruits, se dressaient ainsi des squelettes de bâtiments, monuments érigés en mémoire de ces temps douloureux. Il roula doucement devant la gare Anhalter, en ruine elle aussi, traversa à pied le Tiergarten jusqu'à la colonne de la Victoire qui se dressait, immuable et aussi belle que Max l'avait décrite. Et, portant les yeux au-delà, Noël se figea soudain. Étincelant sous le soleil, il reconnut l'ancien quartier général des nazis, pour la défense duquel son père était mort. Autour de lui, d'autres touristes regardaient, en silence.

Pour Noël, il ne s'agissait pas seulement d'un témoignage du nazisme. Ce bâtiment lui parlait d'un homme auquel il ressemblait certainement beaucoup, un homme qui avait aimé sa mère, un homme qu'il n'avait pas connu. Il se souvint des récits de sa mère sur ce matin-là... les explosions, les soldats, les fuyards, les réfugiés, les ravages des bombes... puis Manfred qu'elle avait découvert, mort. Recueilli, Noël pleurait en silence. Il pleurait sur lui-même et sur Ariana, partageant la douleur qu'elle avait éprouvée à cet endroit-là, face au visage inanimé, au corps sans vie mêlé à d'autres sur un charnier. Comment avait-elle survécu ?

À pas lents, Noël s'éloigna et ce fut alors qu'il vit le mur pour la première fois ; il découpait Berlin, depuis le flanc du Reichstag en passant par la porte de Brandebourg, transformant l'avenue Unter den Linden naguère prospère en une impasse. Noël était curieux de ce qui se passait au-delà de ce mur que ni sa mère ni Max n'avaient connu. Plus tard au cours de son séjour, il irait là-bas pour voir l'église Sainte-Marie, l'hôtel de ville et la cathédrale. D'après ce qu'il savait, beaucoup d'édifices n'avaient jamais été reconstruits, de l'autre côté aussi. Mais auparavant il avait d'autres lieux à voir.

Sa carte dépliée sur le siège passager de sa Volkswagen de location, il quitta le cœur de la ville en contournant le stade olympique, jusqu'à Charlottenburg où il s'arrêta pour admirer le lac et le château. Il l'ignorait, mais c'était là exactement que, trente-cinq ans auparavant, sa grand-mère Cassandra s'était promenée avec l'homme qu'elle aimait, Dolff Sterne.

Depuis Charlottenburg, il gagna Spandau, contempla, fasciné, la citadelle, puis alla examiner les célèbres portes sur lesquelles figuraient les casques de toutes les guerres depuis le Moyen Âge jusqu'à 1939. L'édifice abritait Rudolf Hess, dont l'incarcération coûtait annuellement huit millions de francs à la municipalité.

Après Spandau, Noël se rendit à Grunewald, contourna le lac et regarda toutes les maisons, cherchant l'adresse que Max lui avait donnée. Il aurait aimé la demander à sa mère mais, au dernier moment, il n'avait pas osé. Brièvement, Max lui avait décrit les charmes de la demeure puis, une fois de plus, lui avait raconté comment le père d'Ariana l'avait aidé à fuir, comment il avait sorti de leurs cadres deux toiles de prix pour les lui donner.

D'abord, Noël crut avoir dépassé la maison mais tout à coup il vit les portes, exactement comme Max les lui avait décrites. Il descendit de voiture et observa la propriété jusqu'à attirer l'attention d'un jardinier.

— *Bitte ?*

L'allemand du jeune homme était plutôt succinct. Il ne savait que ce qu'il avait appris à Harvard quelques années plus tôt. Néanmoins, il parvint à expliquer au vieil homme qui soignait le jardin que, voilà longtemps, cette maison avait appartenu à son grand-père.

— *Ja ?* fit le vieux avec intérêt.

— *Ja.* Walmar von Gotthard, énonça fièrement Noël.

Mais le jardinier haussa gentiment les épaules. Ce nom ne lui disait rien. Une vieille femme apparut alors, le sommant de se dépêcher car Madame revenait de voyage le lendemain soir.

Le vieil homme expliqua alors la présence de Noël à son épouse. Celle-ci examina le jeune homme d'une mine soupçonneuse, hésita, puis, au bout d'un moment, fit signe à l'étranger. Noël regarda d'un air interrogateur le jardinier. Souriant, ce dernier lui prit le bras.

— Elle va vous faire visiter, expliqua-t-il.

— L'intérieur de la maison ?

— Oui.

Le vieux continuait de sourire. Il comprenait. C'était gentil de la part de ce jeune Américain d'avoir gardé assez d'attachement au pays de son grand-père pour y revenir. Parce que beaucoup avaient oublié d'où ils venaient. Beaucoup ignoraient tout de la vie avant la guerre. Or celui-là semblait différent, et le jardinier en était content.

Par certains aspects, la maison était fort différente de ce à quoi Noël s'était attendu ; par d'autres, elle répondait précisément aux souvenirs d'enfance d'Ariana, souvenirs qu'elle avait toujours partagés avec son fils. Le deuxième étage, qu'elle avait occupé avec sa gouvernante et son frère, cadrait encore avec la description qu'elle lui en avait faite. La grande salle de jeux, les deux chambres, la grande salle de bains commune aux deux enfants. Tout l'étage avait été transformé en chambres d'amis mais Noël retrouvait néanmoins les lieux où sa mère avait vécu. À l'étage inférieur, en revanche, tout avait été bouleversé, refondu en davantage de chambres, plus petites qu'autrefois, avec petit salon, bibliothèque, lingerie-atelier de couture, et une petite pièce pleine de jouets. Là, le passé n'avait laissé que peu de traces. Le rez-de-chaussée était resté impressionnant dans ses proportions et légèrement oppressant. Mais Noël imagina plus aisément son grand-père présidant à la grande table de la salle à manger.

Avant son départ, il remercia chaleureusement le vieux couple et prit une photo de la maison depuis l'endroit où il avait garé sa voiture. Tammy accepterait sûrement de faire un croquis d'après la photographie et il l'offrirait un jour à sa mère. Cette perspective le fit sourire alors qu'il roulait vers le cimetière de Grunewald où il lui fallut longtemps pour trouver le caveau familial. Ils étaient là pourtant, les tantes et les oncles, les arrière-grands-parents ; tous avec des noms et une histoire dont il ignorait tout. Le seul nom familier était celui de sa grand-mère, Cassandra von Gotthard. En voyant ses dates de naissance et de mort, il fut ému et intrigué.

Ariana n'avait en effet pas encore tout dit à son fils ; elle avait tu ce que, selon elle, il n'avait pas besoin de savoir. Le suicide de Cassandra par exemple, événement qui l'avait toujours beaucoup troublée. Elle ne lui avait pas non plus raconté son bref mariage avec Paul Liebman. Quand Noël avait été assez grand pour comprendre ce genre de chose, Max et elle avaient décidé que ce chapitre-là de la vie de la jeune femme était clos et qu'il n'était pas utile d'en instruire son fils.

Noël erra encore un moment dans le cimetière, entre les paisibles monticules verdoyants, après quoi il remonta en voiture pour se rendre à Wannsee. La demeure dont il se rappelait vaguement l'adresse d'après les récits de sa mère n'existait plus. À sa place se dressaient de nets alignements de constructions modernes.

Il resta encore trois jours à Berlin, retourna à Grunewald, à Wannsee, mais passa la majeure partie de son temps de l'autre côté du mur. Berlin-Est le fascinait — les gens y paraissaient différents ; leurs visages étaient graves, les boutiques austères. Ce fut sa première et unique vision du communisme.

Après Berlin, il se rendit à Dresde. Il s'intéressait principalement au château pour lequel sa mère avait obtenu des dédommagements, et qui était devenu — c'était tout ce qu'il savait — un petit musée local, par ailleurs guère fréquenté. Le jour où il y alla, l'endroit était désert à l'exception d'un gardien ensommeillé. L'intérieur se révéla sombre, plutôt lugubre, le mobilier rare, la plupart des meubles ayant été déménagés durant la guerre, à en croire une plaque. Mais ici encore, comme à Grunewald, il put se promener et effleurer les murs que son père enfant avait touchés. Sentiment étrange, bouleversant, que de regarder par les mêmes fenêtres, se tenir sur les mêmes seuils, faire tourner les mêmes poignées de portes, respirer le même air. S'il n'avait habité sur la 77e Rue

Est à New York, il aurait pu grandir ici. Quand il sortit, le garde lui sourit depuis la chaise où il était assis.

— *Auf Wiedersehen.*

— *Goodbye,* murmura Noël en anglais, sans réfléchir.

Au lieu de se sentir déprimé par ce pèlerinage, il eut la sensation curieuse, merveilleuse, d'une liberté enfin trouvée. Il était libéré de ses interrogations, libéré de ces lieux vides qu'eux avaient connus et lui non. Maintenant il les avait vus lui aussi. Tels qu'ils étaient aujourd'hui, à son époque à lui. Désormais il pouvait se les approprier, et il se sentit libre comme jamais d'être lui-même.

Il avait désormais le temps nécessaire pour mettre le passé à sa juste place, mieux comprendre sa mère, ce qu'elle avait souffert, et comme elle était forte. Il se fit la promesse de faire son possible pour qu'elle fût fière de lui tout le temps qu'il vivrait.

À sa descente d'avion à l'aéroport Kennedy, ce fut un jeune homme détendu et heureux qui serra longuement sa mère dans ses bras. Quoi qu'il ait vu, quoi que cela eût signifié pour lui, il ne faisait aucun doute dans son esprit qu'il revenait au pays.

47

— ALORS, les tourtereaux, à quand la noce ?

À son retour, Noël avait trouvé un appartement sur la 50e Rue, qui dominait East River, et qui était entouré de quelques bars agréables. Il aimait encore sortir boire un verre avec ses copains, son entrée dans la vie active n'ayant pas tout à fait mis terme à son goût pour les distractions. Il n'avait pas encore vingt-six ans, se disaient Max et Ariana, songeant qu'il avait le temps de s'assagir.

— Avez-vous arrêté la date ?

Ils dînaient tous trois ensemble pour la première fois depuis que le jeune homme avait quitté la demeure maternelle ; depuis quelque temps, la robe de chambre de Max apparaissait plus régulièrement à la patère de la chambre d'Ariana.

— Eh bien, répondit Ariana, souriant à Max puis à son fils, nous pensions vers Noël. Qu'en dis-tu ?

— Formidable. Nous pourrions fixer un jour avant mon anniversaire. Vous avez l'intention de vous marier en grande pompe ?

— Non, bien sûr que non, protesta sa mère en riant. Pas à notre âge. Juste avec quelques amis intimes.

Comme elle prononçait ces mots, son regard se perdit dans le vague. Elle s'apprêtait à se marier pour la troisième fois de sa vie ; le souvenir de sa famille perdue lui traversa le cœur et l'esprit. Noël qui l'observait parut deviner ses pensées. Depuis son voyage en Europe, ils étaient plus proches encore qu'auparavant. Comme si maintenant Noël *savait.* Ils l'évoquaient rarement, mais ce lien nouveau existait.

— Je me demandais, mère, si je pourrais inviter quelqu'un à votre mariage.

— Évidemment, mon chéri. Quelqu'un que nous connaissons ?

— Vous l'avez rencontrée cet été, lors de la remise de mon diplôme. Tu te souviens de Tammy ?

Il affectait désespérément la nonchalance, mais son attitude trahit une telle nervosité que Max ne put s'empêcher de rire.

— La superbe brune aux longs cheveux, si je ne me trompe. Tamara, c'est cela ?

— Oui, fit Noël.

Le coup d'œil reconnaissant qu'il lança à Max fit sourire Ariana.

— Je me la rappelle aussi, dit-elle. Elle terminait sa première année de droit.

— Tout juste. Comme elle vient à New York voir ses parents à la fin de l'année, je pensais... Enfin... cela lui ferait plaisir d'assister à votre mariage.

— Bien sûr, Noël, bien sûr.

Et Max s'empressa de changer de sujet pour mettre le jeune homme plus à l'aise. Néanmoins l'expression de son fils n'avait pas échappé à Ariana.

— Tu ne crois pas que ce soit une histoire sérieuse, si ? demanda-t-elle à Max alors qu'ils allaient se coucher.

Son inquiétude manifeste fit sourire Max qui s'assit au bord du lit.

— Sait-on jamais, mais j'en doute. Au fond je ne crois pas Noël prêt à se ranger.

— Je l'espère. Il n'a même pas vingt-six ans.

— Quel âge avais-tu, toi, rétorqua tendrement Max, quand il est né ?

— C'était différent, Max. Je n'avais certes que vingt ans mais c'était la guerre et...

— Parce que tu crois que tu serais restée célibataire jusqu'à vingt-six ans s'il n'y avait pas eu la guerre ? Je pense tout au contraire que tu te serais mariée très vite.

— Oh ! Max, c'était un autre monde ! Une autre vie !

Durant un long moment, ils ne dirent plus rien, puis Ariana le rejoignit dans le lit et se blottit dans ses bras. Elle avait grand besoin de lui, pour chasser les souvenirs et la peine. Il le savait pertinemment.

— Dis-moi, Ariana, es-tu vraiment prête à prendre mon nom après toutes ces années ?

— Bien sûr, affirma-t-elle, étonnée. Pourquoi ne le serais-je pas ?

— Je ne sais pas. Les femmes d'aujourd'hui sont tellement

indépendantes. Je me demande si tu ne souhaiterais pas rester Ariana Tripp.

— Je préfère devenir ton épouse, Max, et m'appeler Mme Thomas. Il est temps, franchement, conclut-elle avec un doux sourire.

— Ce que j'aime chez toi, murmura Max en caressant son corps sous les draps, c'est ta rapidité de décision. Il ne t'aura jamais fallu que vingt-cinq ans.

Elle partit de son rire cristallin, ce rire qui n'avait pas changé avec le temps, de la même façon que ne s'était pas altérée la passion avec laquelle elle reçut Max en elle, bouleversée comme chaque fois par la force du désir qu'il avait d'elle quand il la prenait, l'étreignait, la comblait de son amour.

48

— ET TOI, Maximilien, acceptes-tu de prendre pour épouse...

La cérémonie fut brève et charmante ; Noël observait le couple avec des larmes dans les yeux, heureux que, du fait de sa haute taille, peu de gens puissent remarquer cet excès d'émotion.

— Vous pouvez vous embrasser.

Max et Ariana se donnèrent un ardent baiser, y prenant à l'évidence plus de plaisir qu'il n'était convenable. Leurs amis échangèrent des sourires complices et Noël finit par taper sur l'épaule de son beau-père.

— Ça suffit, vous deux. Attendez l'Italie pour la lune de miel.

Max se tourna vers lui avec un sourire amusé ; rieuse, Ariana se lissa les cheveux.

La réception devait avoir lieu au Carlyle, situé non loin de chez eux et qui mettait à leur disposition une belle pièce aux justes proportions. Au bout du compte, ils avaient invité près de quarante personnes pour la cérémonie et le déjeuner qui s'ensuivait. Un petit orchestre jouait déjà pour ceux qui souhaitaient danser.

— Puis-je, mère ? La première danse est censée être réservée au père de la mariée mais peut-être accepteras-tu cette nouvelle interprétation de la tradition.

— Avec joie.

Noël s'inclina, Ariana lui prit le bras, et sans hâte ils gagnèrent la piste pour une valse. Le jeune homme dansait aussi merveilleusement que son père, avec une grâce qui lui attirait tous les regards féminins. Comme Ariana tournait un visage heureux vers son époux, elle aperçut Tammy debout dans un coin, vêtue d'une robe en lainage, ses cheveux noirs soigneusement coiffés en chignon, les oreilles ornées de petits diamants.

— Ils font plaisir à voir, non ?

C'était un peu plus tard. Max et Ariana dansaient à leur tour ; Noël avait rejoint Tammy. La jeune fille se sentait un peu mal à l'aise parmi tant d'inconnus, néanmoins la présence de Noël auprès d'elle la rendait toujours heureuse. Quelle différence pourtant avec le jeune homme qu'elle connaissait, qu'elle avait l'habitude de voir en jean et chandail, en train de jouer au foot avec ses copains sur le campus ! À deux reprises déjà, il était venu la voir à l'université cet hiver, et elle venait de lui faire part de son projet.

— Qu'en penses-tu, Noël ?

— De quoi donc ? répondit-il, souriant distraitement à sa mère.

— Tu le sais bien.

— Ton transfert à Columbia ? Je pense que tu es folle. Tu as toutes les chances de décrocher le diplôme de Harvard, fillette. Tu ne vas pas balancer ce bout de papier pour une partie de jambes en l'air.

— C'est tout ce que c'est pour toi ?

Les pupilles étrécies, Tamara parut à la fois fâchée et blessée. Mais Noël fut prompt à lui prendre la main pour y déposer un baiser.

— Non, et tu le sais. Mais j'essaie de faire contrepoids, tu es si exigeante... tu ne supportes pas l'idée de rester à Harvard et que je fasse la navette.

— C'est stupide en effet. Dur pour toi comme pour moi. Maintenant que tu travailles, tu vas avoir de plus en plus de dossiers à étudier, de plus en plus de recherches à effectuer. Combien de fois auras-tu le temps de venir à Harvard ? Et si mes cours cette année restent aussi prenants, je n'aurai guère le loisir de m'éclipser. Si je suis ici, en revanche, nous pourrons travailler ensemble et nous voir.

Une prière brillait dans les grands yeux de la jeune fille et Noël dut lutter contre lui-même pour ne pas la supplier de mettre son projet à exécution.

— Tammy, je n'ai pas envie d'influencer ta décision. C'est trop grave. Tu parles d'un changement profond qui risque d'affecter toute ta carrière.

— Oh ! zut, ne sois pas si snob, je te parle de Columbia, pas d'une obscure fac dans un trou perdu.

— Comment sais-tu qu'on t'accepterait à Columbia ?

Tout en se cramponnant désespérément à ce qu'il considérait comme son devoir, il voulait tout aussi ardemment qu'elle saute le pas.

— Je leur ai déjà demandé, je peux commencer dès le trimestre prochain. Alors ? ajouta-t-elle comme Noël la fixait avec acuité mais sans émettre de commentaire.

— C'est sans doute le moment où je suis censé te décourager, me montrer grand et généreux, soupira-t-il.

— C'est ce que tu souhaites ?

Leurs regards ne se quittaient plus.

— Non. Je veux vivre avec toi. Ici. Tout de suite. Mais c'est affreusement égoïste. Tu devrais le comprendre.

Quand il s'approcha d'elle, leurs corps se frôlèrent.

— Je t'aime, reprit Noël, et je te veux auprès de moi.

— Alors laisse-moi agir à ma guise.

Ils échangeaient un sourire lorsque Max et Ariana les rejoignirent. Ils étaient si jeunes et si beaux, si heureux et si libres, que l'on avait envie de rester près d'eux.

— Tu te souviens de Tammy, maman ?

— Absolument, répondit Ariana avec chaleur.

Tamara lui plaisait. Elle l'aimait bien. Elle la trouvait jolie et spirituelle. Et pourtant, elle ne pouvait s'empêcher d'être troublée par cet éclat tendre et ardent qu'elle lisait dans les yeux de son fils...

— Je dois d'ailleurs renouveler les présentations, reprit celui-ci. Ma mère porte un nouveau nom désormais.

Ariana rougit légèrement ; près d'elle, Max rayonnait de fierté.

— Ma mère, Mme Maximilien Thomas ; mon beau-père, Max Thomas, et mon amie, Tamara Liebman.

— Liebman...

Bien que surprise, Ariana parvint promptement à dominer son émotion.

— Êtes-vous parente de Ruth et Samuel Liebman ? questionna-t-elle.

Elle n'avait pas osé mentionner Paul. Tammy acquiesça, étonnée du trouble de son interlocutrice.

— C'étaient mes grands-parents, mais ils sont morts depuis longtemps. Je ne les ai pas connus.

— Oh... Vous êtes donc...

— La fille de Paul et de Marjorie Liebman. Et ma tante Julia vit à Londres. Peut-être l'avez-vous connue également.

— Oui...

Bouleversée, Ariana était soudain devenue fort pâle.

Tammy ne pouvait deviner la cause du trouble d'Ariana. Elle éprouvait seulement le sentiment d'avoir été rejetée lorsque, quelques minutes plus tard, Noël l'entraîna dans une danse.

— Tammy ? Tu pleures ? lui demanda tendrement son compagnon.

Elle nia vainement : des larmes roulaient sur ses joues.

— Sortons un peu d'ici, invita Noël.

Il l'entraîna au rez-de-chaussée où ils se mirent à déambuler lentement dans les couloirs.

— Qu'est-ce qui ne va pas, mon bébé ?

— Ta mère me déteste, lâcha Tamara dans un sanglot.

Connaissant l'attachement de Noël pour sa mère, elle aurait tant voulu que tout marche bien, tant voulu paraître tout de suite à son avantage. C'était fichu, c'était fini.

— As-tu vu son expression quand elle a entendu mon nom ? Elle a failli s'évanouir parce que je suis juive. Tu ne lui avais pas dit ?

— Pour l'amour du ciel, je n'ai pas cru devoir le lui dire. Quelle importance, après tout ? Ça compte tant ?

— Peut-être pas pour toi, mais pour elle si. Comme le fait que tu sois allemand a été un choc pour mes parents. Mais au moins je les avais avertis ! Comment n'as-tu pas compris ça chez ta mère ? Elle est antisémite et tu ne le savais même pas !

— Mais non, elle ne l'est pas ! Tu vas bientôt la traiter de nazie !

Tamara n'aurait jamais fait cela, mais c'était cependant le qualificatif dont son père avait affublé Noël sans le connaître.

— Tu ne comprends rien, reprit la jeune fille.

Frissonnante, elle regardait ailleurs, ne voulant pas affronter le regard de Noël.

— Si. Je comprends que tu te laisses prendre à ces foutaises et que tu joues leur jeu. Ce n'est pas notre combat, Tammy. Ce n'était pas notre guerre. Nous sommes tous des êtres humains, qu'on soit noir, blanc, métisse, jaune, juif, irlandais, arabe. Nous sommes américains, c'est la grandeur de ce pays. Les vieilles histoires n'ont plus d'importance.

— Pour certains, elles en ont, assura Tamara, le cœur brisé au souvenir de l'attitude d'Ariana.

Noël la prit dans ses bras.

— Mais pas pour moi, tu me crois ? murmura-t-il. Ce soir je parlerai à ma mère avant qu'elle parte pour l'aéroport, et je découvrirai bien si tu as raison.

— J'ai raison, je le sais, Noël.

— N'en sois pas si sûre.

Comme la jeune fille refusait de rester à la réception, elle ne remonta que le temps de prendre son manteau. Après un bref mais poli au revoir à Ariana, elle quitta le Carlyle et Noël la mit dans un taxi.

— Ton amie était très jolie, déclara Ariana avec une certaine raideur.

À leur retour de l'hôtel, ils s'étaient tous trois réunis dans le salon. Trois heures les séparaient du moment où il leur faudrait se rendre à l'aéroport. Pour leur lune de miel, les jeunes mariés retournaient en Europe, mais seulement à Genève et à Rome.

— Ce doit être une fille adorable.

Les derniers mots d'Ariana tombèrent dans un silence étrange. Elle avait pu parler un peu avec Max.

Debout près de la cheminée, Noël observait sa mère avec

un air de doute, comme s'il ne comprenait pas ce qu'elle voulait dire.

— Elle pense que tu ne l'aimes pas, lâcha-t-il à brûle-pourpoint.

Il n'y eut pas de réponse.

— Parce qu'elle est juive, reprit le jeune homme. Est-ce vrai ?

Il avait lâché ces mots platement. Ariana baissa les yeux.

— Je suis désolée si c'est ce qu'elle pense, Noël. Mais ce n'est pas la raison, répondit-elle en le regardant.

— Donc elle a à moitié raison : tu ne l'aimes pas ?

Son expression coléreuse et peinée affligea Ariana que cette conversation mettait à la torture.

— Je n'ai pas dit cela, reprit-elle. Elle m'a l'air d'une personne tout à fait charmante. Cependant, Noël... tu dois cesser de la fréquenter.

— Pardon ? Tu plaisantes ?

Le jeune homme se mit à faire les cent pas dans la pièce.

— Non, pas du tout.

— Peux-tu m'expliquer ce qui se passe au juste ? J'ai vingt-six ans et tu prétends régenter mes relations ?

— C'est pour ton bien.

L'excitation des heures passées s'était dissipée, et soudain Ariana paraissait lasse, vieillie. Max lui caressa la main mais il n'était pas en mesure de la consoler.

— Mes fréquentations ne te regardent pas ! déclara Noël.

Sa mère tressaillit imperceptiblement.

— Je regrette d'entendre ces mots dans ta bouche. Car tu risques de souffrir quand son père saura qui tu es, Noël. Autant que tu le saches.

— Pourquoi ? s'exclama le jeune homme d'un air peiné. Et d'abord, que sais-tu de son père ?

De nouveau, il se fit un silence pesant dans le salon, que

Max s'apprêtait à rompre pour secourir sa femme, mais celle-ci le devança :

— J'ai été mariée avec lui, Noël, peu de temps après mon arrivée aux États-Unis.

Ce fut au tour de son fils d'être bouleversé ; il se laissa lourdement tomber dans un fauteuil.

— Je ne comprends pas.

— Je sais, et j'en suis désolée. Je ne pensais pas devoir t'en parler un jour.

— N'étais-tu pas réellement mariée à mon père ?

— Si, mais quand je suis arrivée ici, j'ai été très malade. J'étais arrivée à bord d'un paquebot de la Société de secours des femmes. J'ignore si cette association existe encore, mais à l'époque elle était très importante. Une femme adorable m'a prise sous son aile...

Ariana marqua un arrêt, peinée d'avoir appris la mort de Ruth par Tammy.

— ... Ruth Liebman, la grand-mère de Tamara. Ils m'ont accueillie chez eux, ils ont été merveilleux. Grâce à leurs soins, j'ai recouvré la santé. Ils me donnaient tout, ils m'aimaient. Mais ils me croyaient de confession juive. Et je fus assez folle pour ne pas les détromper.

Ariana se tut à nouveau et posa un regard franc sur Noël.

— Ils avaient un fils, qui était revenu du Pacifique où il avait été blessé et qui avait un béguin pour moi. J'avais vingt ans, lui vingt-deux. Et après ton père, il me faisait l'effet... disons, d'un petit garçon. Mais il était gentil, et sa fiancée l'avait laissé tomber pendant la guerre. À ce moment-là, poursuivit-elle péniblement, j'ai découvert que j'étais enceinte. Je t'attendais, Noël. Je m'apprêtais à quitter les Liebman pour te mettre au monde mais... Je ne sais comment cela s'est passé... Paul insistait pour m'épouser, et la solution m'a paru si simple. Je n'avais rien à t'offrir, or si j'épousais Paul, je pourrais tout te donner.

Tristement, elle écrasa une larme sur sa joue.

— Je pensais que... il te donnerait tout ce que je ne pouvais t'offrir, et je lui en aurais été éternellement reconnaissante. Mais deux semaines avant ta naissance, il est rentré chez nous dans la journée et m'a surprise en train de regarder des photos de ton père. Alors tout est sorti au grand jour. Je ne pouvais plus lui mentir. Je lui ai dit la vérité, il a appris que le bébé était de Manfred et non de lui.

Elle fixait le vide, sa voix se faisait de plus en plus lointaine.

— Il a quitté la maison le jour même, et je ne l'ai plus jamais revu. Il ne m'a plus contactée que par l'intermédiaire de ses avocats. Je n'ai jamais revu aucun membre de la famille, précisa-t-elle d'une voix soudain plus douce. Pour eux, j'étais une nazie.

Quittant son fauteuil, Noël vint s'agenouiller auprès de sa mère et lui caressa les cheveux.

— Ils ne peuvent rien, maman, ni contre moi ni contre Tammy. Les temps sont différents.

— Cela ne change rien.

— Pour moi, si, assura Noël en lui soulevant tendrement le menton.

— Je suis tout à fait d'accord avec toi, Noël, déclara Max qui n'était pas intervenu pendant qu'Ariana révélait à son fils un épisode de son passé qu'il ignorait encore. Maintenant, si tu veux bien excuser mon égoïsme, j'aimerais être seul avec ta mère jusqu'à notre départ.

L'épreuve avait suffisamment duré pour Ariana.

— Bien sûr, Max.

Noël les embrassa tous deux puis resta un long moment sur le seuil de la maison.

— Tu n'es pas fâché que je ne t'aie rien dit plus tôt, Noël ? s'enquit Ariana, pleine de regrets.

— Non, pas fâché, mère, seulement surpris.

— Il s'en remettra, la rassura Max en lui passant un bras

autour des épaules. Tu ne dois d'explication à personne, ma chérie. Pas même à lui.

Il appuya ces paroles réconfortantes d'un baiser.

Noël avait déjà sauté dans un taxi et, arrivé chez lui quelques minutes plus tard, se rua sur le téléphone. Tamara répondit bientôt, d'une voix inhabituellement éteinte.

— Il faut que je te voie, Tammy.

— Quand ?

— Tout de suite.

Vingt minutes plus tard, elle était chez lui.

— J'ai quelques révélations à te faire qui ne manqueront pas de te surprendre, fillette.

— Du genre ?

Comme il ne savait par où commencer, il plongea tête baissée.

— Eh bien, par exemple que ton père a failli être mon père.

— Hein ?

L'explication prit une demi-heure, après quoi les deux jeunes gens restèrent quelque peu pantois l'un en face de l'autre.

— À mon avis, personne dans la famille ne sait qu'il a été marié une première fois, supputa Tammy.

— Ses parents le savaient, en tout cas, et ses sœurs. Pour ta mère, je me le demande.

— Probablement, en fait. Mon père est d'une honnêteté et d'une franchise scrupuleuses. Il le lui aura certainement dit quand ils se sont rencontrés.

— C'est ma mère qui a essayé de l'abuser, dit Noël.

Mais il s'exprimait gentiment, n'éprouvant que tendresse et compassion pour elle. Imaginer cette jeune réfugiée de vingt ans enceinte le bouleversait.

Avec le temps, ce drame vécu par une autre génération

rejoignait déjà les archives de l'histoire. Il n'était pas d'une réelle importance pour les jeunes gens.

— Vas-tu parler de nous à ton père, Tammy ?

— Je ne sais pas. Peut-être.

— Tu devrais le faire maintenant. N'attendons pas plus tard pour dévoiler les secrets. J'aimerais que désormais tout soit clair. Nos parents ont eu assez de surprises dans leurs vies.

— Cela signifie que tu veux vivre avec moi, Noël ?

Les grands yeux d'un vert profond étaient emplis d'espoir.

— Oui, répondit Noël. Exactement.

49

À LA FIN de l'hiver, Tammy mettait ses projets à exécution. Voilà longtemps qu'elle avait rempli son dossier pour son transfert à l'université de droit de Columbia ; elle n'avait plus eu qu'à boucler ses valises et quitter le minuscule appartement qu'elle partageait avec quatre autres étudiantes. Un samedi matin, Noël était venu la chercher, rayonnant, et tous deux avaient regagné New York ensemble.

Chez lui, Noël avait fait de la place pour sa compagne et avait décoré l'appartement de fleurs et de ballons pour son arrivée ; le champagne était au frais. Le début de leur vie commune remontait maintenant à trois mois et aucun problème ne les avait jamais divisés, même si un point restait dans l'ombre : ni les parents de la jeune fille ni Ariana n'étaient au courant. Rompant avec son honnêteté coutumière vis-à-vis de sa mère, Noël ne lui avait pas dit qu'il vivait avec Tammy. Quant à cette dernière, elle s'était contentée d'installer son propre poste téléphonique sur le bureau. Quand la sonnerie retentissait, Noël se gardait de répondre.

Or voilà que fin mai la partie de cache-cache arriva brutalement à son épilogue lorsque Ariana passa déposer du courrier pour son fils arrivé chez elle par erreur. Elle s'apprêtait à le laisser au concierge quand Tamara sortit de l'immeuble, chargée de leur linge sale et de ses bouquins de droit, en route pour la laverie puis la fac.

— Oh... Oh... Bonjour, madame Tripp... pardon, madame Max... Madame...

Son visage avait viré au rouge écarlate.

— Vous rendiez visite à Noël ? demanda sèchement Ariana.

— Je... oui... je devais prendre des notes dans ses livres... faire une recherche...

Noël avait raison. Ils auraient dû dire la vérité depuis des mois. À présent Ariana allait être déçue, se sentir trahie.

— Je suis certaine qu'il vous aide beaucoup.

— Oui, oui... beaucoup... Comment allez-vous ?

— Très bien, je vous remercie.

Sur ces mots et après un salut poli, Ariana gagna la cabine téléphonique la plus proche pour appeler son fils. Celui-ci se félicita de l'incident. Il était grand temps que tout le monde soit au courant. Et si Tamara s'entêtait à ne rien dire à son père, il s'en chargerait lui-même. D'une main ferme, il appela les renseignements puis la société de Paul Liebman avec lequel il prit rendez-vous pour l'après-midi même.

L'immeuble devant lequel s'arrêta le taxi n'était autre que celui où Sam Liebman avait ouvert sa banque de commerce quelque cinquante années auparavant, et Paul Liebman dirigeait maintenant l'entreprise depuis ce même bureau où son père avant lui avait passé tant d'heures. C'était là que Ruth était venue trouver son époux pour le supplier d'héberger la jeune Allemande. Et ce fut en ce lieu, encore, que le fils de l'Allemande entra d'un pas souple et confiant, avant de serrer la main du père de Tamara et de s'asseoir.

— Est-ce que nous nous connaissons, monsieur Tripp ?

Paul étudiait ce visiteur qui ne lui semblait pas tout à fait inconnu. Sa carte révélait qu'il appartenait à un cabinet d'avocats fort réputé, et Paul se demandait s'il venait le consulter pour le compte de sa firme ou à titre personnel.

— Nous nous sommes rencontrés une fois, monsieur Liebman. L'an passé.

— Oh ! s'excusa le quadragénaire avec un sourire aimable, je crains que ma mémoire ne soit pas des plus fiables ces temps-ci.

— C'était avec Tamara, précisa Noël. J'ai obtenu mon diplôme de Harvard l'année dernière.

— Je vois.

Tout à coup Paul se souvint et son sourire s'effaça.

— Je suppose néanmoins, monsieur Tripp, que vous n'êtes pas ici pour me parler de ma fille. En quoi puis-je vous être utile ?

On n'avait accordé de rendez-vous au garçon que grâce à la notoriété de sa société.

— Je regrette de devoir vous détromper, rétorqua Noël. Je suis ici pour vous parler de Tamara. Et de moi. J'ai certaines choses délicates à vous dire, mais je tiens à être franc.

— Tamara a des ennuis ? s'alarma Paul.

Maintenant il se rappelait à qui il avait affaire. Il s'en rappelait fort bien. Et déjà il le détestait.

— Non, monsieur, s'empressa de le rassurer Noël. Elle n'a aucun ennui. À vrai dire, elle se porte même très bien.

Il tenta un sourire pour dissimuler sa nervosité.

— Tamara et moi nous nous aimons, monsieur Liebman, depuis un certain temps.

— J'ai peine à le croire, monsieur Tripp. Elle n'a pas mentionné votre nom depuis des mois.

— Sans doute par crainte de votre réaction. Mais avant d'aller plus loin, j'ai quelque chose à vous dire, sinon le problème se posera tôt ou tard. Autant l'aborder tout de suite.

Son regard se voila un instant, tandis qu'il se traitait de fou d'être venu ici. C'était aussi la démarche la plus difficile qu'il ait eu à accomplir.

— Votre mère, je crois, s'occupait d'une association d'aide aux réfugiés à la fin de la guerre, ici, à New York.

Les traits de son interlocuteur se durcirent encore mais il continua.

— Elle se prit d'amitié pour une jeune femme, une Allemande, venant de Berlin. Jeune femme que vous avez épousée peu de temps après, mais pour découvrir qu'elle était enceinte de son premier mari, mort lors de la chute de Berlin. Vous l'avez quittée, vous avez divorcé, et... je suis son fils.

Il y eut un silence terrible puis Paul Liebman se leva.

— Sortez d'ici ! ordonna-t-il.

Noël ne bougea pas.

— Pas avant de vous avoir dit que j'aime votre fille, monsieur, et qu'elle m'aime. Et aussi, ajouta-t-il en se levant, dominant ainsi son aîné, que mes intentions envers elle sont des plus honorables.

— Vous osez me dire que vous souhaitez épouser ma fille ?

— Oui, monsieur, c'est exactement cela.

— Jamais ! Vous m'entendez ? Jamais ! C'est votre mère qui a tramé cela ?

— Nullement, monsieur.

Un instant, les yeux de Noël lancèrent des éclairs, tandis que ceux de Paul brillaient de colère. Mais le feu s'éteignit bientôt dans les prunelles de ce dernier ; il renonçait à calomnier Ariana et préférait la laisser de côté.

— Je vous interdis de revoir Tamara, reprit-il.

La rage se lisait sur ses traits, fondée sur une douleur ancienne qu'il n'était jamais parvenu à oublier tout à fait.

— Autant que je vous dise en face, reprit calmement Noël, que ni elle ni moi ne vous obéirons. Vous n'avez d'autre choix que d'accepter la paix.

Sur ces paroles, sans attendre une nouvelle flambée de colère chez Liebman, il gagna la porte et sortit. Il entendit un coup terrible assené sur le bureau mais la porte était déjà close.

À mesure qu'elle liait connaissance avec la mère de Noël, Tamara se mit à l'aimer presque autant que la sienne. Ce fut à l'approche des fêtes de fin d'année, lorsque Noël annonça leurs fiançailles, qu'Ariana offrit à sa future bru un présent qui devait la toucher droit au cœur. Déjà dans la confidence, Noël échangea un regard complice avec sa mère tandis que la jeune fille défaisait le papier-cadeau ; et soudain la bague étincelante tomba dans sa main. Il s'agissait de la chevalière incrustée de diamants qui avait appartenu à Cassandra voilà bien des années.

— Oh ! mon Dieu... oh... oh... non !

Tamara releva un visage stupéfait, d'abord sur Noël puis sur Ariana, enfin sur Max qui souriait. Et, cherchant aveuglément les bras de Noël, elle fondit en larmes.

— C'est ta bague de fiançailles, ma chérie. Mère l'a fait mettre à ta taille. Allons, essaie-la.

Quand elle la glissa à son doigt, ses pleurs redoublèrent. Elle connaissait bien l'histoire de cette bague... une bague qui avait été portée cinq générations avant elle. Le bijou finement ciselé allait parfaitement à son annulaire gauche et brillait de tous ses feux.

— Oh ! Ariana, merci !

Elle étreignit la mère de son fiancé en sanglotant de plus belle.

— Allons, allons, ma chérie, souffla Ariana. Elle est à toi maintenant. Puisse-t-elle t'apporter beaucoup de joie.

Complètement conquise par sa future belle-fille, elle avait décidé de prendre les choses en main.

Le 28 décembre, elle composait d'une main tremblante un numéro sur le cadran du téléphone. Elle se présenta comme Mme Thomas et obtint un rendez-vous. Le lendemain, elle s'engouffrait dans un taxi. Elle n'avait rien dit ni à Max ni à Noël, estimant qu'ils n'avaient pas besoin d'être au courant ; en revanche il était grand temps, après toutes ces années, que Paul et elle aient enfin une discussion.

Dès que la secrétaire l'eut annoncée, elle pénétra d'un pas tranquille dans le bureau, vêtue d'une robe noire et d'un manteau de vison. À la main, elle ne portait plus que la grosse émeraude.

— Madame Thomas ?

À la seconde où il se levait pour l'accueillir, Paul ouvrit des yeux stupéfaits. Malgré le choc il songea fugitivement qu'elle avait peu changé, en près de trente ans !

— Bonjour, Paul.

Elle s'était armée de tout son courage et attendait qu'il l'invite à s'asseoir.

— J'ai cru bon de venir te trouver. À propos de nos enfants. Puis-je m'asseoir ?

Encore frappé de stupeur, il lui désigna un siège, puis s'assit à son tour.

— Je crois que mon fils est déjà venu te voir.

— Ce qui n'a servi à rien, répliqua Paul, le visage fermé et dur. Ta démarche n'aura pas plus d'effet.

— Peut-être. Mais la question, à mon avis, n'est pas de savoir ce que nous éprouvons mais ce qu'éprouvent nos enfants. Au début, j'ai eu la même réaction que toi. J'étais violemment opposée à leur union. Or, que cela nous plaise ou non, ils tiennent l'un à l'autre.

— Puis-je savoir pourquoi tu élevais des objections ?

— Parce que je supposais que tu m'en voulais, et que tu manifesterais la même amertume envers Noël.

Elle marqua une pause, et quand elle reprit la parole, sa voix s'était adoucie :

— J'ai commis une erreur terrible, vraiment terrible. Je ne l'ai compris qu'après, mais sur le coup je cherchais désespérément à tout faire pour mon enfant... J'ai considéré tout ce que tu pouvais lui donner, et sans... Que te dire, Paul ? Je me suis trompée, j'ai mal agi.

Paul la dévisagea longtemps sans un mot.

— As-tu eu d'autres enfants ? finit-il par demander.

— Non. Et je ne me suis remariée que l'an passé.

— Pas parce que tu me regrettais, je suppose.

Mais il y avait déjà moins de colère dans la voix de Paul, et plus de la chaleur d'antan dans son regard.

— Non, reconnut Ariana. J'avais été mariée, les dés étaient jetés, en bien comme en mal. J'avais mon fils à élever et je ne souhaitais pas me remarier.

— Qui t'a fait changer d'avis ?

— Un vieil ami. Toi, par contre, je crois que tu t'es vite remarié.

— Dès que le divorce a été prononcé, acquiesça-t-il. Une fille avec qui j'étais sorti en classe.

Il soupira, peut-être en songeant à sa vie, peut-être à Ariana.

— Au bout du compte, ce sont celles-là, les relations durables. Voilà pourquoi je me suis opposé à une union de Tamara avec ton fils. Pas tant parce que c'est ton fils. C'est un garçon bien, Ariana, quelqu'un de valeur. Il a eu le courage de venir me trouver ici, de tout me raconter. C'est une attitude que je respecte chez un homme. Tamara n'a pas eu autant de correction, grogna-t-il sourdement. Tu sais, le véritable problème n'est pas que nous ayons été mariés, toi et moi, mais ce que sont nos enfants. Considère les origines de ton fils, Ariana, de quoi il a hérité. Considère ta famille, ce que j'en sais maintenant. Et nous, nous sommes juifs. Tu trouves vraiment judicieux de les unir ?

— S'ils tiennent l'un à l'autre, oui. Peu importe que je sois allemande et que tu sois juif. Peut-être cela avait-il de l'importance à l'époque, après la guerre. Mais j'aimerais croire que ce n'est plus un problème aujourd'hui.

Paul Liebman secoua fermement la tête.

— Si, c'en est un. Ces choses-là ne changeront jamais, Ariana. Elles seront toujours présentes, même quand toi et moi ne serons plus depuis longtemps.

— Tu ne leur accorderais même pas une chance ?

— Une chance de quoi ? De me convaincre que j'ai tort ? Pour qu'ils s'empressent d'avoir trois enfants et qu'ils reviennent dans cinq ans m'expliquer qu'ils vont divorcer car j'avais raison et que leur couple n'a pas marché ?

— Penses-tu réellement pouvoir empêcher cela ?

— Peut-être.

— Et qu'en sera-t-il du prochain ? Et de l'homme qui viendra encore après ? Tu ne comprends pas que Tamara ne fera de toute façon que ce qu'il lui plaît ? Elle épousera celui qu'elle voudra épouser, mènera sa vie à sa guise. Voilà bientôt un an qu'elle vit avec Noël, malgré toi. Le seul perdant au bout du compte, ce sera toi, Paul. Il est peut-être temps que tu mettes fin à la guerre entre nous, que tu portes un autre regard sur la nouvelle génération. Mon fils ne veut même pas être allemand. Et peut-être que ta fille, après tout, ne tient pas à proclamer qu'elle est juive.

— En ce cas, que veut-elle être ?

— Un être humain, une femme, une avocate. Ils ont des idées que je ne comprends pas vraiment. Ils sont beaucoup plus indépendants et libres penseurs. Peut-être ont-ils raison, continua-t-elle avec un sourire. Mon fils me dit que cette guerre dont nous parlons est notre guerre, pas la leur. Pour eux, c'est de l'Histoire. Alors que pour nous, parfois, c'est encore tellement proche.

— Je l'ai bien observé, Ariana, fit Paul d'une voix qui s'assourdissait. Et j'ai revu les photos que tu avais en main ce jour-là. Je l'ai imaginé en uniforme... un uniforme nazi comme celui que portait son père...

Il ferma les yeux en se remémorant la douleur ressentie, puis regarda Ariana d'un air sombre.

— Il lui ressemble beaucoup, n'est-ce pas ?

Elle hocha la tête, avec un doux sourire.

— En revanche, Tamara ne te ressemble guère, répliqua-t-elle.

— Je sais, elle est le portrait de sa mère. Mais sa sœur ressemble à Julia... et mon fils est mon portrait craché, ajouta-t-il fièrement.

— Tant mieux... Tu es heureux ? questionna-t-elle après un long silence.

— Oui. Et toi ? Je me suis demandé ce que tu étais devenue parfois. J'aurais aimé renouer contact, te faire savoir que je pensais toujours à toi, mais je craignais de...

— Quoi ?

— D'avoir l'air idiot. J'ai tellement souffert alors ! Je me disais que tu t'étais moquée de moi depuis le début. C'est ma mère qui a fini par comprendre. Elle a compris que tu l'avais fait pour ton bébé, et elle te soupçonnait de m'avoir aimé, aussi.

À l'évocation de Ruth, les yeux d'Ariana s'emplirent de larmes.

— Oui, je t'ai aimé, Paul.

— Je te crois, à présent.

Ils ne dirent rien pendant un moment, enfin réconciliés après tant d'années.

Ce fut Paul qui rompit le silence.

— Alors que décidons-nous, Ariana, pour nos enfants ?

— Nous les laissons faire ce qu'ils désirent. Et nous acceptons.

Elle se leva, hésitante, tendit la main. Mais Paul contourna son bureau et vint la prendre dans ses bras, et la garda serrée contre lui un instant.

— Pour ce qui s'est passé autrefois, je suis désolé. Je regrette de n'avoir pas été à même de comprendre, et de ne pas t'avoir laissée t'expliquer.

— Les choses devaient être ainsi, Paul.

Ariana l'embrassa sur la joue puis le laissa à ses pensées, les yeux fixés sur Wall Street.

50

LE MARIAGE fut fixé à l'été suivant, quand Tamara aurait achevé ses études de droit. Ils trouvèrent un appartement agréable et Tamara décrocha même un poste pour l'automne.

— Mais d'abord, nous allons en Europe ! avait-elle gaiement annoncé à Max et Ariana.

— Où cela ? s'enquit Max.

— Paris, la Côte d'Azur, l'Italie, puis Noël veut me montrer Berlin.

Cette fois, nulle ombre ne vint obscurcir le regard d'Ariana.

— C'est une belle ville, du moins elle l'était.

Elle avait vu les photographies prises par Noël lors de son voyage deux ans plus tôt et elle chérissait particulièrement celle de la demeure de Grunewald ; désormais elle n'avait plus à fouiller dans ses souvenirs : il lui suffisait de contempler la photo. Noël lui avait également donné les clichés du château dont elle avait entendu parler par Manfred mais qu'elle n'avait jamais vu.

— Combien de temps partez-vous ?

— Un mois environ. C'est mon dernier été de vacances, soupira Tammy, et Noël a eu grand mal à obtenir quatre semaines de congé.

— Que ferez-vous sur la Côte d'Azur ?

— Nous irons voir la famille de Brigitte, une amie que j'ai rencontrée à la fac. Mais pour commencer, poursuivit la jeune fille avec un large sourire, il nous faudra survivre au mariage.

— Ce sera une journée délicieuse.

Voilà des mois qu'Ariana prêtait une oreille attentive à tous ces projets. Paul s'était adouci, avait admis qu'il aimait bien Noël, et dès février l'on s'était attaqué aux préparatifs du mariage prévu pour juin.

Quand vint le grand jour, Tamara était absolument rayonnante dans une robe en satin ivoire, avec un immense voile de dentelle. Son chapeau enveloppait sa chevelure brune de dentelle et les volutes du voile qui flottait tout autour d'elle créaient plus encore une impression de splendeur éthérée. Même Ariana fut impressionnée.

— Mon Dieu, Max, elle est splendide.

— Bien sûr, acquiesça Max, contemplant fièrement sa propre épouse. Et Noël n'a rien à lui envier.

En queue-de-pie et pantalon rayé, le jeune homme était plus élégant que jamais. Certes, reconnaissait sa mère, avec ses yeux bleus et sa blondeur, il faisait « très allemand », mais cela n'avait plus l'air d'avoir de l'importance. Paul Liebman souriait au jeune couple avec bienveillance. Il avait dépensé une fortune pour que le mariage fût à l'image des rêves un peu extravagants de son épouse. Ariana avait fini par rencontrer sa femme, une personne aimable qui était certainement une bonne compagne.

Debbie était mariée à un producteur de Hollywood. Julia, la plus charmante et la plus spirituelle des deux sœurs, avait apparemment transmis à ses enfants et son intelligence et son humour. Mais, pour avoir été trop profondément blessées autrefois, les deux femmes n'adressèrent que brièvement la parole à Ariana. Pour toute la famille, Ariana avait cessé d'exister le jour où Paul l'avait quittée.

Dans la journée, les regards de Paul et d'Ariana se croisèrent à deux ou trois reprises, se retinrent ; pour la première fois Ariana se souvint de lui avec amour. Et un chagrin véritable la saisit de nouveau, en pensant à la disparition de Ruth et de Sam.

— Eh bien, madame Tripp, voilà qui est fait.

Noël souriait à Tammy et celle-ci posa contre son cou ses lèvres douces.

— Je t'aime, Noël.

— Moi aussi, mais si tu continues... j'entame notre lune de miel là tout de suite, à bord de l'avion.

Avec une expression mutine, la jeune femme se renfonça sur son siège et contempla la belle chevalière incrustée de diamants qui scintillait à son doigt. Quel présent exceptionnel lui avait fait là Ariana ! Elle en était venue à aimer réellement la mère de Noël, sentiment qu'elle savait réciproque.

— Noël, je voudrais acheter quelque chose pour ta mère à Paris, un cadeau qui sort de l'ordinaire.

— Quel genre ? questionna Noël, en levant les yeux de son livre.

Tous deux appréciaient d'avoir déjà vécu plus d'un an ensemble avant le mariage ; ils étaient profondément à l'aise l'un avec l'autre.

— Je ne sais pas, répondit Tammy. Quelque chose de magnifique. Un tableau, ou une robe de chez Dior.

— Génial. Mais pourquoi ?

Pour toute réponse, elle montra la chevalière.

Le père de Tammy leur avait offert le séjour dans une suite

du Plaza-Athénée. Après leur premier dîner aux chandelles, ils descendirent au célèbre grill pour y retrouver Brigitte. Une foule hétéroclite se pressait au Relais-Plaza, les hommes avaient des chemises ouvertes et des chaînes en sautoir, les femmes portaient des tuniques de satin rouge ou de petits spencers en vison et un jean.

Tammy eut peine à reconnaître l'amie qu'elle avait rencontrée aux États-Unis, en voyant ce visage blanc, ces lèvres rouges, ces cheveux blonds outrageusement frisés ; mais les yeux bleus avaient conservé leur lueur malicieuse et la silhouette gracile avait quelque chose d'enchanteur, moulée dans un smoking noir assorti d'un haut-de-forme en satin et d'un soutien-gorge rouge sur lequel ouvrait la veste.

— Je ne t'aurais pas crue si classique, commenta Noël.

Les trois jeunes gens se mirent à rire. Jamais Brigitte Goddard n'avait été si provocante.

— Toi, Noël, repartit la Française, tu es de plus en plus mignon.

— Trop tard, intervint Tammy. Tu n'oublies pas que nous sommes mariés, hein, Noël ? Désolée...

Mais Noël dévorait sa femme d'un regard ardent et Brigitte se contenta de rire.

— De toute façon, il est trop grand pour moi. Pas du tout mon genre.

— Attention, il est susceptible, prévint Tammy.

De nouveau ils éclatèrent de rire et ce fut sous ces joyeux auspices que se déroula la soirée. Ensuite, au cours de la semaine, Brigitte les promena d'un bout à l'autre de Paris ; déjeuner au Fouquet's, dîner chez Lipp, soirée chez Castel et chez Régine, avant d'aller prendre un petit déjeuner aux Halles, puis de souper chez Maxim's. Partout où ils passaient, tout le monde connaissait Brigitte, et elle connaissait tout le monde. Les hommes essayaient désespérément d'attirer son attention. Noël et Tammy étaient stupéfaits.

— N'est-elle pas divine ? chuchota Tammy à l'oreille de son mari un jour qu'ils baguenaudaient chez Courrèges.

— Oui, et un peu dingue. Je crois que je te préfère, chaton.

— Bonne nouvelle.

— Je ne suis pas pressé de rencontrer sa famille.

— Oh ! ils sont sympa.

— Je n'ai pas envie de m'éterniser chez eux. Deux jours, pas plus, Tammy. Je veux être seul avec toi un moment. C'est quand même notre lune de miel.

Face à son irritation manifeste, Tamara l'embrassa en riant.

— Je suis désolée, mon amour.

— Il ne faut pas. Promets-moi seulement : pas plus de deux jours avec eux sur la Côte d'Azur. Ensuite, nous filons sur l'Italie. Entendu ?

— Oui, mon capitaine.

Elle lui adressait un coquin salut militaire quand Brigitte les rejoignit pour les entraîner chez Balmain, Givenchy et Dior.

Chez ce dernier, Tammy trouva la robe dont elle rêvait pour sa belle-mère. Une robe de cocktail d'un mauve délicat qui s'assortirait à ravir avec les immenses yeux bleus d'Ariana. Elle s'accompagnait d'une écharpe arachnéenne et Tammy compléta l'ensemble par des boucles d'oreilles. Cette petite folie lui coûta plus de quatre cents dollars, somme qui laissa Noël bouche bée.

— Ne fais pas cette tête. Je commence à travailler en septembre.

— Et c'est tant mieux si tu as l'intention d'offrir ce genre de cadeaux.

Mais tous deux savaient la chose exceptionnelle. C'était la façon de Tammy de remercier pour la bague. Brigitte avait tout de suite remarqué le bijou lorsqu'ils s'étaient retrouvés le premier soir au Plaza et l'avait longuement admiré. La galerie d'art de son père s'était récemment enrichie de quelques pièces anciennes mais rien d'aussi extraordinaire que la chevalière de son amie.

Pour leur dernier après-midi à Paris, Brigitte les emmena justement à la Galerie Gérard-Goddard située rue du Faubourg-Saint-Honoré, et ils y restèrent plus d'une heure, admirant les Renoir, les Picasso, les coffrets Fabergé, d'inestimables bracelets anciens en diamants, de petits bustes, des statues : une collection réellement incroyable.

— Un véritable musée miniature, commenta Noël à leur sortie, mais en mieux.

— Oui, papa a quelques jolies choses, acquiesça fièrement Brigitte.

L'euphémisme fit secrètement sourire ses amis. Son père l'avait envoyée à l'université américaine dans l'espoir qu'elle acquerrait une solide connaissance en histoire de l'art, mais Brigitte était davantage portée sur les parties de foot, les fêtes et les étudiants. À l'issue de deux années désastreuses, son père l'avait rapatriée pour qu'elle se distraie plus simplement en France. Actuellement, elle envisageait vaguement de se lancer dans la photographie ou de tourner un film, mais il était clair en tout cas que nulle ambition ne la dévorait. Elle était de ces esprits qui se dispersent, galopent en tous sens, toujours en quête d'amusements.

— Le plus étonnant, c'est qu'elle n'a jamais l'air de grandir, songea Tammy à voix haute.

— Oui, fit Noël. Mais certaines personnes ne grandissent effectivement jamais. Son frère lui ressemble ?

— En pire.

— Comment cela se fait-il ? s'étonna le jeune homme.

— Je ne sais pas. Ils ont été gâtés, et peut-être malheureux. Il faut que tu voies les parents pour mieux comprendre. La mère est une sorte d'épouvantable dame patronnesse, le père un homme très effacé, hanté par des fantômes.

51

LE VOL jusqu'à Nice dura à peine plus d'une heure. Bernard Goddard les attendait à l'aéroport. Aussi beau et aussi blond que sa sœur, il se tenait devant eux en sandales et chemise de soie, l'air absent comme s'il se trouvait là par hasard. Il retrouva néanmoins ses esprits quand sa sœur se jeta à son cou. Dans la boîte à gants de sa Ferrari, le coffret en argent bourré de marijuana expliquait en partie son état.

En discutant avec Tammy et Noël, il s'anima un peu plus.

— J'ai l'intention d'aller à New York cet hiver.

Il souriait gentiment à ses interlocuteurs ; l'espace d'un instant, Noël eut le sentiment qu'il ressemblait à des photos qu'il avait vues quelque part voilà longtemps.

— Vous y serez ?

— Oui, répondit Tammy.

— Tu pars quand ? interrogea Brigitte, considérant son frère avec surprise.

— En novembre.

— Je croyais que c'était la date à laquelle tu allais au Brésil.

— Ça, c'est pour plus tard. Et puis je ne crois pas que j'irai au Brésil finalement ; Mimi rêve de Buenos Aires.

Brigitte acquiesça comme si la chose allait de soi ; Tammy et Noël échangèrent un regard aussi complice que perplexe. À dire vrai, Tammy n'avait pas conservé d'eux ce souvenir, et brusquement elle regretta cette halte à Saint-Jean-Cap-Ferrat.

— Tu veux que nous partions demain matin pour Rome ? souffla-t-elle à Noël comme ils suivaient le frère et la sœur à l'intérieur d'une immense demeure de style.

— Parfait. Je dirai que j'ai un client à voir en route.

S'étant discrètement mis d'accord, ils gagnèrent la chambre

qui leur était destinée, une vaste pièce aux plafonds très hauts, meublée d'un lit ancien italien, avec vue sur la mer. Le sol était en marbre beige. Sur la terrasse, Brigitte avait aimablement mis un téléphone à leur disposition, près d'une magnifique chaise ancienne.

Le déjeuner fut servi dans le jardin. Malgré leur existence et leurs projets quelque peu excentriques, Brigitte comme Bernard pouvaient être très drôles. Sachant qu'ils partaient le lendemain matin, Tammy et Noël se sentaient plus à l'aise et acceptaient mieux les fantaisies de leurs hôtes.

Ce fut le soir, quand ils pénétrèrent dans la grande salle à manger, que Tammy et Noël furent présentés aux époux Goddard. Devant eux se tenait une femme plutôt enveloppée mais encore étonnamment belle, dotée de splendides yeux verts, d'un sourire éblouissant, de longues et jolies jambes. Il se dégageait cependant d'elle une dureté évidente. Si ses enfants ne semblaient pas l'amuser particulièrement, elle affecta de trouver Tammy et Noël charmants et déploya tous ses efforts pour se montrer excellente hôtesse, veillant à tout, incluant dans ce ballet qu'elle orchestrait seule son époux, un grand et bel homme au regard aussi triste que bleu. Maintes fois au cours de la soirée, Noël se sentit attiré par ce quadragénaire, comme s'il le connaissait, ou comme s'il l'avait déjà vu. Il conclut que ce devait être à cause de cette étonnante ressemblance entre Gérard Goddard et son fils.

Lorsque, à la fin du dîner, Mme Goddard entraîna Tammy pour lui montrer un Picasso, Gérard Goddard se tourna vers Noël, et ce fut alors que ce dernier remarqua pour la première fois son léger accent, différent de celui des autres membres de sa famille. Était-il suisse, belge ? Il fut encore plus intrigué par le chagrin qui avait profondément marqué les traits de son hôte.

Au retour de Tammy, l'on se remit à bavarder de tout et de rien. Mais quand la jeune femme posa soudain la main sur la table, que sa bague brilla à la lueur du chandelier, Gérard Goddard s'interrompit net au milieu de sa phrase, les yeux dilatés. Puis, sans en demander la permission, il prit la main de Tammy et l'inclina pour mieux voir la chevalière incrustée de diamants.

— Jolie, hein, papa ? fit Brigitte qui elle-même ne se lassait pas de contempler le bijou.

En conversation avec son fils, Mme Goddard leur lança un regard indifférent.

— Ravissante, fit M. Goddard, tenant toujours la main de Tammy. Vous permettez que je la regarde de plus près ?

Tamara ôta aussitôt sa bague et la tendit en souriant à son hôte.

— Noël me l'a offerte pour nos fiançailles.

— Vraiment ? questionna Goddard en fixant le jeune Américain. Où l'avez-vous trouvée ? Aux États-Unis ?

On aurait dit que mille questions se pressaient sur ses lèvres.

— Elle appartenait à ma mère.

— Vraiment ? répéta Goddard qui parut plonger en lui-même.

— Cette bague a une longue histoire de famille derrière elle que ma mère vous racontera mieux que moi si jamais vous passez par New York.

— Oui, oui..., dit Goddard qui, secouant sa torpeur, sourit à ses invités. Cela m'arrive parfois... Je serais heureux de téléphoner à votre mère. Vous savez, s'empressa-t-il d'ajouter, nous venons d'ouvrir un espace consacré aux bijoux anciens à la galerie. Si elle possédait d'autres pièces, je serais ravi de les exposer.

Noël eut un gentil sourire face à l'insistance de cet homme qui semblait si désespéré.

— Je ne crois pas qu'elle vous vende quoi que ce soit, monsieur Goddard, même si elle possède une autre bague de ma grand-mère.

Les pupilles de Goddard se dilatèrent plus encore.

— C'est vrai, renchérit Tammy, elle a une émeraude extraordinaire, énorme.

— Il faut vraiment que vous me donniez son adresse.

— Bien sûr.

Prenant un petit bloc et un stylo en argent, Noël nota les coordonnées d'Ariana.

— Elle sera très heureuse de vous rencontrer quand vous viendrez à New York.

— Elle s'y trouve cet été ?

Noël répondit par l'affirmative ; Goddard sourit.

La conversation roula ensuite sur d'autres sujets, puis il fut temps d'aller au lit. Tammy et Noël préféraient se retirer tôt afin d'être en forme pour leur long périple du lendemain. Ils avaient prévu de louer une voiture à Cannes. De leur côté Brigitte et Bernard se rendraient à une soirée qui, affirmaient-ils, ne commencerait pas avant minuit ou une heure du matin. Finalement, Gérard et sa femme restèrent seuls au salon, face à face, et face à ce qu'il restait de leur vie.

— Tu ne vas pas recommencer avec ces bêtises, dis ?

La voix de Mme Goddard était aussi dure que la lumière projetée par les bougies était douce.

— Je t'ai bien vu avec la bague de cette fille.

— Si sa belle-mère en a d'autres, ce serait une aubaine pour la galerie. De toute façon, je devais me rendre à New York cette semaine.

— Tiens ? s'étonna son épouse, soupçonneuse. Pour quoi faire ? Tu n'en as pas parlé.

— Un collectionneur vend un très beau Renoir là-bas. Je veux y jeter un œil avant qu'il le mette officiellement sur le marché.

L'argument ne put que rencontrer l'approbation de Madame. Quels que fussent ses défauts, Gérard avait dirigé la galerie de main de maître, mieux que ne l'aurait rêvé son père dont il avait pris la suite. En raison de ce succès, elle avait d'ailleurs laissé Gérard rebaptiser la galerie. Mais tout cela avait été convenu dès le début, quand ils l'avaient pris avec eux, qu'ils lui avaient donné un toit, un métier, et par la suite une culture artistique. C'était durant la guerre, à l'époque où elle et son père s'étaient enfuis à Zurich.

Oui, dès qu'ils l'avaient rencontré, ils l'avaient pris sous leur aile. Lors de leur retour à Paris, à la fin de la guerre, ils l'avaient emmené avec eux. Quand Gisèle s'était retrouvée enceinte, le père n'avait pas laissé le choix à Gérard. Mais au bout du compte, c'était lui qui l'avait emporté sur les deux rusés Parisiens, lui qui avait si bien appris le métier qu'il avait rendu la galerie célèbre. Quant à Gisèle, c'était sans importance. Voilà vingt-six ans qu'il jouait son rôle. Ils lui avaient donné ce qu'il désirait, un toit, une vie, le succès, l'argent, et les moyens nécessaires pour mener sa recherche. Cette recherche qui l'avait motivé durant toutes ces années.

Depuis vingt-sept ans, il cherchait son père et sa sœur, tout en sachant depuis longtemps qu'il ne les retrouverait jamais. Néanmoins, il reprenait sa quête dès qu'une piste éventuelle se dessinait, dès que quelqu'un pensait connaître quelqu'un qui... Il avait effectué plus de soixante voyages à Berlin. En vain. Inutilement. Au fond de lui, Gérard savait qu'ils n'étaient plus. Sinon, il les aurait retrouvés, ou eux l'auraient retrouvé. Son nom n'était pas si différent. Gerhard von Gotthard était devenu Gérard Goddard, car porter un nom allemand après la guerre en France lui avait valu hostilité, insultes, colère, coups. Le père de Gisèle avait alors eu l'idée du changement de nom. À l'époque c'était de la sagesse. Aujourd'hui, après toutes ces années, il se sentait plus français qu'allemand. D'ailleurs c'était sans importance. Rien n'avait d'importance. Ses rêves étaient morts.

Parfois il se demandait ce qu'il aurait fait s'il les avait retrouvés. Qu'est-ce que cela aurait changé dans la réalité ?

Au fond de son cœur, il savait que tout aurait changé pour lui. Il aurait eu enfin le courage de quitter Gisèle, peut-être même de reprendre fermement ses enfants en main, de vendre la galerie aussi et, pour une fois, de profiter de son argent. Il sourit à toutes ces possibilités. Secrètement il savait que retrouver les siens ne serait pas la fin mais le début de son rêve de toujours.

Le lendemain matin, Tammy et Noël dirent au revoir à Brigitte et à son frère. Juste avant leur départ, Gérard Goddard dévala les escaliers à la hâte. Son regard plongea dans celui de Noël et il se demanda si... Non, c'était fou... impossible... Mais peut-être cette Mme Max Thomas saurait-elle... Depuis près de trente ans, Gérard Goddard vivait avec cette sorte de folie.

— Merci beaucoup, monsieur Goddard.

— Je vous en prie, Noël... Tamara... Nous espérons vous revoir bientôt.

Il ne souffla mot de l'adresse qu'ils lui avaient donnée, se contenta de leur faire un signe de la main quand ils partirent.

— J'aime beaucoup tes amis new-yorkais, Brigitte.

Pour une fois, sa fille répondit à son chaleureux sourire. Il avait toujours été si distrait, si distant, si malheureux. Brigitte n'avait toujours connu qu'un père brillant par son absence.

— Je les aime aussi, papa. Ils sont chouettes.

Son regard suivit Gérard qui se retirait pensivement. Plus tard dans la matinée, elle l'entendit téléphoner à Air France et pénétra comme si de rien n'était dans sa chambre. Sa mère était déjà descendue.

— Tu t'en vas, papa ?

— Oui, à New York. Ce soir.

— Pour affaires ?

— Oui.

— Je peux venir avec toi ?

La requête le surprit ; sa fille soudain semblait aussi seule que lui. Cependant il lui fallait effectuer ce voyage-là tout seul. Une autre fois, peut-être... si...

— Et si je t'emmenais la prochaine fois ? Là, ce ne serait pas drôle. J'ai à traiter une affaire assez délicate. Et je pense être de retour très vite.

Sur le seuil de la chambre, Brigitte le dévisageait attentivement.

— C'est vrai que tu m'emmèneras la prochaine fois, papa ?

— Promis, répondit-il lentement.

Il était déjà ailleurs quand il parla à Gisèle plus tard dans la matinée. Puis quand il prépara sa valise. Il ne prévoyait pas une longue absence, un jour ou deux. Après avoir embrassé hâtivement femme et enfants, il gagna l'aéroport. Quelques heures plus tard, il atterrissait à New York. Il s'engouffra dans un taxi, pria ensuite le chauffeur de l'arrêter devant une cabine téléphonique proche de chez Ariana.

— Madame Thomas ?

— Oui.

— Vous ne me connaissez pas... Ma fille est une amie de Tammy...

— Il s'est passé quelque chose ? demanda-t-elle, soudain effrayée.

La voix ne sonnait pas familièrement aux oreilles de l'homme qui écoutait. Encore une fausse piste, probablement. Une de plus.

— Non, pas du tout, n'ayez crainte, s'empressa-t-il de la rassurer. Ils sont partis en Italie ce matin, tout se passe bien. Je... Il se trouve que j'ai une affaire à traiter ici... à propos d'un Renoir... Et j'ai été très impressionné par la bague de fiançailles de votre belle-fille. Elle m'a dit que vous en aviez une autre, une émeraude, et comme j'avais un moment de libre... j'ai pensé...

Ses mots moururent ; il se demandait pourquoi il était venu de si loin.

— Mon émeraude n'est pas à vendre.

— Certes, certes. Je comprends bien.

Le pauvre homme. Il semblait si timide. Elle comprit alors qu'il devait s'agir de ce Gérard Goddard dont Tammy avait parlé, et elle eut honte de se montrer si peu accueillante, si peu aimable.

— Mais si vous désirez simplement la voir, vous pouvez passer chez moi.

— Ce serait avec grand plaisir, madame Thomas... dans une demi-heure ?... C'est très gentil de votre part.

Il n'avait même pas de chambre d'hôtel, seulement un taxi, une valise, et une demi-heure à tuer. Il demanda au chauffeur de rouler dans le quartier, sur Madison, de redescendre la Cinquième Avenue et de pénétrer dans le parc. L'heure du rendez-vous arriva enfin. Les jambes tremblantes, il descendit du taxi.

— Je vous attends ? proposa le chauffeur.

La course se chiffrait déjà à quarante dollars.

Mais le Français secoua la tête, lui tendit un billet de cinquante dollars, prit sa serviette et sa valise.

Quand il eut pressé le bouton de sonnette près du heurtoir de cuivre, l'attente lui parut interminable. Son costume gris d'excellente coupe tombait bien sur sa silhouette mince ; il portait une cravate Dior bleu nuit, et si sa chemise s'était quelque peu défraîchie durant le voyage, il était clair qu'elle venait de Londres, comme ses chaussures sur mesure. Pourtant, sous cette apparence luxueuse, Gérard avait l'impression d'être redevenu un adolescent attendant un père qui ne reviendrait jamais.

— Oui ? Monsieur Goddard ?

Ayant ouvert la porte, Ariana souriait à son visiteur. L'émeraude brillait à son doigt. Leurs yeux se rencontrèrent — du même bleu profond. Pendant un moment, elle ne le reconnut pas, elle ne comprit pas, mais lui sut immédiatement qu'il venait de retrouver sa sœur. Il se mit à pleurer, sans proférer un mot. C'était la jeune fille qui avait hanté ses souvenirs... le même visage... le même regard rieur...

— Ariana ?

Ce n'était qu'un murmure, mais qui réveillait les sons depuis longtemps enfouis... les cris dans l'escalier... les hurlements venus de son laboratoire de chimie... les jeux sans fin dehors... Ariana... Elle entendait encore cette voix... Ariana !

— Ariana !

C'était comme un écho au sanglot qui la déchirait. Elle se jeta dans ses bras.

— Mon Dieu... Mon Dieu... c'est toi... oh ! Gerhard...

Il y avait dans son étreinte la souffrance de toute une vie.

Longtemps, ils demeurèrent ainsi, accrochés l'un à l'autre, et quand enfin elle fit entrer son frère dans la maison, elle lui adressa un sourire, un merveilleux sourire, que Gerhard lui rendit. Pendant presque trente ans, ces deux êtres avaient porté leur fardeau en solitaire, mais ils s'étaient retrouvés enfin, et ils étaient libres.

Achevé d'imprimer en janvier 1996
pour le compte de France Loisirs
123, bd de Grenelle, 75015 Paris
N° d'édition 26718 / N° d'impression L 50668
Dépôt légal, février 1996
Imprimé en France